Ciencias Naturales

y Desarrollo Humano

Sexto grado

Ciencias Naturales y Desarrollo Humano. Sexto grado fue elaborado en la Dirección General de Materiales y Métodos Educativos de la Subsecretaría de Educación Básica y Normal de la Secretaría de Educación Pública.

Coordinación general
José Antonio Chamizo Guerrero

Autores
Ana Barahona Echeverría, Rosa María Catalá Rodes,
José Antonio Chamizo Guerrero, Blanca Rico Galindo,
Marina Robles García, Vicente Augusto Talanquer Artigas

Revisores
Lilian Álvarez de Testa, Óscar de la Borbolla, Georges Dreyfus Cortés,
Julieta Fierro Gossman, Edgar González Gaudiano,
Fedro Guillén Rodríguez, Carlos López Díaz, José Pérez Neria,
Rodolfo Ramírez Raymundo, Carlos del Río Chiriboga,
Horacio Rubio Monteverde, Alberto Sánchez Cervantes,
María Trigueros Gaisman, Jaime Villalba Caloca
Guillermina Waldegg Casanova

Supervisión general
Elisa Bonilla Rius y Armando Sánchez Martínez

Equipo técnico-pedagógico y prueba de materiales en aula
Noemí García García (coordinación), Julián Maldonado Luis,
Alicia Mayén Hernández, Ana Lilia Romero Vázquez
Rosa del Carmen Villavicencio Caballero

Asistente de la coordinación general
Marina Robles García

Coordinación editorial
María Ángeles González

Cuidado de edición
María Ángeles González (edición 1999), José Manuel Mateo (edición 2000)

Corrección de estilo
Carlos Chimal (edición 1999), Antonio Bolívar (edición 2000)

Apoyo institucional
Subsecretaría de Planeación y Subsecretaría de Recursos Naturales de la Secretaría del Medio Ambiente, Recursos Naturales y Pesca, Consejo Nacional de Población y Sistema Nacional de Protección Civil de la Secretaría de Gobernación y Grupo Interinstitucional de la Secretaría de Salud

Portada
Diseño: Comisión Nacional de Libros de Texto Gratuitos
Ilustración: Pedregal con figuras, 1947
Piroxilina sobre madera comprimida 100 x 122 cm
David Alfaro Siqueiros (1896-1974)
Museo de Arte Alvar y Carmen T. Carrillo Gil
Fotografía: José Ignacio González Manterola

Servicios editoriales

Diseño:
Rocío Mireles

Formación:
Fernando Villafán (coordinación)
Gabriel González Meza

Producción fotográfica
Penélope Esparza (edición 1999)

Fotografía:
Dante Bucio, Laura Cano, Claudio Contreras,
Jesús Díaz, Gabriel Figueroa Flores,
Arturo Fuentes y Mario Gómez,
Acervo Iconográfico de la Cineteca Nacional

Ilustración:
Leticia Arango, Isolde Arzt, Rossana Bohórquez,
Arturo Delgado, Elvia Esparza, Alicia Montes,
Gerardo del Olmo, Carlos Rodríguez, Nora Souza,
Sí, Consultoría Creativa: Abdías, Luis Gerardo Alonso,
Carlos Incháustegui, Magdalena Juárez y Coni Reyes

Primera edición, 1999
Tercera edición, 2002
Segunda reimpresión, 2004 (ciclo escolar 2005-2006)

ISBN 970-18-9991-1

Impreso en México
DISTRIBUCIÓN GRATUITA-PROHIBIDA SU VENTA

Presentación

Con la publicación del libro *Ciencias Naturales y desarrollo humano*, culmina el programa de renovación y mejoramiento de la calidad de los libros de texto gratuitos para la educación primaria, impulsado por el gobierno de la República a partir de 1993. En adelante, la evaluación continua de cada uno de estos libros hará posible contar con materiales actualizados periódicamente, conforme al avance de las ciencias y del conocimiento sobre los procesos de aprendizaje, así como de la invaluable experiencia que se logra en las aulas.

Los libros de la asignatura de Ciencias Naturales corresponden a la última etapa de este programa de renovación. La Secretaría de Educación Pública invitó en 1995 a un grupo de especialistas y maestros distinguidos para elaborar esos libros. En este proceso se han tomado en cuenta las opiniones y sugerencias de maestros en servicio, científicos y educadores reconocidos.

A partir del tercer grado de la educación primaria, cuando los niños y las niñas comienzan el estudio sistemático de las ciencias naturales, se ha procurado unir dos campos del saber: por un lado, el aprendizaje sobre los seres y los procesos del mundo natural y sobre las formas de preguntar y razonar que caracterizan al pensamiento científico; por el otro, el conocimiento sobre el desarrollo de los seres humanos, su salud y su bienestar, así como su relación responsable con el medio natural y los recursos que éste ofrece.

En el libro de quinto grado, además de continuarse el estudio de fenómenos naturales más complejos, se incorpora el estudio inicial de la sexualidad y la reproducción humanas, de la equidad entre hombres y mujeres y de la prevención de adicciones.

En este nuevo libro, denominado *Ciencias Naturales y desarrollo humano*, se completa una visión general del mundo de la naturaleza, pero además se amplían el conocimiento y la reflexión sobre los aspectos más importantes de la maduración humana. En sexto grado, una parte del alumnado ha empezado ya el tránsito hacia la adolescencia y el resto lo hará muy pronto. Para informar y orientar a los alumnos se ha profundizado en los temas relacionados con el desenvolvimiento de la sexualidad en las niñas y los niños, con el conocimiento de la reproducción humana y con los grandes cambios emocionales y sociales que también ocurren en la adolescencia.

Asimismo, se presenta con mayor extensión el tema de la prevención de las adicciones.

Puesto que estos temas son delicados, se ha tenido el mayor cuidado en tratarlos de manera clara, respetuosa y adecuada a la edad de los alumnos. Al mismo tiempo que se exponen los aspectos biológicos de los cambios de la adolescencia, se insiste en que se trata de procesos que afectan a las personas en todos los aspectos de su vida y, por lo tanto, se destacan los componentes emocionales y afectivos, éticos y de relación familiar y social que son parte esencial del desarrollo humano. Estos temas están relacionados con la asignatura Formación Cívica y Ética, que forma parte de la educación secundaria.

En el presente libro los temas del programa han sido organizados en cinco bloques: los cuatro primeros constan de ocho lecciones cada uno, mientras que el último tiene una estructura distinta, cuyo propósito es que los alumnos integren y relacionen lo aprendido durante el año escolar con otras asignaturas. También, la última lección de cada bloque sintetiza, con el apoyo de un cintillo ubicado en la parte inferior de las páginas de las siete lecciones previas, las nociones básicas revisadas en éstas.

Como el resto de los libros de la serie, éste contiene las secciones "Abre bien los ojos", "Vamos a explorar" y "Manos a la obra". El texto principal del libro se complementa con información adicional en las secciones denominadas "Compara" y "¿Sabías que...?" Por otro lado, se sugiere al alumno continuar elaborando su propio diccionario científico, que comenzó desde tercer grado, con el fin de familiarizarse con el lenguaje de la ciencia y de los temas del desarrollo humano.

Las opiniones de las maestras y los maestros, de las niñas y los niños, así como las sugerencias de madres y padres de familia que comparten con sus hijos las actividades escolares, son indispensables para que la tarea de renovación de los libros de texto gratuitos tenga buen éxito. La Secretaría de Educación Pública necesita sus recomendaciones y comentarios. Estas aportaciones serán estudiadas con atención y servirán para que el mejoramiento de los materiales educativos sea una actividad sistemática y permanente. Para facilitar la comunicación se han incluido, al final del libro, unas páginas destinadas a recoger sus puntos de vista.

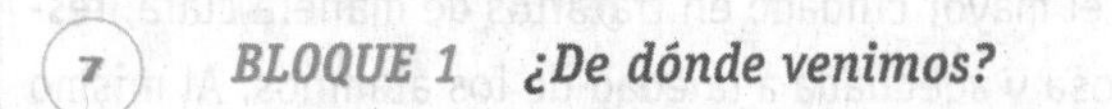

Índice

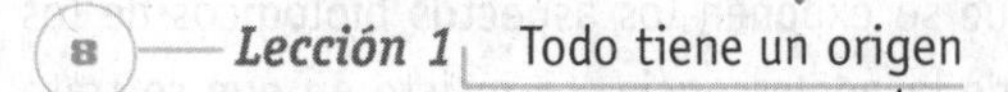

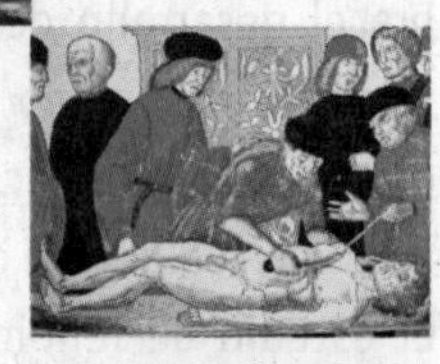

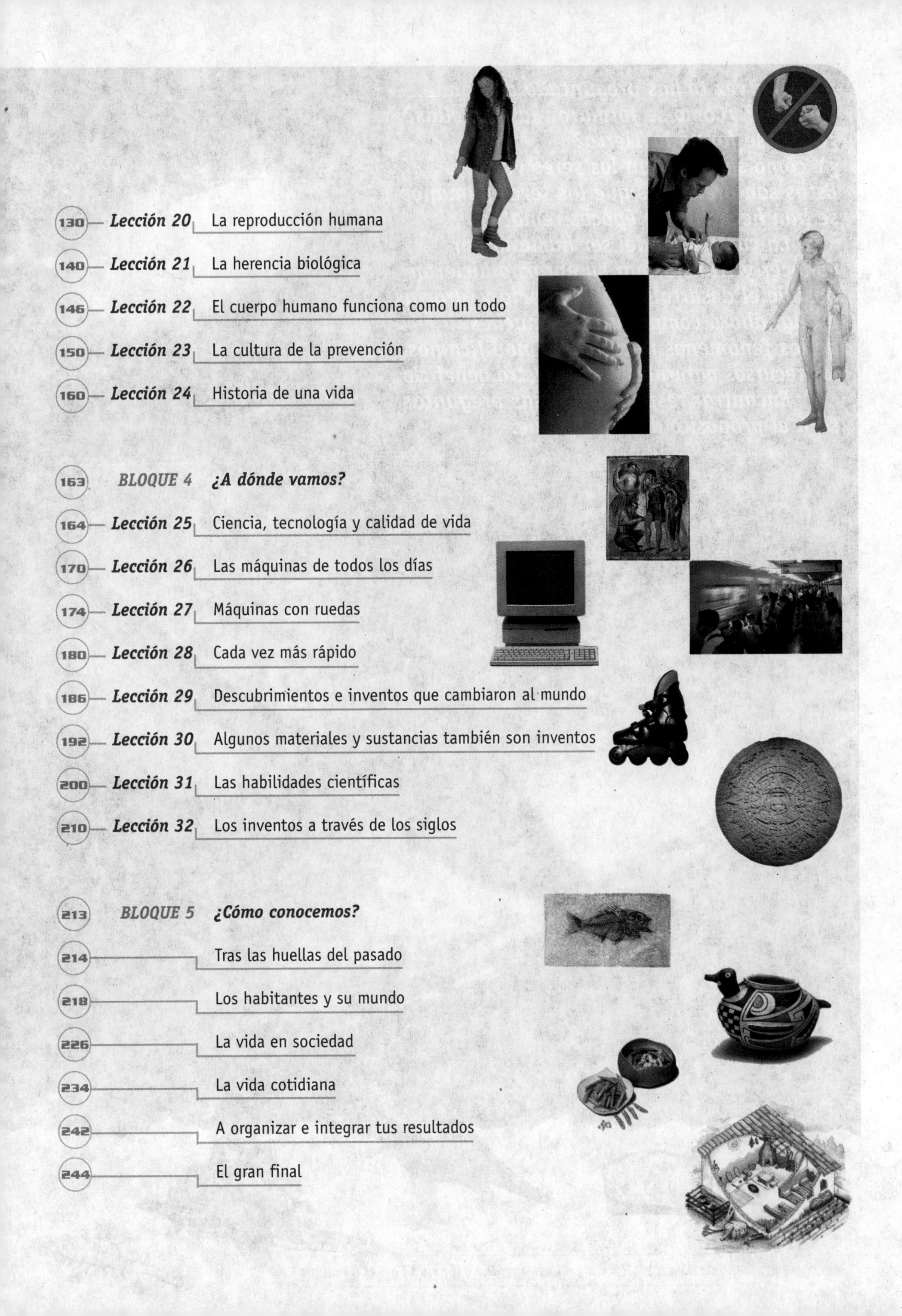

¿Alguna vez te has preguntado de dónde venimos? ¿Cómo se formaron las estrellas? ¿Cómo se formó la Tierra? ¿Y cómo se formaron los seres vivos? Éstas son preguntas que los seres humanos se han hecho desde épocas remotas.

La curiosidad del ser humano por conocer y transformar su entorno hicieron posible el desarrollo de la ciencia y, gracias a ella, ahora comprendemos muchos de los fenómenos naturales y modificamos los recursos naturales para nuestro beneficio.

Encontrar respuestas a esas preguntas será el propósito de este bloque.

¿DE DÓNDE VENIMOS?

BLOQUE 1

LECCIÓN 1

Todo tiene un origen

¡Bienvenida y bienvenido a tu curso de sexto grado de Ciencias Naturales! En los cursos anteriores aprendiste qué son los seres vivos, qué funciones realizan, cómo se reproducen y en qué ecosistemas viven. En este bloque estudiarás las explicaciones que han propuesto los científicos sobre el origen del Universo, de los seres vivos y de las sustancias de las que están hechas todas las cosas.

Los seres vivos habitamos el planeta Tierra, que forma parte del sistema solar. A su vez, el sistema solar forma parte de una galaxia que lleva por nombre Vía Láctea. Una galaxia está formada de gas, polvo, planetas y miles de millones de estrellas, como las que vemos brillar por las noches. El conjunto de las galaxias constituye lo que se denomina Universo o Cosmos. A pesar de las investigaciones de los científicos para saber si existen seres vivos en ésta y en otras galaxias, con certeza sólo sabemos que los hay en la Tierra.

La Tierra vista desde la Luna

Los seres humanos hemos explorado casi la totalidad de nuestro planeta, por lo cual difícilmente se hallarán nuevos lugares, como lo hiciera Cristóbal Colón en el siglo XV. Los primeros mapas de los continentes se elaboraron en el siglo XVI, durante las grandes expediciones marítimas. En 1969 el ser humano dio el primer paso sobre la Luna; posteriormente se ha logrado obtener fotografías de la Tierra tomadas desde el espacio exterior, como la que puedes observar a la izquierda, en donde se aprecian su contorno y relieve.

La curiosidad de los seres humanos en su intento por explicarse los fenómenos naturales ha posibilitado el desarrollo de las diferentes ciencias, como la astronomía, la física, la química y la biología. El desarrollo de las ciencias ha favorecido nuestro entendimiento de la naturaleza y, en muchos casos, ha mejorado nuestras vidas.

Hace aproximadamente 15 000 millones de años se originó el Universo probablemente como producto de una gran explosión.

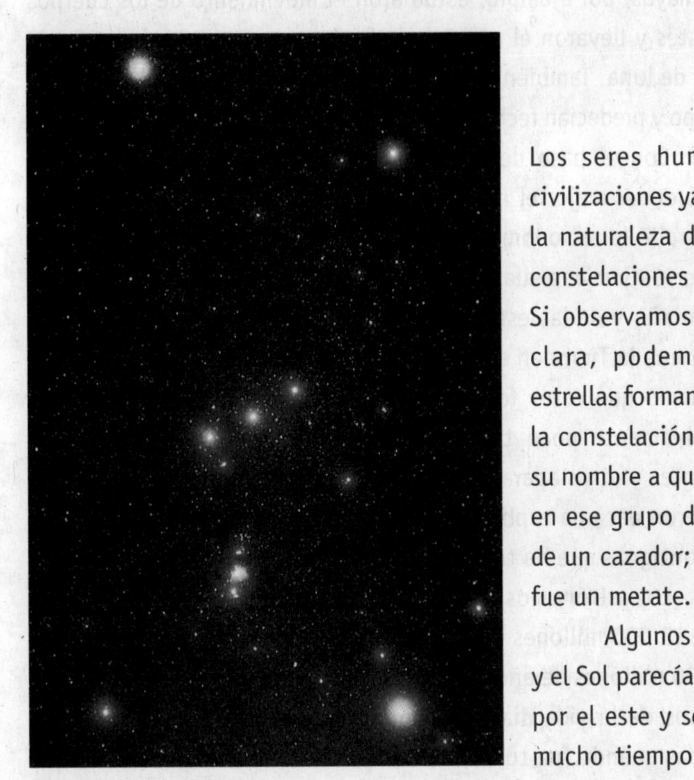

En esta foto puedes observar algunas de las estrellas que forman parte de la constelación de Orión. Si la comparas con la imagen de la derecha verás a qué parte de la figura corresponden.

Los seres humanos de las primeras civilizaciones ya se preguntaban acerca de la naturaleza del cielo nocturno y de las constelaciones o grupos de estrellas. Si observamos el cielo en una noche clara, podemos imaginar que las estrellas forman figuras. Por ejemplo, la constelación de Orión debe su nombre a que los griegos vieron en ese grupo de estrellas la forma de un cazador; los mesoamericanos, en cambio, lo que observaron fue un metate.

Imagen griega que representa la constelación de Orión.

Algunos seres humanos se percataron de que las estrellas y el Sol parecían moverse alrededor de la Tierra, pues siempre salen por el este y se ponen por el oeste. Sin embargo, tuvo que pasar mucho tiempo para que la humanidad supiera que es la Tierra la que realmente se mueve de oeste a este. También notaron que es posible observar diferentes constelaciones en el cielo conforme pasa cada estación del año. Por ejemplo, en invierno siempre vemos las mismas constelaciones en las mismas fechas.

El ser humano aprendió a relacionar el movimiento que observaba en las estrellas con sus actividades y con el transcurrir del tiempo. Estas regularidades le permitieron saber cuándo era el momento de sembrar ciertos alimentos, de recoger frutos y semillas, de salir de caza e incluso pudo calcular la duración de un año.

Osa Menor
Cefeo
Osa Mayor
Andrómeda
Perseo
Auriga
Orión

Constelaciones que pueden observarse en México en el invierno.

La materia del Universo se formó de inmediato.

Observatorio de Chichén Itzá, Yucatán

Así, nuestros antepasados construyeron los primeros observatorios. Los mayas, por ejemplo, estudiaron el movimiento de los cuerpos celestes y llevaron el registro de fenómenos como los eclipses de sol y de luna. También idearon un calendario con el cual medían el tiempo y predecían fechas importantes de acuerdo con sus creencias.

Con el paso del tiempo, los seres humanos empezaron a comprender mejor el movimiento de los cuerpos celestes y así se desarrolló la astronomía, que es la ciencia dedicada al estudio del Universo. Gracias a ella, en la actualidad sabemos no sólo la duración de un año y de las estaciones, sino también sabemos la posición que tiene la Tierra en el sistema solar y la de éste en la Vía Láctea, así como que éstos forman parte del Universo. Sólo desde hace relativamente poco tiempo y con el desarrollo de telescopios potentes y otros aparatos como las computadoras, los astrónomos pudieron dar una explicación científica a una de las interrogantes más antiguas que ha tenido el ser humano: el origen del Universo.

Los astrónomos han estimado que el Universo se formó hace unos 15 000 millones de años. ¿Tienes idea de lo que representan 15 000 millones de años? Para los seres humanos es fácil medir los sucesos de la vida diaria en minutos, horas o días, e incluso en años. Seguramente te acuerdas cuándo fue tu último cumpleaños. Te acordarás de lo que hiciste el verano pasado y tus padres guardarán recuerdos de cuando eras muy pequeño, pero es difícil imaginar tiempos más remotos.

¿Sabías que... ***hasta el siglo XVI en Europa se pensaba que la Tierra era el centro del Universo? También se pensaba que el Sol, la Luna, las estrellas y los planetas giraban alrededor de ella. Fue en 1543 cuando Nicolás Copérnico, basado en pruebas científicas, propuso por primera vez que la Tierra gira alrededor del Sol.***

Mapa del Universo, anterior a Copérnico, en el que se muestra al Sol girando alrededor de la Tierra.

En los mapas posteriores a Copérnico, la Tierra aparece girando alrededor del Sol.

Durante millones de años el Universo se fue expandiendo.

Hay sucesos que parecen más lejanos y ajenos que los cotidianos, como cuando usas tu libro de Historia de México y lees que fue en 1810 cuando Miguel Hidalgo inició la Independencia de México. Sin embargo, es posible imaginar el lapso transcurrido desde entonces, debido a los registros en los libros y al recuerdo constante de los sucesos importantes como la guerra de Independencia o la Revolución. También existe la tradición oral, que es lo que cada generación le cuenta a la siguiente. Ahora bien, un lapso tan grande como son 15 000 millones de años es mucho más difícil de imaginar.

La formación del Universo

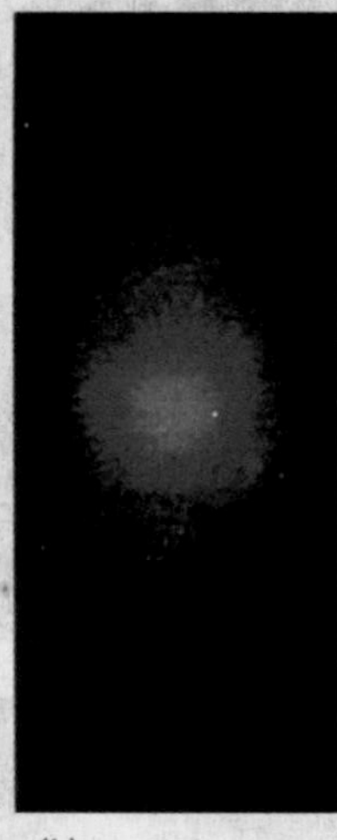

(a) *(b)* *(c)* *(d)*

Formación y expansión del Universo:
*(a) **La gran explosión***
*(b) **Expansión y enfriamiento***
*(c) **Formación de las galaxias***
*(d) **La expansión continúa hasta nuestros días.***

Aunque parezca increíble, hay indicios científicos que indican que el Universo se formó en la llamada gran explosión, hace 15 000 millones de años. En ese momento, todo estaba contenido en un volumen extraordinariamente pequeño a una temperatura extremadamente alta. Toda la materia era gas y polvo.

A partir de la gran explosión, el contenido del Universo comenzó a expandirse y a enfriarse. Todavía no había estrellas, ni galaxias, ni planetas. Cuando la materia se enfrió lo suficiente, se formaron las primeras estrellas dentro de las primeras galaxias. Las primeras galaxias se formaron hace 13 000 millones de años y la Vía Láctea, que es donde se localiza el Sol, se formó hace 10 000 millones de años. La Vía Láctea está compuesta de gases, polvo y unas 400 000 millones de estrellas. Ahora sabemos que existen diferentes tipos de galaxias y que las estrellas nuevas se forman dentro de nubes de gas y polvo, y alrededor de ellas se forman los planetas.

Expansión del Universo recién formado

Dentro de las galaxias siguen naciendo nuevas estrellas a partir de nubes de gas y polvo.

Recuerda que en tu libro de quinto grado trabajaste con algunos mapas conceptuales y que ellos te sirvieron para resumir, organizar y recordar información. El siguiente mapa conceptual te puede ayudar a organizar algunos conocimientos acerca de cómo está formado el Universo.

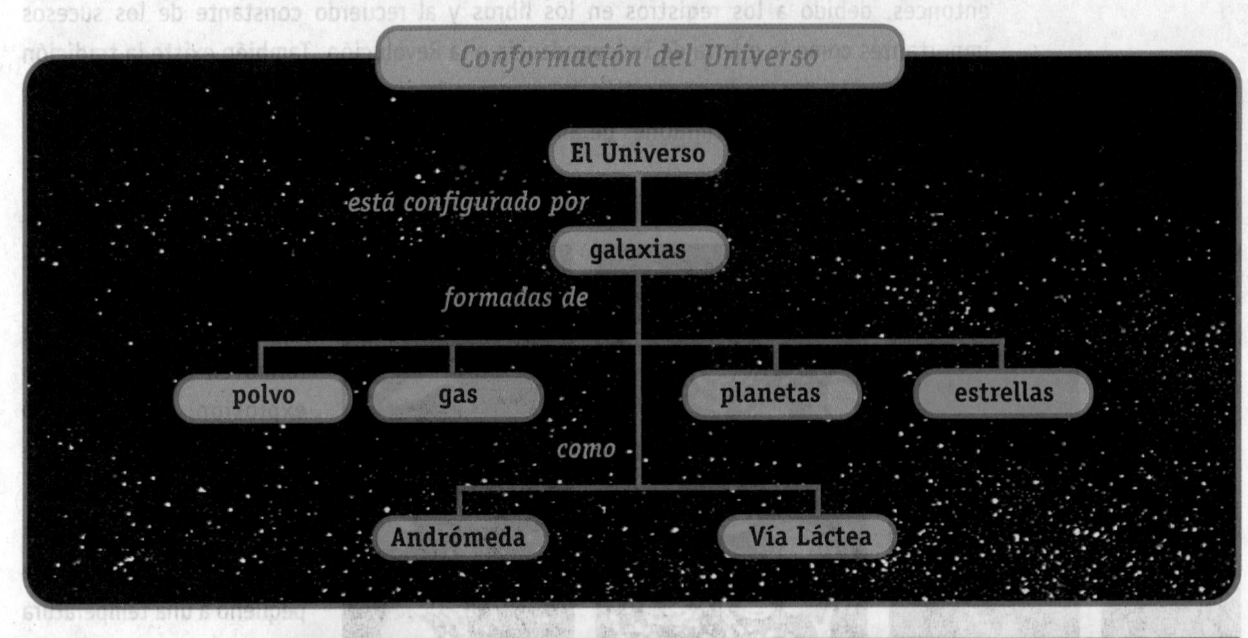

Galaxia espiral

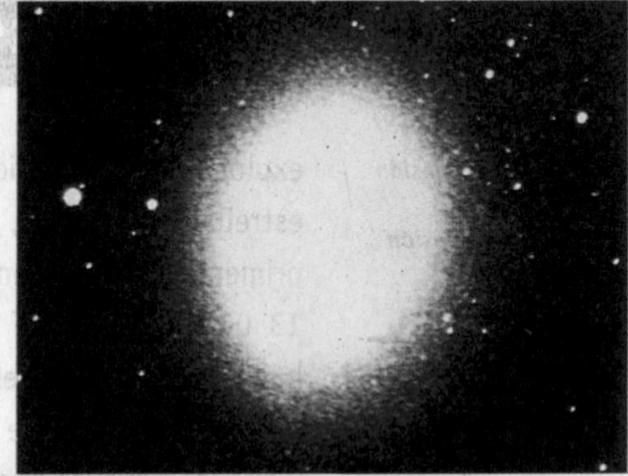
Galaxia elíptica

Galaxia espiral barrada

Galaxia irregular

Diferentes tipos de galaxias

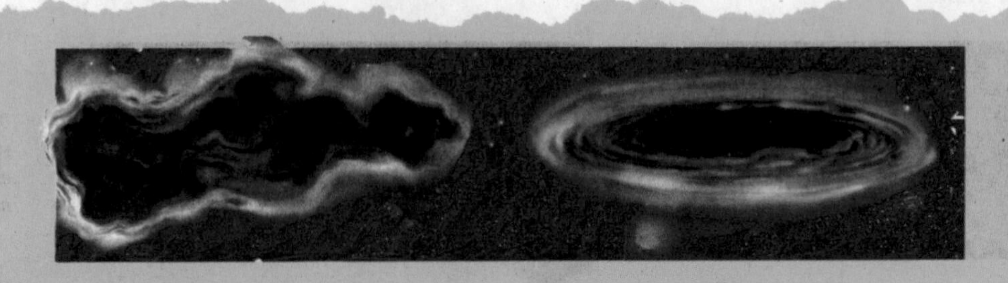
El polvo y los gases se van agregando para formar estrellas dentro de las galaxias.

El Universo se expande

Las galaxias se mueven separándose unas de otras en todas direcciones, ya que en un principio se originaron en un mismo punto del Universo. Para que te des una idea de cómo se expande el Universo y cómo se alejan las galaxias, unas de otras, realiza el siguiente modelo. Organízate en pareja.

Necesitas:

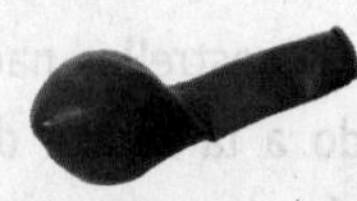

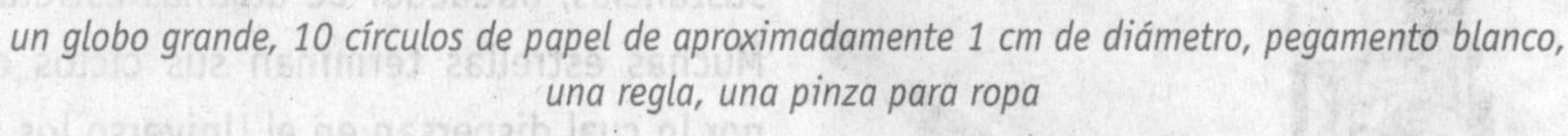

un globo grande, 10 círculos de papel de aproximadamente 1 cm de diámetro, pegamento blanco, una regla, una pinza para ropa

1. ***Infla un poco el globo, como lo indica la figura, y sujétalo con la pinza para ropa.***
2. ***Pega los círculos de papel en la superficie del globo.***
3. ***Elige seis de los círculos, marca uno con un punto y numera los otros del 1 al 5.***
4. ***Con la regla, mide las distancias entre cada círculo numerado y el marcado con un punto. Éstas van a ser las distancias iniciales, anótalas en una tabla como la que ves aquí.***

Círculo	Distancia inicial	Distancia final
1		
2		
3		
4		
5		

5. ***Infla el globo aún más y hazle un nudo.***
6. ***Mide nuevamente las distancias entre los círculos y anótalas en la tabla. Compara las distancias de ambas columnas.***

Si el globo representa el Universo que se expande, los círculos representan las galaxias que lo componen, y entre las galaxias sólo hay gas y polvo. Contesta las siguientes preguntas. Al inflar el globo, ¿qué observas? ¿Cómo puedes explicarlo? ¿Hay algunas que se acerquen entre sí? ¿Por qué?

Comenta tus respuestas con tus compañeros, compañeras y tu maestra o maestro. Anota en tu cuaderno tus conclusiones.

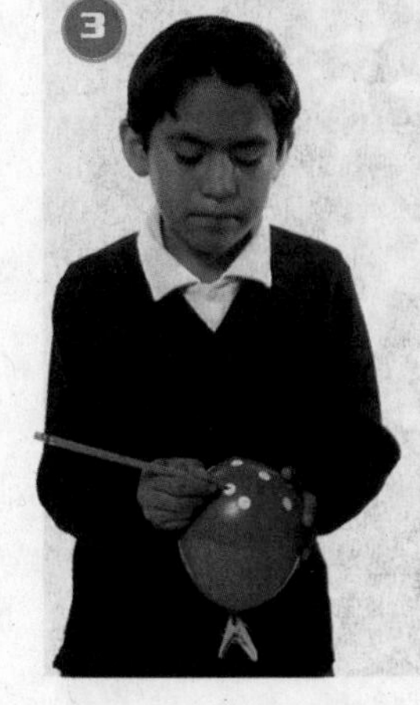

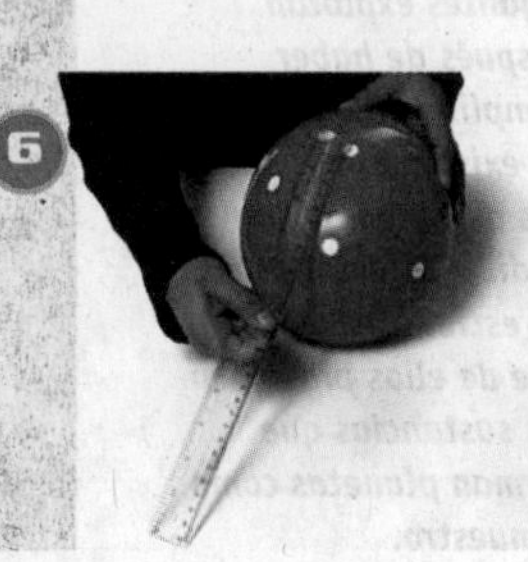

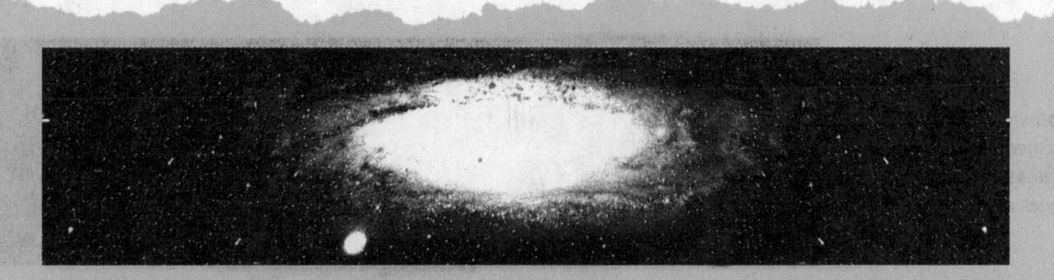

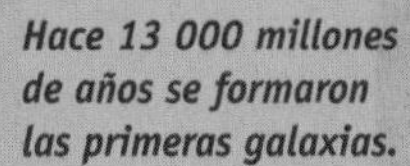

Hace 13 000 millones de años se formaron las primeras galaxias.

LECCIÓN 2 ¿Cómo se formó la Tierra?

Como ya dijimos, miles de millones de años antes que la Tierra, se formaron las galaxias. En éstas, las estrellas nacen, existen por millones de años y mueren. Debido a la fuerza de gravedad que atrae a las sustancias, alrededor de algunas estrellas se forman los planetas. Muchas estrellas terminan sus ciclos de existencia explotando, por lo cual dispersan en el Universo los materiales que las forman, como el oxígeno, el carbono y otras sustancias.

Hace aproximadamente 4 600 millones de años, en un lugar de la Vía Láctea se formó el sistema solar, que, como sabes, está constituido por el Sol, que es una estrella, y nueve planetas, uno de los cuales es la Tierra, donde habitamos nosotros.

A diferencia de otros planetas, en la Tierra no hace demasiado calor ni demasiado frío y en su superficie se encuentran las cantidades necesarias de gases y agua que requieren los seres vivos. Pero esto no siempre fue así.

En órbita alrededor de la Tierra se encuentra el telescopio más potente construido hasta ahora, llamado Hubble*, desde el cual se observa el Universo. Esta fotografía fue tomada desde una nave espacial y en ella puedes apreciar el* Hubble *y una parte de la Tierra.*

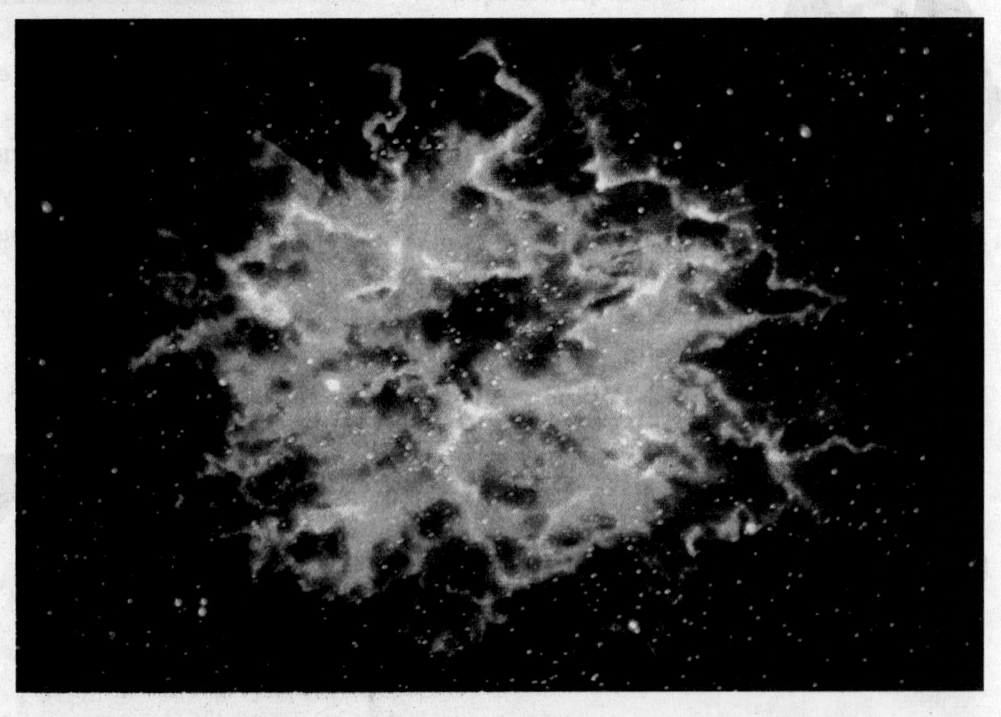

Algunas estrellas gigantes explotan después de haber cumplido su ciclo de existencia. Los astrónomos han podido detectar este tipo de estrellas y se sabe que de ellas provienen las sustancias que forman planetas como el nuestro.

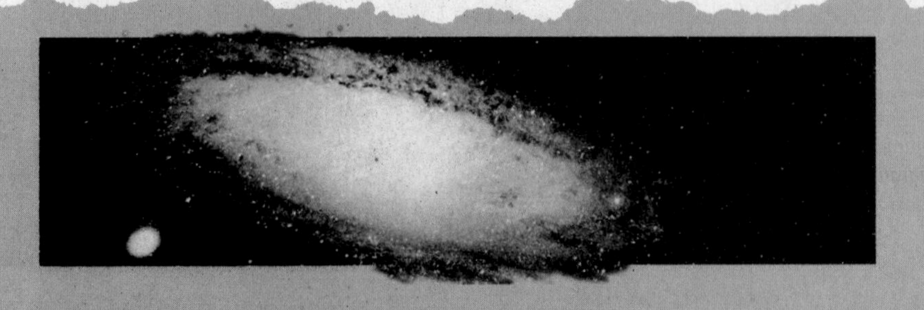

La galaxia de Andrómeda se formó hace unos 12 000 millones de años.

La Tierra incandescente

La Tierra hace 4 600 millones de años

La corteza de la Tierra se hace más gruesa

Formación de un solo continente: Pangea

Separación y movimiento de los continentes

La Tierra en la actualidad

La Tierra cambió mucho su aspecto durante los primeros 600 millones de años de su existencia. Hace 4 000 millones de años la Tierra adquirió su forma actual.

Después de que se formó el Sol, a partir de gases y partículas, a su alrededor quedó un enorme torbellino de materiales dispersos que, por acción de la fuerza de gravedad, se fueron reuniendo lentamente hasta formar conglomerados de varios tipos y tamaños. Estas agrupaciones de rocas, líquidos y gases chocaron entre sí a grandes velocidades, formando, en un principio, esferoides pequeños que aumentaron de tamaño a medida que se unía más material. Éstos crecieron lentamente al principio, y después más rápido, ya que, cuanto más crecían, mayor cantidad de fragmentos de materia podían atraer. Así se formaron los planetas y sus lunas o satélites.

En su origen, la Tierra pudo haber sido sólo un agregado de rocas incandescentes y gases. Con el paso del tiempo, su tamaño aumentó hasta alcanzar el diámetro que tiene actualmente, 12 872 km.

Entonces, la superficie de la Tierra estaba muy caliente, por el choque constante de rocas que hacían impacto sobre ella. Su superficie estaba en la oscuridad porque su atmósfera contenía polvo y gases que, mezclados, producían una barrera opaca que no permitía el paso de la luz del Sol.

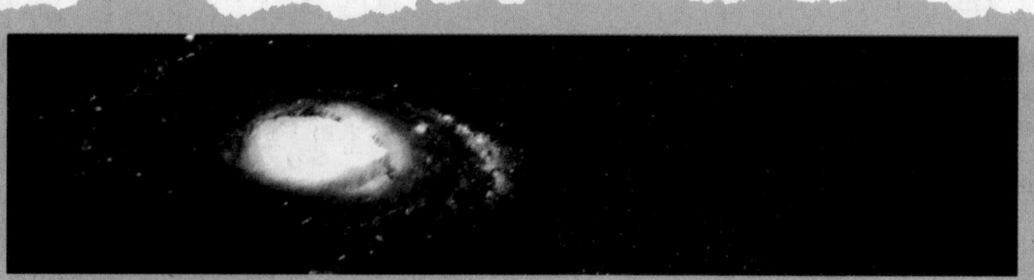

La galaxia de la que forma parte el Sol, junto con otros 400 000 millones de estrellas, se conoce como Vía Láctea.

¿Sabías que... ***una de las maneras de explicar el origen de la Luna es a partir del choque de la Tierra con un objeto muy grande, casi del tamaño de Marte? Este impacto, al que se le ha llamado la gran colisión, pudo haber desprendido y enviado al espacio un gran pedazo de materia de la Tierra. Este gran trozo de materia se fue enfriando hasta convertirse en nuestro bellísimo satélite natural.***

Hace unos 4 200 millones de años, las sustancias que formaron el planeta se distribuyeron en distintas zonas. Los metales muy pesados, como el hierro, se hundieron y formaron el centro o núcleo. Debido a la gran temperatura de la Tierra en ese tiempo, algunas de las sustancias más ligeras, como los gases, se liberaron al espacio.

En el transcurso de 600 millones de años la Tierra se fue enfriando, la superficie de roca fundida se hizo sólida y formó la corteza. En el interior de la Tierra, la roca fundida se encontraba a muy alta temperatura y en algunos lugares comenzó a salir en forma de lava por conductos que se formaron en la corteza y que dieron origen a los primeros volcanes. También algunos gases del interior del planeta salieron y se quedaron en la parte externa del mismo, ya que se expandían menos al tener contacto con las bajas temperaturas de la superficie. Con este proceso se empezó a formar lo que hoy conocemos como atmósfera.

En el periodo comprendido entre 2 500 y 3 800 millones de años después de su origen, la mezcla de gases que se había acumulado en la superficie de la Tierra contenía, entre otros, vapor de agua.

Este vapor, con el enfriamiento, se fue condensando primero en forma de nubes y después en forma de lluvia, la cual fue cayendo poco a poco sobre la superficie sólida del planeta. A medida que la Tierra se enfriaba, el agua empezó a acumularse en cantidades enormes, lo que dio inicio a la formación de los océanos. También en esta época aparecieron las primeras formas de vida.

Los gases presentes en la atmósfera de la Tierra primitiva eran dióxido de carbono y vapor de agua, sustancias que aprovecharon los primeros organismos capaces de llevar a cabo el proceso de fotosíntesis. Con la aparición de la vida en los océanos, hubo cambios importantes en la atmósfera del planeta.

El sistema solar se empezó a formar hace 4 600 millones de años. En el centro de una nube se formó el Sol y a partir del material que sobró se formaron los planetas y los satélites o lunas.

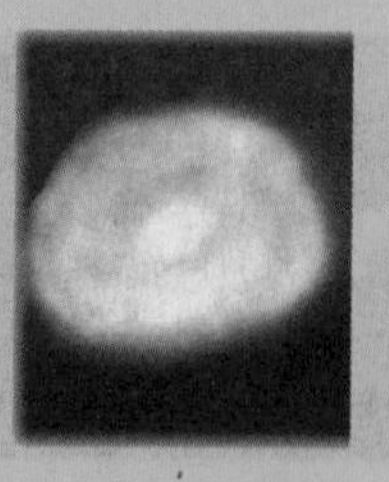

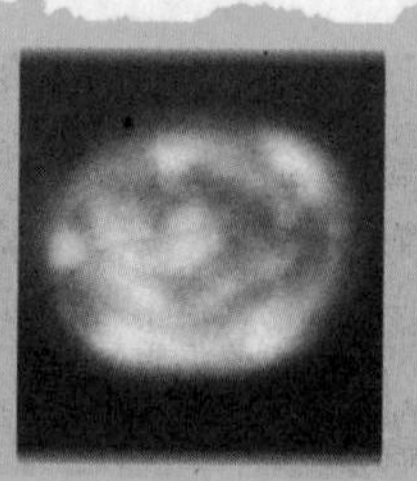

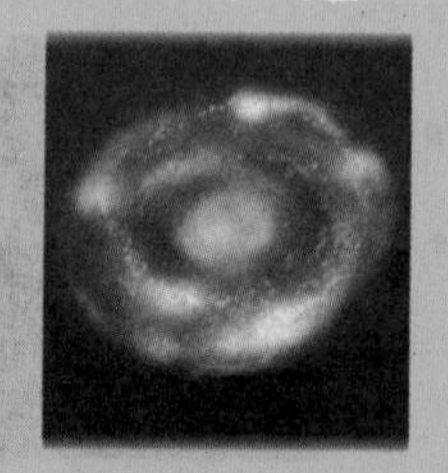

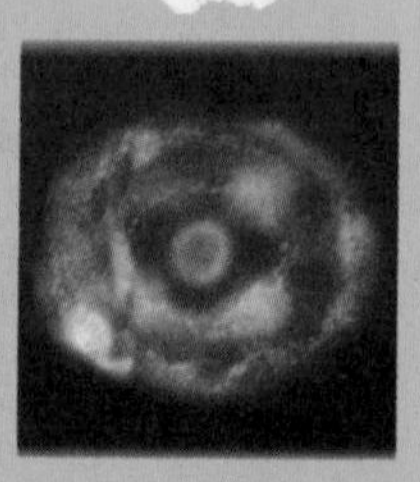

¿De dónde vino el oxígeno?

Tú sabes que, con excepción de algunos microorganismos, los seres vivos que poblamos la Tierra necesitamos un gas insustituible para respirar: el oxígeno. La atmósfera o capa de gases que había en la Tierra originalmente no contenía este gas. ¿Por qué entonces forma parte de la atmósfera actual?

Reúnete en equipo con tus compañeras y compañeros y, tomando en cuenta lo que aprendiste en grados anteriores sobre la fotosíntesis, contesta las siguientes preguntas. También, puedes investigar en tus libros de Ciencias Naturales o preguntarle a alguna persona adulta.

¿Qué gas consumen las plantas durante la fotosíntesis?

¿Qué gas se libera a partir de este proceso?

De acuerdo con las respuestas anteriores, explica por qué, hoy en día, el oxígeno forma parte de la atmósfera.

Hace unos 550 millones de años, la Tierra empezó a ser casi como la conocemos hoy. Sabemos cómo está formada debido a los materiales que salen a la superficie en las erupciones volcánicas, así como por el estudio de la propagación de las ondas sísmicas durante los temblores. Existen distintas capas en el planeta, dependiendo de qué tan pesados sean los materiales que las componen. En el centro se encuentra el núcleo interior, o núcleo sólido, cuyo diámetro equivale al tamaño de la Luna, es decir, unos 3 500 km. Este núcleo está formado sobre todo de hierro. Luego sigue el núcleo exterior, o núcleo líquido, que se extiende hasta aproximadamente la mitad del diámetro de la Tierra y está formado también por hierro y otros metales fundidos, como magnesio y aluminio mezclados con oxígeno y otras sustancias.

Existe una capa intermedia situada entre el centro y la superficie del planeta, conocida como manto, en donde se encuentra una gran variedad de sustancias, las cuales consisten, principalmente, en distintos tipos de rocas y de metales en estado puro y en forma de mineral. Por último, se encuentra la capa delgada que constituye la corteza o superficie terrestre, formada por muchas sustancias. El agua de los océanos cubre gran parte de esta superficie.

Corteza terrestre

Manto

Núcleo exterior líquido

Núcleo interior sólido

Corte de las capas interiores de la Tierra

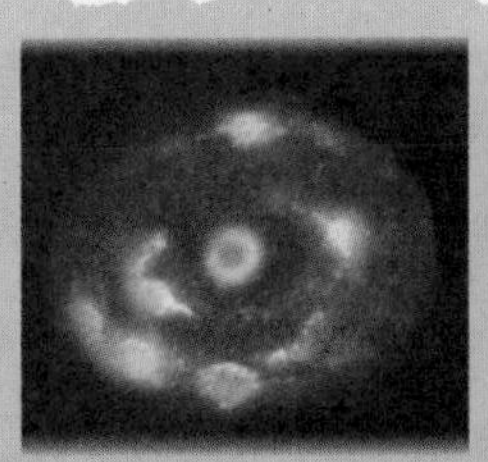
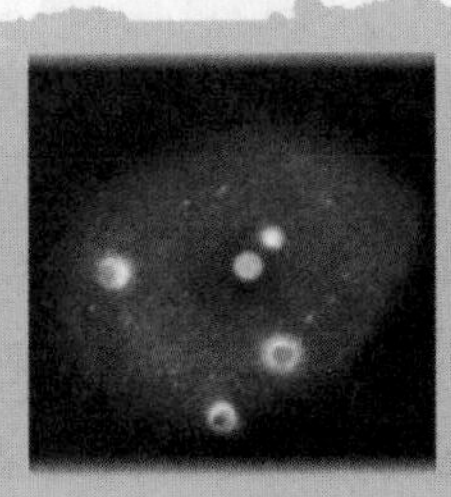
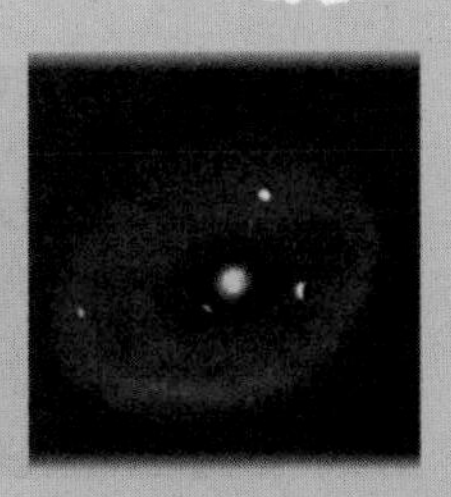

Los planetas se formaron por choques de sustancias que se fueron agregando, e integraron esferas que crecieron más y más.

El Popocatépetl, situado entre los límites de los estados de México, Morelos y Puebla, es un volcán activo que constantemente arroja fumarolas y cenizas.

El volcán Kilauea, ubicado en Hawai, entró en erupción en octubre de 1998. Observa la fuerza con que arroja la lava ardiendo.

La Tierra es un planeta activo, esto quiere decir que tiene movimientos y cambios constantes en su superficie y en su interior. Sobre todo, podemos notar los cambios por los temblores o cuando un volcán hace erupción. Un volcán es un montículo formado como consecuencia de la salida de roca fundida del interior de la Tierra y que luego se enfría. La roca fundida en el interior recibe el nombre de magma; cuando sale se llama lava. Los volcanes tienen una abertura llamada cráter, que por lo general se ubica en la parte superior y en su interior un canal vertical llamado chimenea.

Además de la lava, entre los materiales comunes que arroja un volcán se encuentran gases de azufre y vapor de agua.

Azufre y vapor de agua

Lava

Cráter

Chimenea

Corteza terrestre

Magma

Esquema de un volcán en erupción

Sistema solar: Sol, Mercurio, Venus, Tierra, Marte, Júpiter,

Elabora un modelo de volcán

La siguiente es una actividad que te puede dar una idea de cómo sale y escurre la lava de un volcán durante una erupción. Para ello organízate en equipos.

Necesitas por equipo:

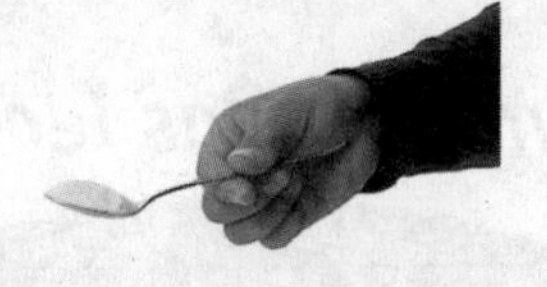

un plato o charola de plástico, una barra de plastilina o 300 g de arcilla, una cucharada de bicarbonato de sodio (se consigue en farmacias), medio vaso de vinagre

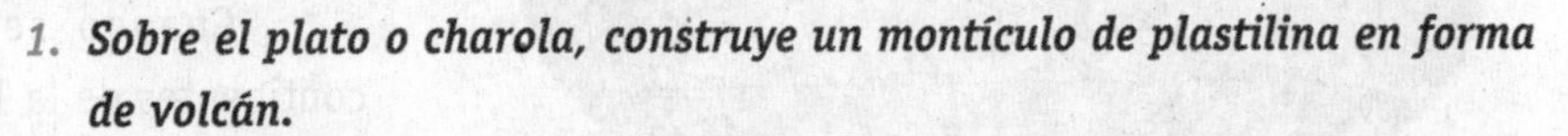

1. ***Sobre el plato o charola, construye un montículo de plastilina en forma de volcán.***
2. ***Con tus dedos o con un lápiz, haz un agujero de aproximadamente 2 cm de diámetro y 5 cm de profundidad para formar el cráter.***
3. ***Con cuidado vacía la cucharada de bicarbonato de sodio en el agujero; trata de que no se derrame alrededor de tu volcán.***
4. ***Con cuidado agrega lentamente el vinagre sobre el bicarbonato de sodio.***

Comenta lo que observaste y contesta en tu cuaderno las siguientes preguntas:

¿Qué observaste?

¿Cómo puedes explicarlo?

Con esta actividad has realizado dos experimentos importantes: una simulación de cómo ocurre una erupción volcánica y una reacción química. Una reacción química ocurre al combinar dos sustancias distintas para que formen nuevos productos. Cuando se mezclan el bicarbonato de sodio y el vinagre, ocurre un fenómeno que probablemente ya conoces: la efervescencia. Entre las nuevas sustancias que se forman se encuentra el dióxido de carbono.

Investiga más sobre estos dos fenómenos y comparte en clase lo que encuentres.

Saturno, Urano, Neptuno y Plutón.

LECCIÓN 3 Los ecosistemas también han cambiado

Como vimos en las lecciones anteriores, la Tierra es un planeta en donde ocurren cambios frecuentes. Su corteza, la capa más delgada que la cubre, está dividida en piezas muy grandes llamadas placas, que están en movimiento muy lento, pero constante.

Cuando se formaron los océanos, los continentes de la Tierra no tenían la configuración de hoy día. Se supone que alguna vez todos los continentes fueron una sola masa terrestre, que formaba un supercontinente conocido como Pangea, que significa *todas las tierras*.

Hace aproximadamente 250 millones de años, la Pangea se fraccionó y las placas o fragmentos de masas se dispersaron y fueron cambiando hasta tener la forma y localización de los continentes que hoy se conocen. La flora y la fauna de la Pangea se aislaron en cada porción de tierra, que al cambiar de posición tuvo nuevos climas y dio lugar al desarrollo de nuevas formas de vida. Cada continente se convirtió en la casa o hábitat de diferentes tipos de plantas, animales y microorganismos, que formaron los ecosistemas que ahora conocemos. Los seres vivos también fueron cambiando, es decir, evolucionaron, como veremos en las siguientes lecciones.

Dos fragmentos de la Pangea se unieron para formar lo que hoy es el continente americano. En la parte que corresponde a América del Norte vivían mastodontes, tapires, camellos antiguos y animales carnívoros, mientras que en América del Sur se desarrollaron los armadillos y los marsupiales o mamíferos con bolsa, entre otros.

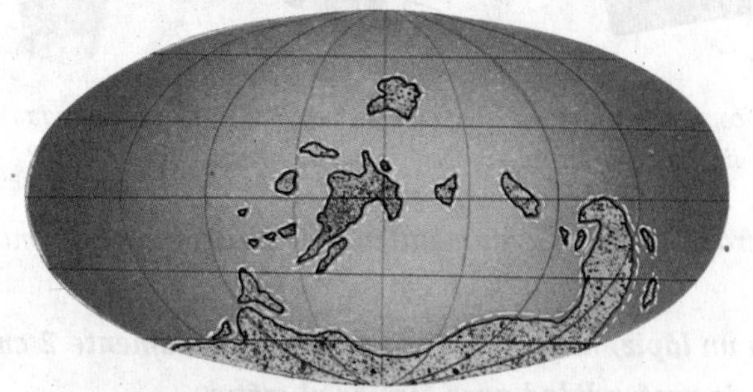

Paleozoico temprano (hace 409 a 590 millones de años)

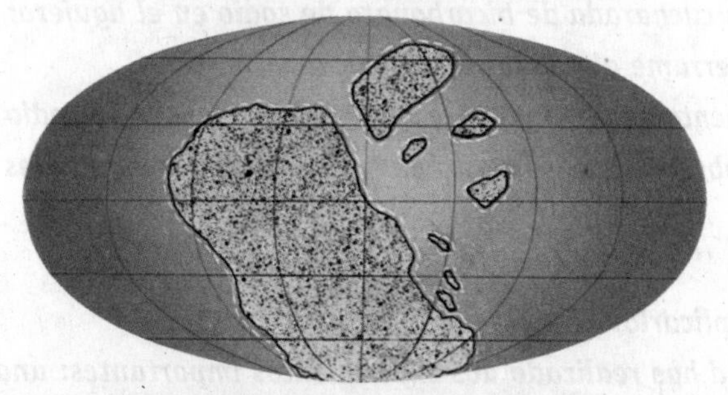

Paleozoico tardío (hace 249 a 408 millones de años)

Mesozoico (hace 66 a 248 millones de años)

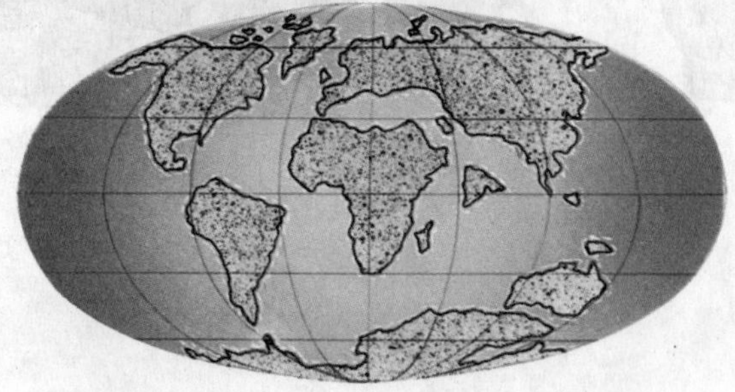

Cenozoico (hace 65 millones de años hasta la actualidad)

Configuración de los continentes en diferentes momentos de la historia de la Tierra.

Hace 4 600 millones de años, al formarse el sistema solar, se formó nuestro planeta, la Tierra, a partir de una masa incandescente.

La Tierra incandescente

La Tierra en la actualidad

¿Sabías que... ***los canguros de Australia son mamíferos marsupiales que probablemente aparecieron en América del Sur cuando el continente estaba unido con Australia y la Antártida? Cuando se separó Australia y se movió hacia el sur, los bosques dieron lugar a pastizales que favorecieron el desarrollo de marsupiales de piernas largas, que se alimentaban de pastos, como los canguros. Actualmente en América del Sur no hay canguros, pero hay otros marsupiales llamados zarigüeyas, que en México son conocidos también como tlacuaches.***

América del Norte

Istmo de Panamá

América del Sur

Hace aproximadamente tres millones de años se formó el istmo de Panamá, que unió el norte y el sur de América, formando un puente gracias al cual los seres vivos pudieron moverse en ambas direcciones. Algunos lograron adaptarse a las nuevas condiciones, como el armadillo en el norte; otros se extinguieron, como un marsupial que era del tamaño de un jaguar y tenía dientes de sable.

Armadillo

Como recordarás de tus libros anteriores, la ecología es la ciencia que investiga cómo los organismos se relacionan entre sí y con su ambiente. Los ecólogos, es decir, los científicos que se dedican a la ecología, llaman comunidades al conjunto de poblaciones de seres vivos de un determinado lugar, y al lugar donde viven estas comunidades le llaman hábitat. Las relaciones que se establecen entre comunidad y hábitat forman un ecosistema.

Como viste en tu libro de Ciencias Naturales de cuarto grado, el tipo de animales y plantas que viven en un ecosistema particular depende en gran medida de los factores físicos de su hábitat. El suelo, el agua y el clima de un lugar determinan la clase de organismos que pueden habitarlo. Por ejemplo, un oso polar sólo lo encontraremos en el Polo Norte donde el clima es frío y no en una selva, donde las condiciones le son adversas.

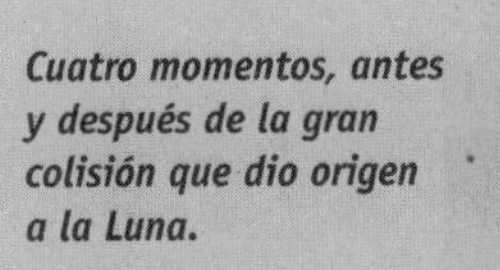

Cuatro momentos, antes y después de la gran colisión que dio origen a la Luna.

Objeto aproximándose a la Tierra

Momento de la colisión

Material disperso después de la colisión

Formación de la Luna

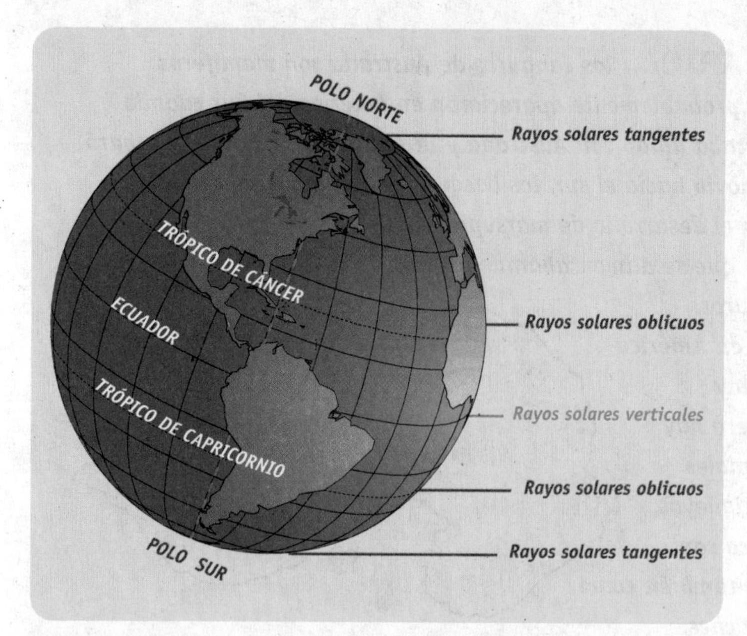

Debido a la forma de la Tierra, el ecuador recibe la luz del Sol directamente. Por eso es más cálido que los polos, en los que la luz llega con una mayor inclinación.

En el planeta Tierra existe una gran variedad de ecosistemas debido a que el clima varía de un lugar a otro. La forma de la Tierra, la inclinación de su eje y la manera como inciden los rayos solares en cada lugar del planeta, son algunos de los factores que influyen en las diferencias climáticas, e indirectamente, en la gran diversidad de ecosistemas. Por ejemplo, el ecuador y los trópicos son más cálidos que los polos, debido a la cantidad e inclinación de rayos de sol que reciben durante el año.

La altitud y el relieve también influyen en la existencia de diferentes ecosistemas; por eso, cuando escalamos una montaña, nos damos cuenta de que, a medida que subimos, el clima cambia y con ello la vegetación y la fauna.

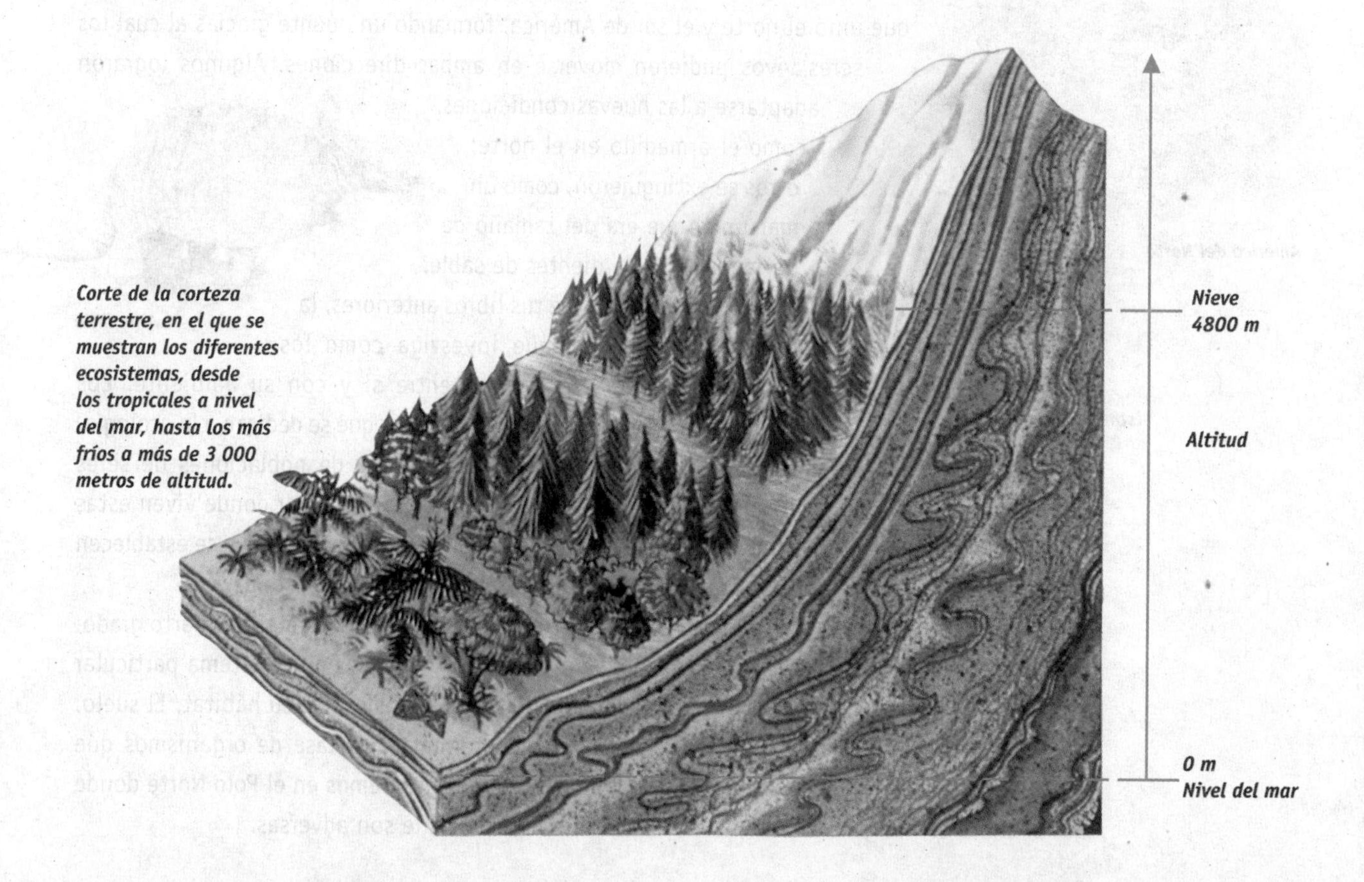

Corte de la corteza terrestre, en el que se muestran los diferentes ecosistemas, desde los tropicales a nivel del mar, hasta los más fríos a más de 3 000 metros de altitud.

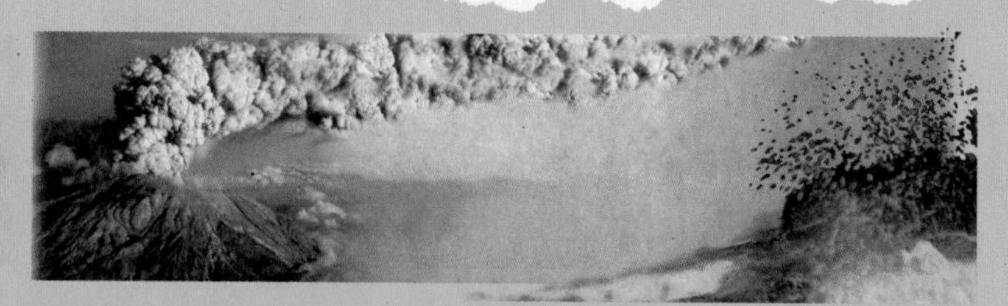

Los gases de la actividad volcánica dieron lugar a la primera atmósfera, hace 3 800 millones de años.

Ecosistema desaparecido de la Tierra

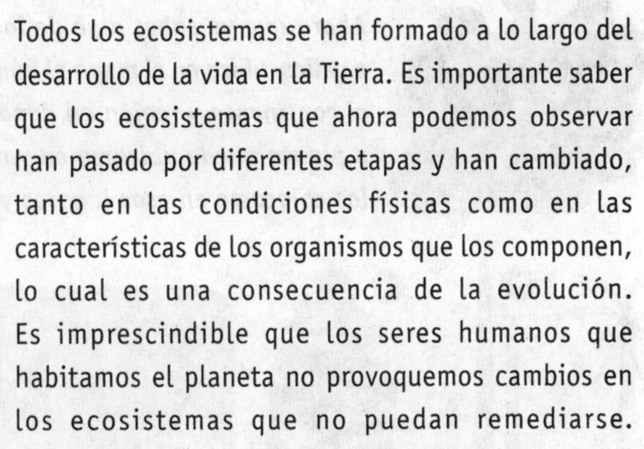

Todos los ecosistemas se han formado a lo largo del desarrollo de la vida en la Tierra. Es importante saber que los ecosistemas que ahora podemos observar han pasado por diferentes etapas y han cambiado, tanto en las condiciones físicas como en las características de los organismos que los componen, lo cual es una consecuencia de la evolución. Es imprescindible que los seres humanos que habitamos el planeta no provoquemos cambios en los ecosistemas que no puedan remediarse. ¡Los ecosistemas actuales son el producto de los cambios que han ocurrido durante miles de millones de años!

Existen diversos ecosistemas terrestres y acuáticos. Entre los ecosistemas terrestres, también llamados regiones naturales, podemos mencionar la selva tropical, la sabana, la tundra, el bosque templado, la pradera, la taiga y el desierto. Entre los ecosistemas acuáticos tenemos los de agua dulce, como los ríos, lagunas y estanques, y los océanos, que son de agua salada. Consulta tu libro de Geografía de quinto grado y tu *Atlas universal*, donde encontrarás las características más importantes de cada uno de ellos.

Sabana

Selva tropical

Desierto

Tundra

Bosque templado

Humedal

Taiga

El vapor de agua produjo las primeras lluvias.

Ahora que ya sabes algo de los ecosistemas y de algunas plantas y animales que viven en ellos, ubica en el mapa el número que corresponde a las siguientes plantas y animales, en el continente y región en donde piensas que habitan. Recuerda que un mismo animal o planta puede ubicarse en varios lugares. Después escribe en tu cuaderno por qué los colocaste en esos lugares y no en otros. Comenta en clase tus respuestas.

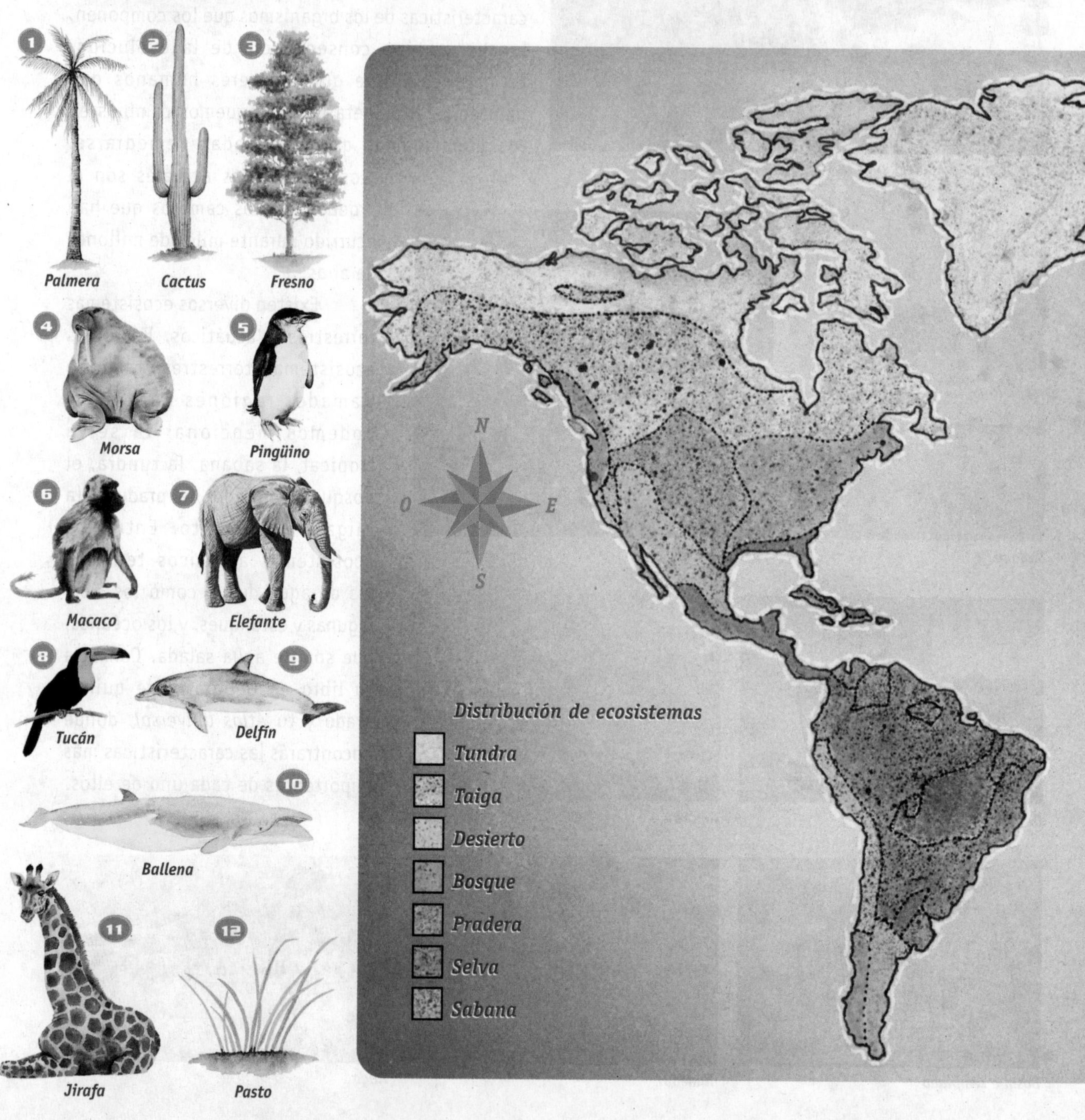

La acumulación de agua formó los primeros océanos, hace 3 800 millones de años.

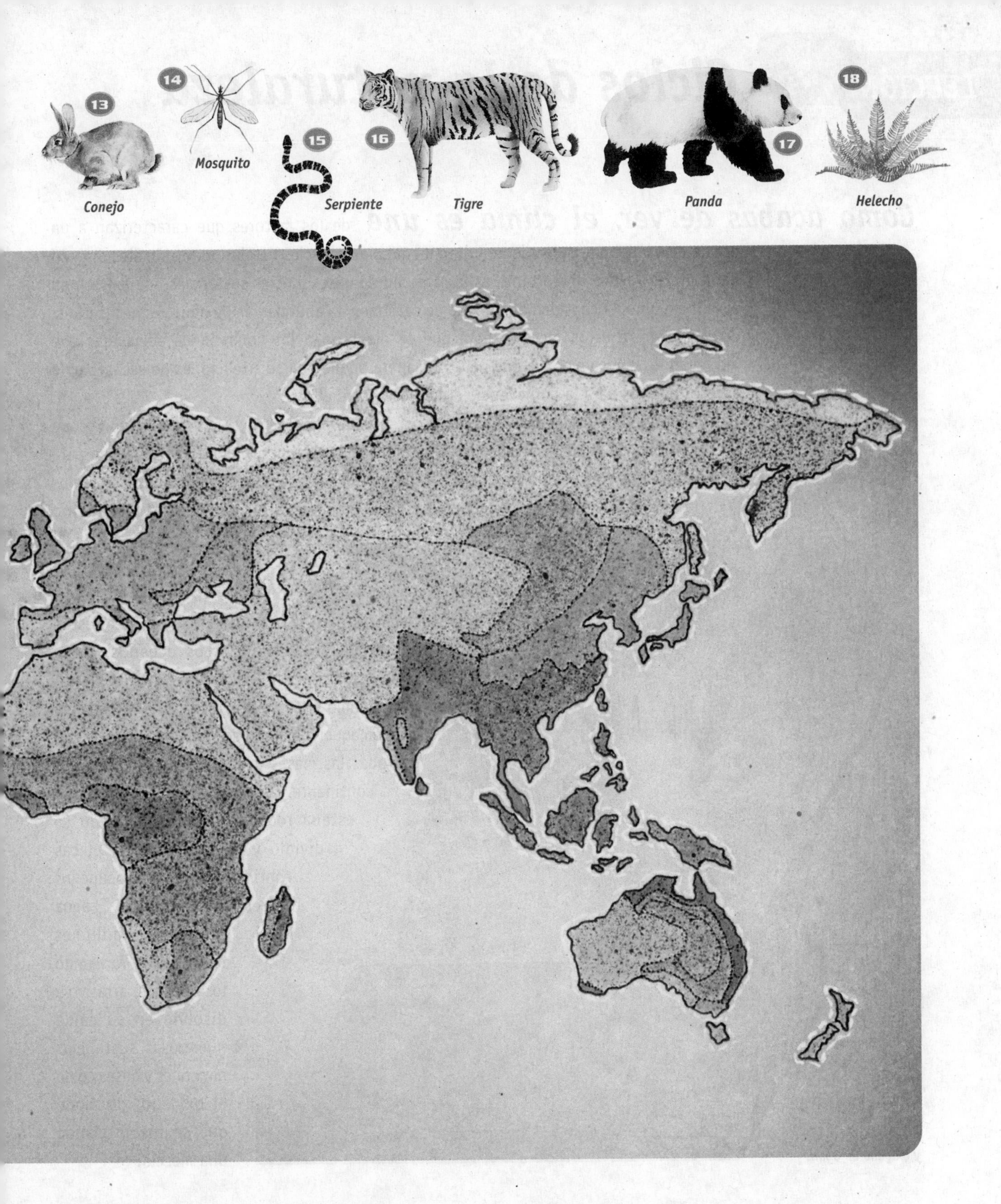

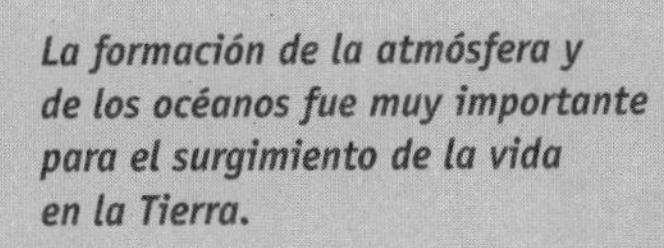

La formación de la atmósfera y de los océanos fue muy importante para el surgimiento de la vida en la Tierra.

LECCIÓN 4

Ciclos de la naturaleza

Como acabas de ver, el clima es uno de los factores que caracterizan a un ecosistema y del que dependen en gran medida las especies de plantas y animales que ahí habitan. Otro factor importante es la cantidad de gases y otras sustancias que existen en él; por ejemplo, la cantidad de dióxido de carbono y la abundancia de agua. Es necesario el equilibrio entre estos factores para que se mantengan las condiciones adecuadas que requieren los seres vivos, ya que de otra manera pueden darse situaciones de escasez o de exceso, nocivas para la convivencia armoniosa entre ellos.

Entre los procesos naturales que existen para mantener las condiciones idóneas de un ecosistema se encuentran los ciclos del agua y del carbono. Revisemos cada uno para darnos cuenta de su importancia, de la forma en que algunas actividades de los seres humanos los modifican y del modo en que podemos evitar que se afecte el equilibrio de estos ciclos.

El agua

Cerca de tres cuartas partes de la superficie terrestre están cubiertas por océanos y mares. Los océanos, como están hoy, se formaron hace unos 200 millones de años. Como viste en la lección anterior, se cree que en aquel momento de la historia del planeta, todas las masas de tierra formaban un solo continente, conocido como Pangea, el cual estaba rodeado de agua. Cuando se dividió y se separaron las placas continentales, el agua ocupó los espacios entre ellas. El agua que durante millones de años fue formando los océanos, arrastró y disolvió en su caída numerosas sustancias minerales y gases como el oxígeno, de modo que se fue formando una mezcla.

El agua de lluvia disuelve sólidos y gases en su caída. El agua de los océanos consiste en una mezcla homogénea de sales y oxígeno en agua.

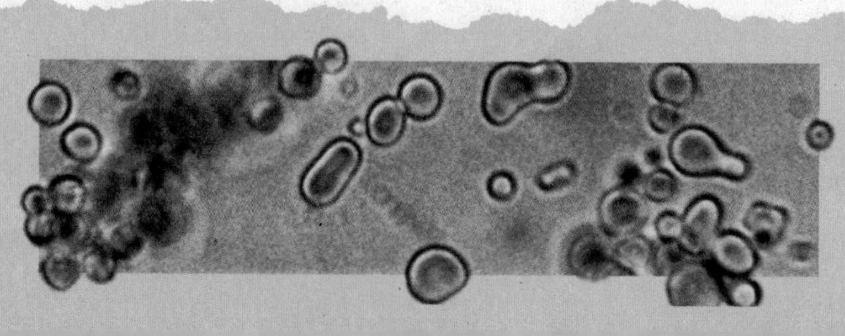

Hace 3 500 millones de años se originó la vida en el agua. Los primeros seres vivos fueron unicelulares.

El agua es un líquido extraordinario, capaz de disolver muchas sustancias. En los océanos, con el paso de los milenios, la sustancia que se disolvió en mayor cantidad fue la sal común, o sea, el cloruro de sodio, que se había formado en la corteza terrestre. El nombre cloruro de sodio es el que se usa en química, ciencia que se encarga de analizar las sustancias y sus cambios cuando se ponen en contacto unas con otras, es decir, cuando reaccionan. Recuerda que al elaborar tu modelo de volcán provocaste una reacción entre el bicarbonato de sodio y el vinagre cuando los pusiste en contacto.

Cada kilogramo de agua de mar contiene 35 gramos de sales. De éstas, 27 gramos son de cloruro de sodio, lo cual nos demuestra que se trata de la sustancia más abundante disuelta en el agua de los océanos. Lo anterior puede representarse de manera gráfica en porcentajes, como se ve en la figura. Todas las sales disueltas en el agua de mar representan 3.5% de la mezcla. El resto, es decir, el otro 96.5% es agua pura. La sal común o cloruro de sodio representa el 2.7%, por lo que es la sustancia más abundante en el agua de los océanos.

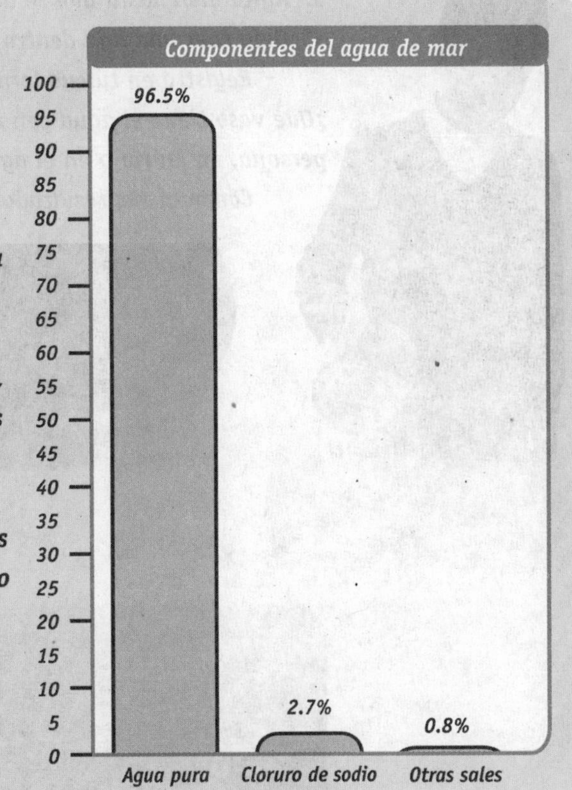

Algunas propiedades del agua de los océanos son diferentes a las del agua sin tanta sal. Aunque dos vasos que contengan los dos tipos de agua se vean exactamente igual, hay una forma de distinguirlos, ya que existe una propiedad de la materia que se llama densidad, relacionada con que las cosas floten o no. Para que un objeto flote en un líquido, éste debe tener mayor densidad que aquél.

Los primeros animales fueron invertebrados, entre ellos medusas, gusanos y esponjas. Se originaron hace 600 millones de años.

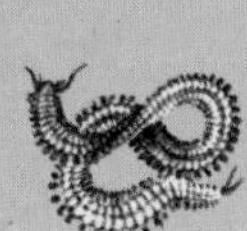

Lo asombroso del agua de mar

La densidad cambia cuando en el agua se disuelven sales, lo cual puede producir efectos muy curiosos. Para descubrirlo realiza el siguiente experimento.

Necesitas por equipo:

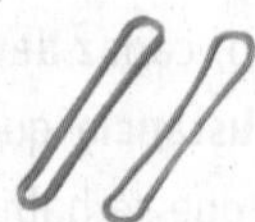

una cuchara, dos ligas, media taza de sal, dos vasos transparentes del mismo tamaño y capacidad, 1 litro de agua de la llave

1. ***Llena los dos vasos con agua de la llave.***
2. ***En uno de ellos agrega la sal.***
3. ***Agita bien hasta que se disuelva.***
4. ***Deja caer una liga dentro de cada recipiente.***

Registra en tu cuaderno lo que observes y contesta las siguientes preguntas: ¿Qué vaso tiene el agua con mayor densidad? ¿Por qué? ¿Dónde flotará mejor una persona, en un río o en el agua de mar?

Comenta tus resultados con el resto de tus compañeros y tu maestro.

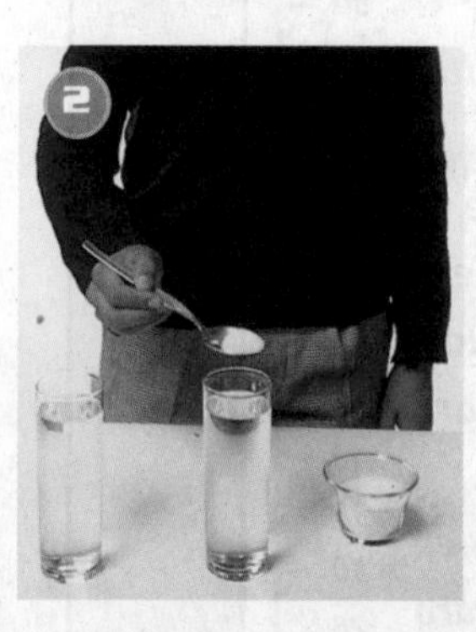

¿Sabías que... ***la salinidad del agua del mar, es decir, la cantidad de sales disuelta en sus aguas ayuda a que las personas y algunos objetos floten en ella? El mar Muerto, ubicado en los límites entre Medio Oriente y Asia, contiene tanta sal que una persona no se hunde. El Gran Lago Salado de Utah, en Estados Unidos, tiene características similares.***

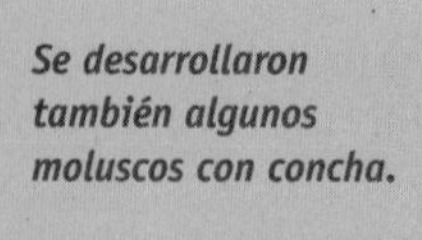
Se desarrollaron también algunos moluscos con concha.

Si el agua que fue formando los océanos contenía tanta sal... ¿cómo es entonces que existe agua potable en la Tierra? Durante el ciclo del agua se producen los cambios físicos o de estado, que ya estudiaste en tercer grado. ¿Recuerdas en qué consisten?

Las principales etapas del ciclo del agua son:

1. El agua de los océanos, ríos y lagos se evapora y se incorpora al aire. En la altura se condensa principalmente por diferencias de temperatura, y forma las nubes. Finalmente, el agua cae en forma de lluvia, granizo o nieve.
2. Al precipitarse sobre la superficie, el agua vuelve a formar parte de los ríos, lagos, mares y océanos, o se infiltra en el suelo para almacenarse en depósitos subterráneos.

El ciclo del agua implica cambios de estado físico. Las diferencias de temperatura son importantes para que ocurran estos cambios y se complete el ciclo. En la primera etapa el agua se evapora, es decir, pasa de líquido a gas. En la segunda etapa, esta sustancia pasa de gas a líquido y ocurre una condensación. Ocasionalmente puede ocurrir que el agua pase de líquido a sólido, siempre y cuando llegue a lugares donde la temperatura sea menor a los 0°C, y entonces ocurre una solidificación. Cuando se derriten los bloques de hielo en regiones cercanas a los polos o en los glaciares de las montañas muy altas, como el Popocatépetl, durante el verano, ocurre el fenómeno de fusión que es el paso de agua sólida a líquida.

El ciclo del agua

Durante el ciclo, el agua se purifica por medio de la evaporación, ya que así se separa de las sustancias disueltas en ella, como la sal.

Sin embargo, a pesar de que el ciclo ocurre de manera natural, en ocasiones, los seres vivos no pueden disponer del agua en cantidad suficiente. Los seres humanos también podemos enfrentar esta situación. Cuando la población y la actividad humana son muy grandes, el consumo de agua potable se hace excesivo y la capacidad de recuperación en forma natural es insuficiente; en ese caso, además, la contaminación del agua es muy frecuente. Éste es un problema que, como estudiaste en tus otros libros de Ciencias Naturales, puedes ayudar a disminuir, evitando el desperdicio, al consumir sólo el agua necesaria.

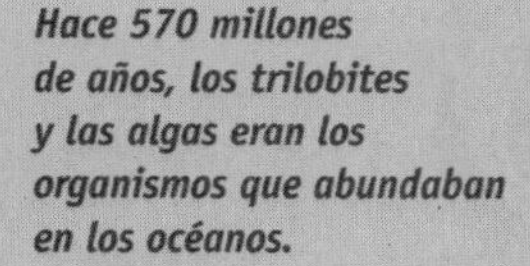

Hace 570 millones de años, los trilobites y las algas eran los organismos que abundaban en los océanos.

El carbono

El carbono se encuentra en todos los seres vivos, ya que forma parte de los carbohidratos, las proteínas y las grasas, que son componentes básicos de cualquier organismo. Aunque no existen grandes cantidades de este elemento en la Tierra, sí hay suficiente como para que se tenga toda la diversidad biológica que se conoce en nuestro planeta. El carbono se encuentra en formas distintas. En estado gaseoso forma parte del dióxido de carbono, combinado con el oxígeno. También existe en forma sólida, como carbón o hulla, o formando parte de rocas y en las conchas de algunos seres vivos. En forma líquida existe como combustible fósil, o sea como petróleo, el cual se formó a partir de la lenta descomposición de plantas y animales que al morir quedaron atrapados en diferentes estratos o capas de la corteza terrestre. El petróleo tardó millones de años en formarse.

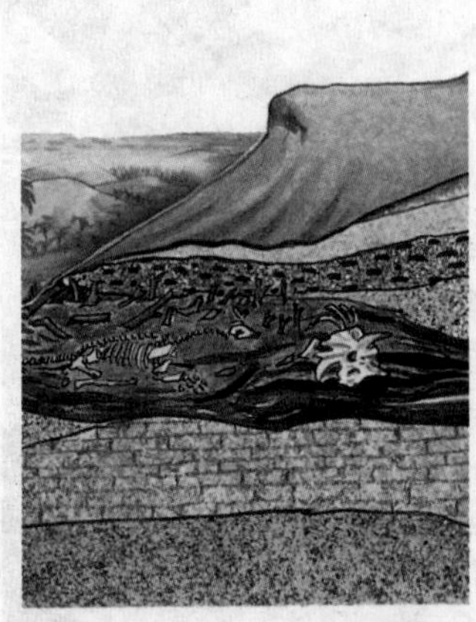

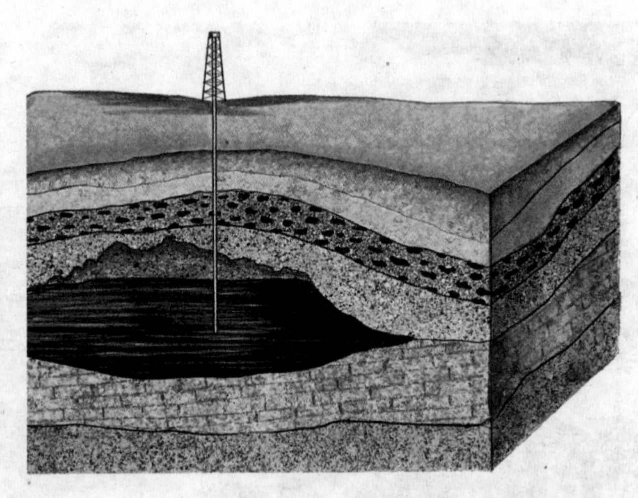

Esquema que representa los diferentes momentos en la formación del petróleo. Primero, los organismos mueren y al descomponerse forman parte del suelo. Posteriormente son enterrados por el proceso de sedimentación. Al final se convierten en petróleo, después de millones de años.

El carbono se encuentra en constante transformación, pasando de los seres vivos al suelo, a los océanos y a la atmósfera, lo que se conoce como el ciclo del carbono, que es indispensable para la conservación de los ecosistemas.

El ciclo del carbono puede explicarse de la siguiente manera:

- El carbono que se encuentra en el aire proviene principalmente del dióxido de carbono que se produce por la actividad volcánica, los incendios forestales, la combustión de aceites y la respiración de los seres vivos.
- Durante la fotosíntesis, las plantas consumen el dióxido de carbono y producen oxígeno.
- Otros organismos obtenemos el carbono al comer plantas u otros animales.
- Al morir los organismos, el carbono que formaba parte de su estructura pasa al suelo y forma sustancias que pueden utilizar las plantas, o combustibles como el carbón o el petróleo.
- También existe carbono en la piedra caliza, un mineral poco duro y de color blanco que se forma a partir de las conchas de algunos animales marinos como los mejillones, los ostiones y los corales, entre otros.

Los primeros peces aparecieron hace 500 millones de años y tenían un esqueleto cartilaginoso.

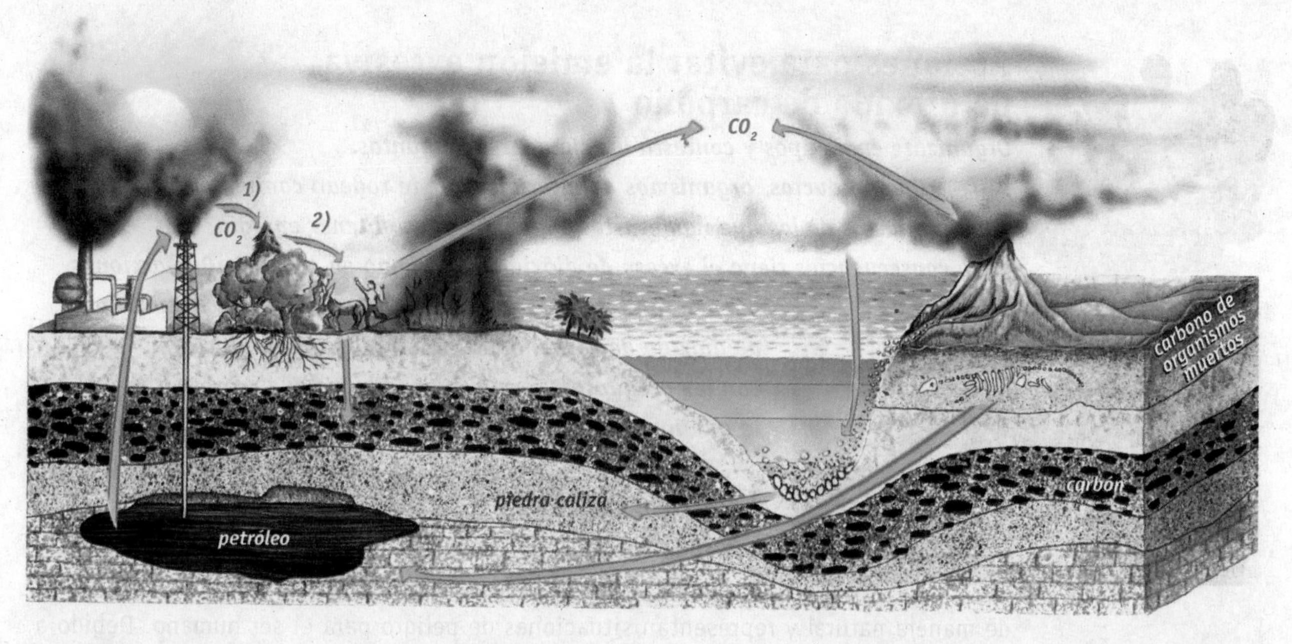

Esquema que representa la presencia del carbono en una parte de la Tierra.

1) El dióxido de carbono (CO_2) lo consumen las plantas durante la fotosíntesis.

2) Los animales consumen carbono de las plantas.

- Cuando un volcán hace erupción, las sustancias que contienen carbono se queman y forman dióxido de carbono. También al quemar petróleo y otros combustibles como carbón y madera, el carbono vuelve a formar dióxido de carbono que pasa a la atmósfera y entonces el ciclo se repite.

Algunas actividades de los seres humanos ocasionan que aumente la cantidad de dióxido de carbono en la atmósfera, con lo cual se afectan los ecosistemas. Por ejemplo, la devastación de bosques y selvas hace que disminuya la cantidad de organismos que llevan a cabo la fotosíntesis y, por lo tanto, disminuye también la cantidad de oxígeno en el aire y aumenta el dióxido de carbono. La acumulación de dióxido de carbono se considera nociva, ya que se asocia a varios problemas, como el calentamiento global del planeta.

Actualmente, la acumulación de dióxido de carbono y otros gases en la atmósfera provoca que se incremente su temperatura, ya que estas sustancias actúan como un invernadero con el calor proveniente del Sol, lo cual produce el sobrecalentamiento del planeta. De no evitarse éste, se propiciaría que el hielo de los polos empezara a derretirse, elevando el nivel de los mares. ¿Te imaginas lo que pasaría? Millones de hectáreas de terreno en las costas de algunos países podrían verse cubiertas por el agua y, además, el clima del planeta podría cambiar y volverse extremoso por la falta o el exceso de lluvias en diferentes regiones de la Tierra. Hoy día, debido a la contaminación, hay un exceso de dióxido de carbono en el aire, el cual dificulta la respiración, ocasiona molestias en los seres humanos y los animales, y también afecta a otros organismos que están expuestos a él.

El ciclo del carbono es esencial y los seres humanos debemos participar en acciones que fomenten la preservación de bosques y selvas que permiten que continúe el ciclo y evitar su desequilibrio frente a los terrenos destinados a las actividades ganaderas e industriales.

Algunos de los primeros peces desarrollaron corazas para protegerse.

Acciones para evitar la emisión excesiva de dióxido de carbono

Organízate en equipos y contesta las siguientes preguntas.

¿Qué productos, organismos o materiales que te rodean contienen carbono? ¿Qué productos de los que nombraste se queman para obtener energía? ¿Qué consecuencias tiene el exceso de dióxido de carbono en el aire? ¿Qué acciones pueden realizarse en tu comunidad para reducir las emisiones de dióxido de carbono? Al terminar, elabora un cartel con las preguntas, respuestas y dibujos que representen lo que investigaste.

Los desastres naturales

Los fenómenos como los huracanes, los incendios forestales y las erupciones volcánicas en ocasiones alteran los ecosistemas de manera natural y representan situaciones de peligro para el ser humano. Debido a que no es sencillo predecir cuándo y cómo van a ocurrir estos fenómenos, sus efectos pueden provocar situaciones de desastre. Por eso hay que estar muy alerta en caso de que se presente un desastre natural y saber cómo actuar. Siempre hay que seguir las medidas de seguridad que te indiquen en la escuela, así como tener un plan de acción en tu casa.

En todos los casos hay que:

- **Conservar la calma**
- **Cerrar las llaves de agua y gas**
- **Desconectar la energía eléctrica**
- **Mantenerse alejado de ventanas y puertas**
- **Estar atento a los medios de información**
- **Prever rutas de salida**
- **Tener previsto un albergue**
- **Si las autoridades recomiendan abandonar la vivienda, no lo pienses, ¡hazlo!**

Asimismo, es muy importante que tus papás tengan a la mano:

- **Botiquín**
- **Radio y linterna con baterías**
- **Agua hervida en envases con tapa**
- **Alimentos enlatados**
- **Documentos importantes como acta de nacimiento o cartilla, entre otros**

A continuación se presentan algunas medidas particulares para actuar ante distintos desastres naturales:

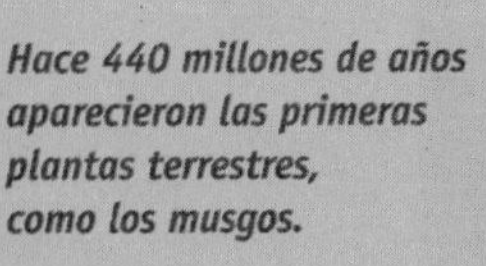

Hace 440 millones de años aparecieron las primeras plantas terrestres, como los musgos.

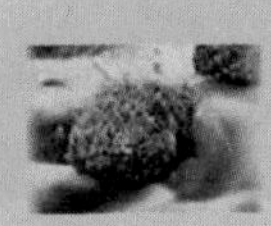

Huracán

- Cerrar puertas y ventanas, proteger los cristales con cinta adhesiva ancha y resistente, o madera, colocadas en forma de X
- Guardar o amarrar los objetos que el viento pueda lanzar
- Mantener limpios los desagües, canales y coladeras

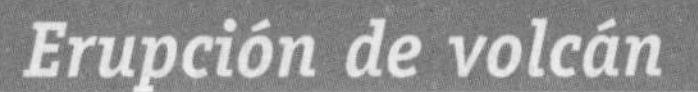

Inundación

- Ir a tierras altas y mantenerse lejos de los ríos, arroyos, riachuelos y desagües
- No intentar cruzar corrientes rápidas o nadar en ellas

Erupción de volcán

- Proteger ojos, nariz y boca de la ceniza
- Estar atento al semáforo de alerta:

  Verde significa que el volcán está en reposo

  Amarillo significa que inició una débil actividad eruptiva

  Rojo significa que se produjo actividad eruptiva

Incendio

Si viajas en carretera, vas de paseo o visitas zonas forestales:

- No tires cerillos, ni otros objetos encendidos
- Evita hacer fogatas y, si es indispensable, utiliza un lugar despejado y limpia el suelo de vegetación
- No te retires sin antes apagar por completo el fuego y las brasas, cubriéndolas con tierra

ABRE BIEN LOS OJOS

Observa las ilustraciones de arriba, lee las medidas de prevención y anota en tu cuaderno qué efectos pueden tener estos desastres naturales en los ecosistemas.

Posteriormente comenta en equipo qué desastres naturales han ocurrido en tu localidad y qué medidas ha preparado la comunidad en caso de que se presente nuevamente un desastre por un fenómeno natural.

Comenta en clase tus respuestas.

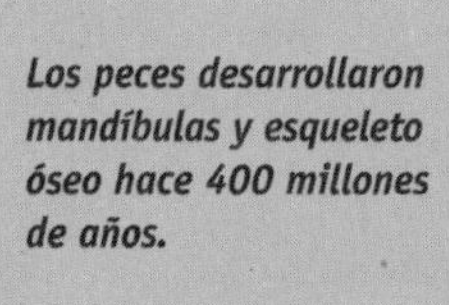

Los peces desarrollaron mandíbulas y esqueleto óseo hace 400 millones de años.

LECCIÓN 5 El pasado de la vida en la Tierra

Como viste en la lección 2, la Tierra, al formarse, se encontraba muy caliente, y tardó millones de años en enfriarse. Este proceso, así como el de la acumulación de los materiales más pesados en el centro del planeta, ocasionaron la formación de las diferentes capas que puedes ver en la ilustración de la página 17.

La corteza terrestre es la capa más delgada y tiene un espesor de entre 30 y 40 km, por debajo de la superficie de los continentes, y de 5 km por debajo de los océanos. Durante los millones de años que tardó en formarse, la corteza terrestre tuvo fracturas, deslizamientos y plegamientos que dieron origen a las cadenas montañosas. Esta actividad continúa en la actualidad aunque no lo percibamos. La forma más fácil de advertirlo es con los cambios bruscos como los temblores y terremotos que en ocasiones ocurren.

Al pasar el tiempo, la superficie de las montañas se va desgastando por la acción del agua y el viento que arrastran el material que se desprende hacia lugares más bajos. Este fenómeno se conoce como erosión. El material producido por la erosión es arrastrado por el agua, se deposita en el fondo de ríos, lagos y mares y se va sedimentando.

La lluvia y los ríos arrastran porciones de suelo. A este proceso se le llama erosión y, con el tiempo, llega a formar cañones.

Los peces con esqueleto desarrollaron una variedad de formas y tamaños.

El proceso de sedimentación

La siguiente actividad te facilitará comprender cómo ocurre el proceso de sedimentación. Para eso organízate en equipos.

Necesitas por equipo:

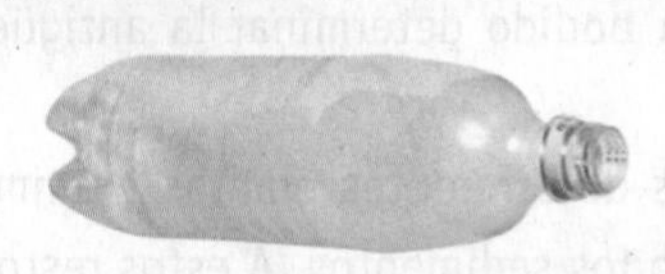

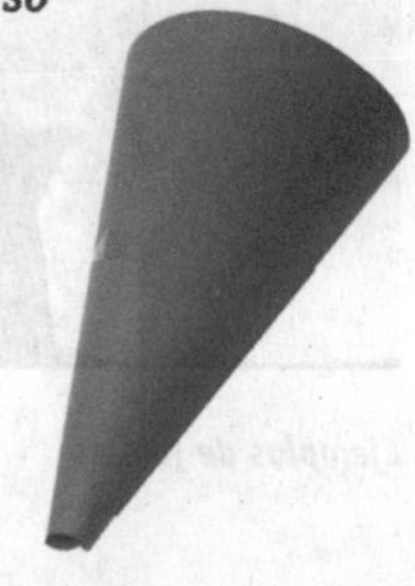

una botella de plástico transparente de 1 litro de capacidad con tapa, medio vaso con tierra, medio vaso con arena, medio vaso con piedritas, agua, un embudo de papel o plástico

1. ***Coloca el embudo en la boca de la botella para verter la tierra, la arena y las piedritas.***
2. ***Ahora vierte agua hasta tres cuartas partes de la botella.***
3. ***Retira el embudo, tapa la botella y agita vigorosamente.***
4. ***Coloca la botella donde nadie la mueva y deja reposar la mezcla durante 24 horas.***

Observa la botella y contesta en tu cuaderno las siguientes preguntas:

¿Qué ocurrió con los materiales que colocaste dentro de la botella?

¿Cuántas capas se formaron?

¿Qué diferencias observas entre las capas?

¿A qué crees que se deben estas diferencias?

¿En qué lugares ocurre este proceso de manera natural? ¿Cómo lo sabemos?

Comenta con tus compañeros y maestra tus resultados.

Los insectos habitan la Tierra desde hace 395 millones de años.

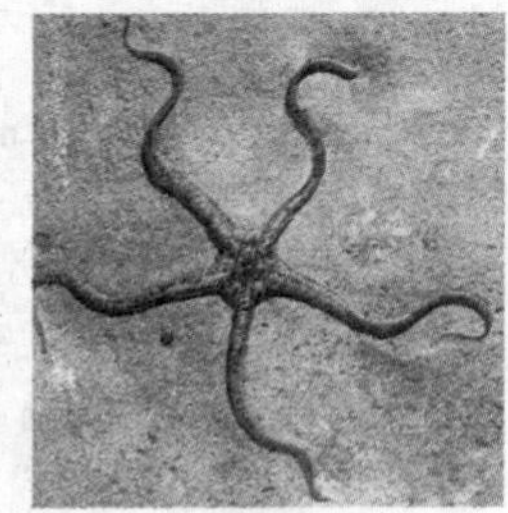

Ejemplos de fósiles

Durante la sedimentación se depositan nuevos materiales sobre los ya existentes y se forman capas o estratos fácilmente distinguibles entre sí. Por lo general los que se encuentran más cercanos a la superficie son los más recientes. Los geólogos estudian las características de los materiales depositados en la superficie de la Tierra, y han podido determinar la antigüedad de cada uno de ellos.

Al hacer excavaciones se han encontrado restos de diferentes plantas y animales que quedaron enterrados hace muchos miles de años en los sedimentos. A estos restos de organismos antiguos se les llama fósiles. Al estudiar los estratos de la corteza terrestre en todo el mundo, se ha visto que ciertos tipos de fósiles de plantas y animales generalmente se encuentran juntos. En las capas o estratos más antiguos se han encontrado fósiles muy sencillos formados por una sola célula, mientras que en las capas más recientes se encuentran conchas o esqueletos fósiles de organismos pluricelulares. También se han encontrado partes de algunas plantas como hojas, tallos o flores.

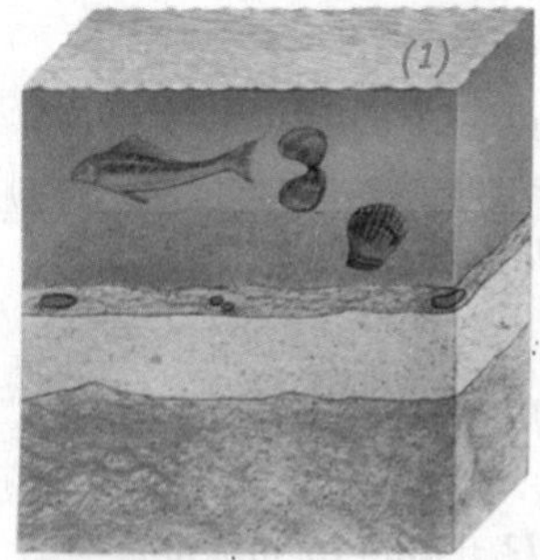

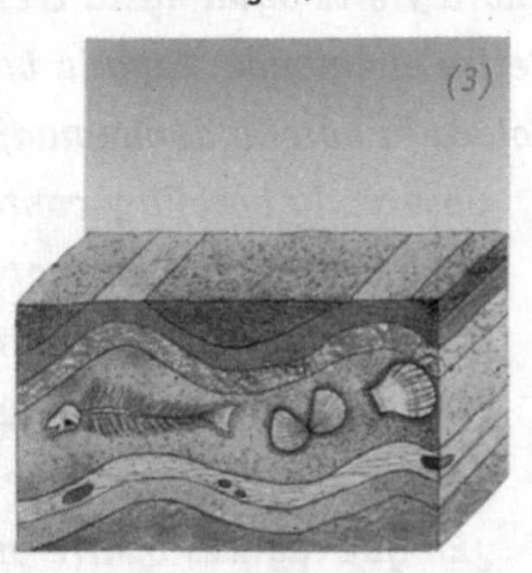

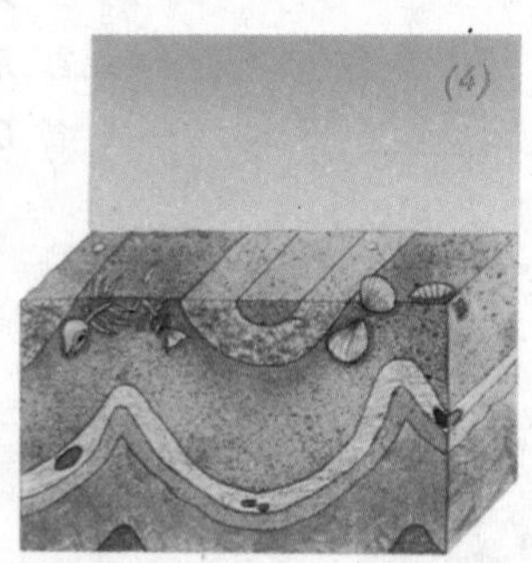

Esquemas de diferentes estratos de la Tierra
1) *Organismos vivos*
2) *Organismos muertos*
3) *Sedimentación*
4) *Formación de fósiles*

El orden de las capas y de los fósiles nos ha permitido conocer cómo se desarrolló la vida sobre la Tierra. Cuando la vida empezó, había organismos muy simples como algas y bacterias. Posteriormente aparecieron organismos más complejos, como las esponjas y las medusas. Al pasar más tiempo, aparecieron nuevas especies de plantas y animales, cada vez en mayor número y con mayores diferencias entre sí. Todo este proceso, desde la formación de las capas de la Tierra, hasta la aparición de los seres vivos más complejos y la extinción o desaparición de muchas de las especies que han existido, se representa en la tabla de la página siguiente. A partir del estudio de los diferentes estratos y de los fósiles se puede saber la época o era geológica a la que pertenecen.

¿Sabías que... ***hay tres formas básicas para la formación de fósiles? En la primera, las partes blandas de los seres vivos se descomponen y sólo permanecen las partes duras como conchas, dientes y huesos. En la segunda, se preservan las huellas o impresiones sobre sedimentos, como es el caso de hojas, gusanos y pisadas de dinosaurios. En la tercera, un ser vivo, como una hormiga o un mosquito, permanece atrapado en materiales muy resistentes que impiden su descomposición, como la resina de los árboles.***

Algunos insectos, como las libélulas, no han cambiado desde su origen.

Millones de años	Periodo		Era
2	Cuaternario		CENOZOICA
65	Terciario		CENOZOICA
136	Cretácico		MESOZOICA
193	Jurásico		MESOZOICA
225	Triásico		MESOZOICA
280	Pérmico		PALEOZOICA
345	Carbonífero		PALEOZOICA
395	Devónico		PALEOZOICA
435	Silúrico		PALEOZOICA
500	Ordovícico		PALEOZOICA
570	Cámbrico		PALEOZOICA
4 000			PRECÁM-BRICA

Esta tabla muestra los nombres de algunas eras y periodos con el tiempo que abarcan. Cada estrato se asocia a una época conocida como era geológica: Precámbrica, Paleozoica, Mesozoica y Cenozoica, que a su vez se divide en periodos más cortos. La aparición de los primeros seres vivos se muestra en los estratos más antiguos en donde, excepto la era Precámbrica, se han encontrado fósiles. En la Precámbrica aparecieron los organismos unicelulares como las bacterias y algunos invertebrados como las medusas, mientras que en el periodo Cuaternario, de la era Cenozoica, aparecieron especies como el ser humano.

Hace 380 millones de años, los peces dieron lugar a los anfibios.

Vamos a hacer modelos de fósiles

El proceso de formación de los fósiles requiere miles o millones de años. En muchos casos, para estudiarlos y evitar su deterioro, se elaboran moldes o copias de yeso o de resinas. Organízate en equipos para realizar la actividad.

Necesitas por equipo:

un trozo de plastilina, un pedazo de rama o corteza de árbol o una concha o hueso de animal, medio vaso con yeso, agua, aceite vegetal, una cuchara, una brocha pequeña o pincel

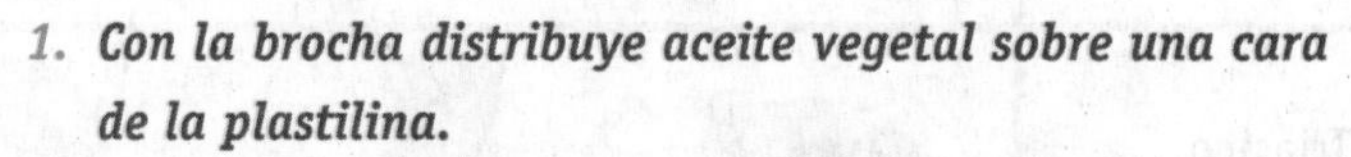

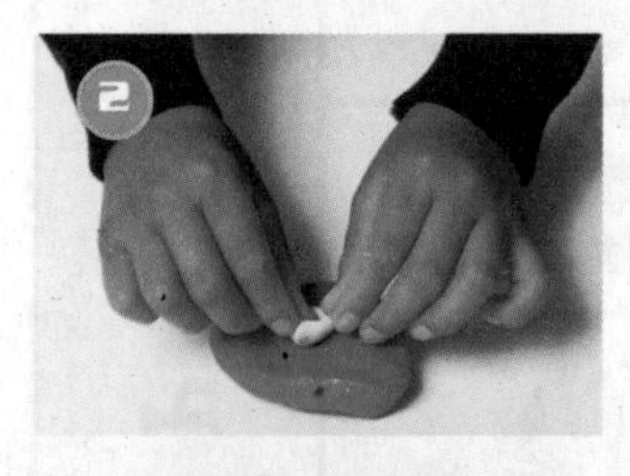

1. ***Con la brocha distribuye aceite vegetal sobre una cara de la plastilina.***
2. ***Coloca el objeto del que vas a hacer tu fósil sobre la plastilina y haz presión, hasta que se hunda un poco más de la mitad.***
3. ***Ahora extrae el objeto con mucho cuidado para que quede el molde.***
4. ***Agrega agua, poco a poco, al vaso con yeso.***
5. ***Con la cuchara mueve constantemente la mezcla para evitar que se endurezca. Cuando la mezcla esté espesa, estará lista para usarse.***
6. ***Vacía el yeso en el molde y, posteriormente, sin moverlo, espera a que se seque. Una vez seco, retira tu fósil del molde y muéstralo a tus compañeras y compañeros.***

Contesta en tu cuaderno la siguiente pregunta:

¿Qué pasaría si, para hacer los fósiles, utilizaras objetos blandos como hojas o flores?

Organiza en grupo una exposición con los modelos de fósiles que elaboraron.

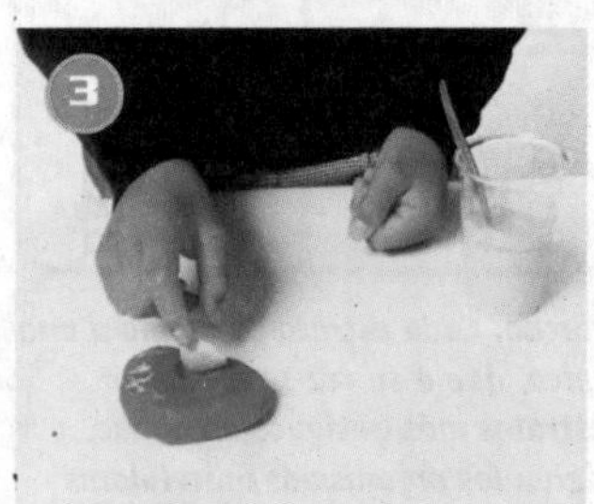
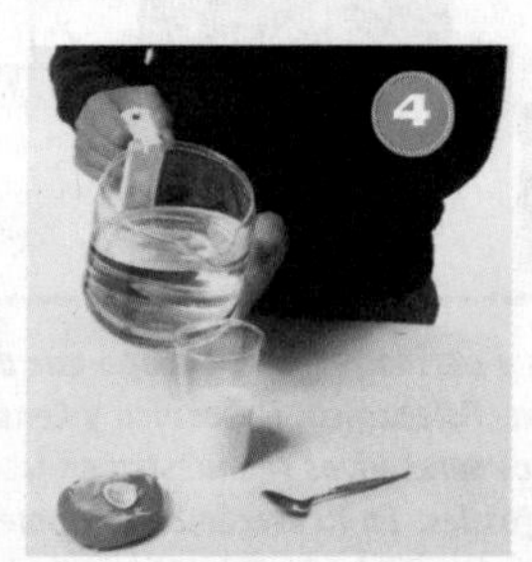

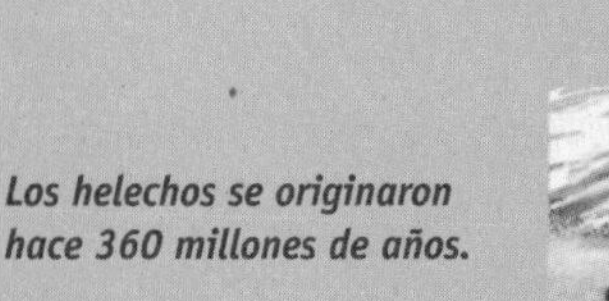

Los helechos se originaron hace 360 millones de años.

La mayoría de los fósiles que el ser humano ha encontrado corresponden a plantas o animales que ya no existen; es decir, que se extinguieron. Por ejemplo, los dinosaurios desaparecieron de la Tierra hace aproximadamente 65 millones de años, al final de la era Mesozoica; esto es muchos millones de años antes de que aparecieran los primeros seres humanos en la Tierra. En México se han encontrado fósiles de dinosaurios en los estados de Baja California, Coahuila y Michoacán. Entre los hallazgos destacan los hadrosaurios, conocidos como dinosaurios con *pico de pato*.

En la siguiente ilustración se puede observar la diversidad de los dinosaurios que existieron en la Tierra junto con algunas aves, mamíferos pequeños y reptiles como las serpientes, las tortugas, los cocodrilos y las lagartijas que, en ese entonces, no eran como los conocemos ahora.

La línea verde indica el momento de la extinción. Las aves y los mamíferos pequeños sobrevivieron y rápidamente se adaptaron a los lugares que antes ocupaban los dinosaurios.

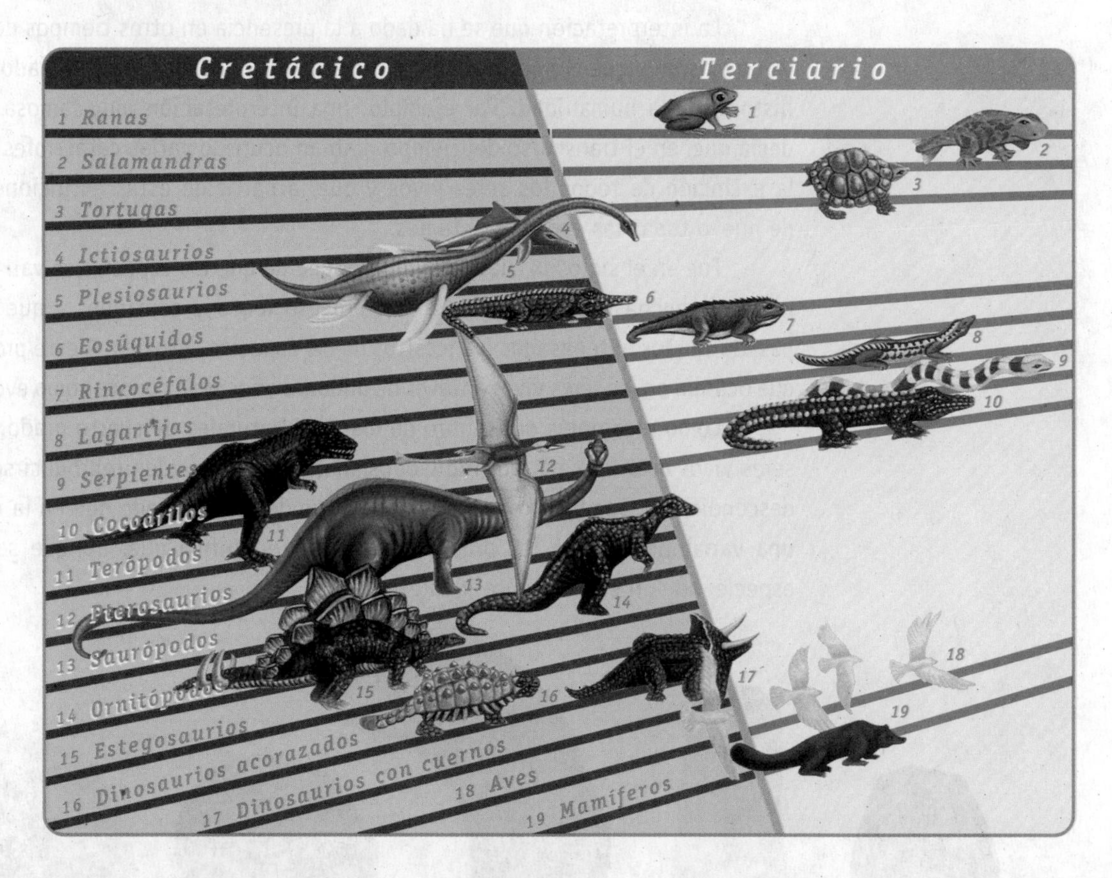

Algunos científicos sugieren que una posible explicación de la extinción de los dinosaurios es el impacto de un cometa o asteroide sobre la Tierra. El impacto produjo una gran nube de polvo que propició el oscurecimiento del planeta y un brusco descenso de la temperatura, al impedir el paso de los rayos del sol. Estos cambios provocaron que, al no recibir suficiente luz, muchas plantas murieran y que los animales de gran tamaño, como los dinosaurios, no pudieran sobrevivir por falta de alimento.

Los anfibios dieron lugar a los reptiles hace 345 millones de años.

LECCIÓN 6 Los seres vivos y sus cambios en el tiempo

Después de que se formó la Tierra aún pasaron millones de años hasta la aparición de los primeros seres vivos. Organismos unicelulares como las bacterias fueron las primeras formas de vida que aparecieron en el agua; después surgieron poco a poco organismos más complejos como los animales y las plantas. Los fósiles pertenecientes a las distintas eras geológicas son prueba de que antes de la existencia del ser humano en la Tierra ya existían otros seres vivos.

La interpretación que se ha dado a la presencia en otros tiempos de seres que ahora ya no existen y que conocemos sólo por medio de los fósiles, ha cambiado en el curso de la historia de la humanidad. Por ejemplo, una interpretación muy famosa en el siglo XVIII decía que, en el transcurso del tiempo, habían ocurrido varias catástrofes que ocasionaron la extinción de todos los seres vivos y que, a partir de estas extinciones, se originaron de nuevo todas las especies actuales.

Fue en el siglo XIX cuando surgió la idea de que las especies se van modificando a lo largo de muchas generaciones, en un proceso lento y continuo, y que las especies del pasado son los antepasados o ancestros de las especies actuales. A este proceso de cambios que ocurren en los seres vivos a través de millones años se le conoce como evolución biológica.

Como recordarás de tu libro de Ciencias Naturales de cuarto grado, cada especie de seres vivos está formada por individuos similares que pueden reproducirse entre sí y dejar descendientes. También recordarás de tu libro de quinto grado que en la naturaleza existe una variabilidad entre los organismos, lo que significa que, aunque sean de la misma especie, no son exactamente iguales entre sí.

Fósiles de animales extintos

Los ictiosaurios fueron reptiles parecidos a los delfines actuales.

Variabilidad en la coloración de mariposas de una misma especie

La variabilidad nos permite explicar por qué no hay dos niños o niñas iguales, ni mamás o papás que sean idénticos. En la naturaleza, aunque no siempre podamos observarlo, los individuos de la misma especie presentan diferencias que los hace individuos únicos.

Debido a la variabilidad, a través del tiempo los seres vivos han modificado algunas características que les han permitido sobrevivir cuando el ambiente cambia. Es importante que recuerdes que el ambiente no sólo son las características físicas como el clima, la humedad o la cantidad de luz, sino que también forman parte de él los seres vivos y las relaciones que se establecen entre ellos.

La evolución de las especies

Como has estudiado en tus cursos anteriores de Ciencias Naturales, los seres vivos, sean plantas, animales o microorganismos, nacen, crecen, se reproducen y mueren. Ningún ser vivo puede cambiar repentinamente y convertirse en otro. Por ejemplo, un lobo no puede convertirse en perro ni un helecho puede convertirse en fresno. Sólo a través de millones de años una especie puede dar origen a otra. Este cambio es resultado de la evolución de las especies.

También existieron plesiosaurios enormes.

Mediante el estudio de algunos fósiles y de comparar sus características con las de los mamíferos, hoy se sabe que éstos evolucionaron a partir de los reptiles, lo cual permite elaborar esquemas evolutivos como el de arriba.

Un ejemplo es la evolución de los anfibios. Los científicos suponen que los anfibios, como los sapos y las salamandras, probablemente evolucionaron de una especie de peces que vivió hace más de 350 millones de años. Estos peces tenían aletas fuertes que les permitían arrastrarse en el fondo de los estanques. Aunque tenían branquias para respirar bajo el agua como los demás peces, también tenían pulmones simples que les permitían respirar fuera del agua. Si el estanque llegaba a secarse, podían respirar por un rato, mientras se arrastraban con sus aletas hasta encontrar agua en otro estanque. Con el paso del tiempo, algunas zonas de la Tierra que estaban muy húmedas se fueron secando y los organismos que las habitaban empezaron a tener ciertos cambios para poder vivir fuera del agua. Lo que ocurrió fue que su descendencia, a través de muchas generaciones se fue adaptando más a las nuevas condiciones ambientales, es decir, sus descendientes poco a poco perdieron sus branquias para desarrollar pulmones y transformaron paulatinamente sus aletas en extremidades más adecuadas al medio terrestre. Después de muchas generaciones, estas nuevas criaturas se adaptaron a la vida en la tierra.

De manera similar, los anfibios fueron los ancestros de los reptiles, como los dinosaurios, las serpientes y los cocodrilos.

Los reptiles, a su vez, dieron lugar a las aves y también dieron origen a los ancestros de los mamíferos, de los cuales evolucionaron todas las especies de mamíferos que ahora conocemos. Los monos, las ballenas, los caballos, los perros, las jirafas, e incluso los seres humanos, todos compartimos el mismo origen.

Hace 280 millones de años se originaron los pinos y los primeros bosques de coníferas.

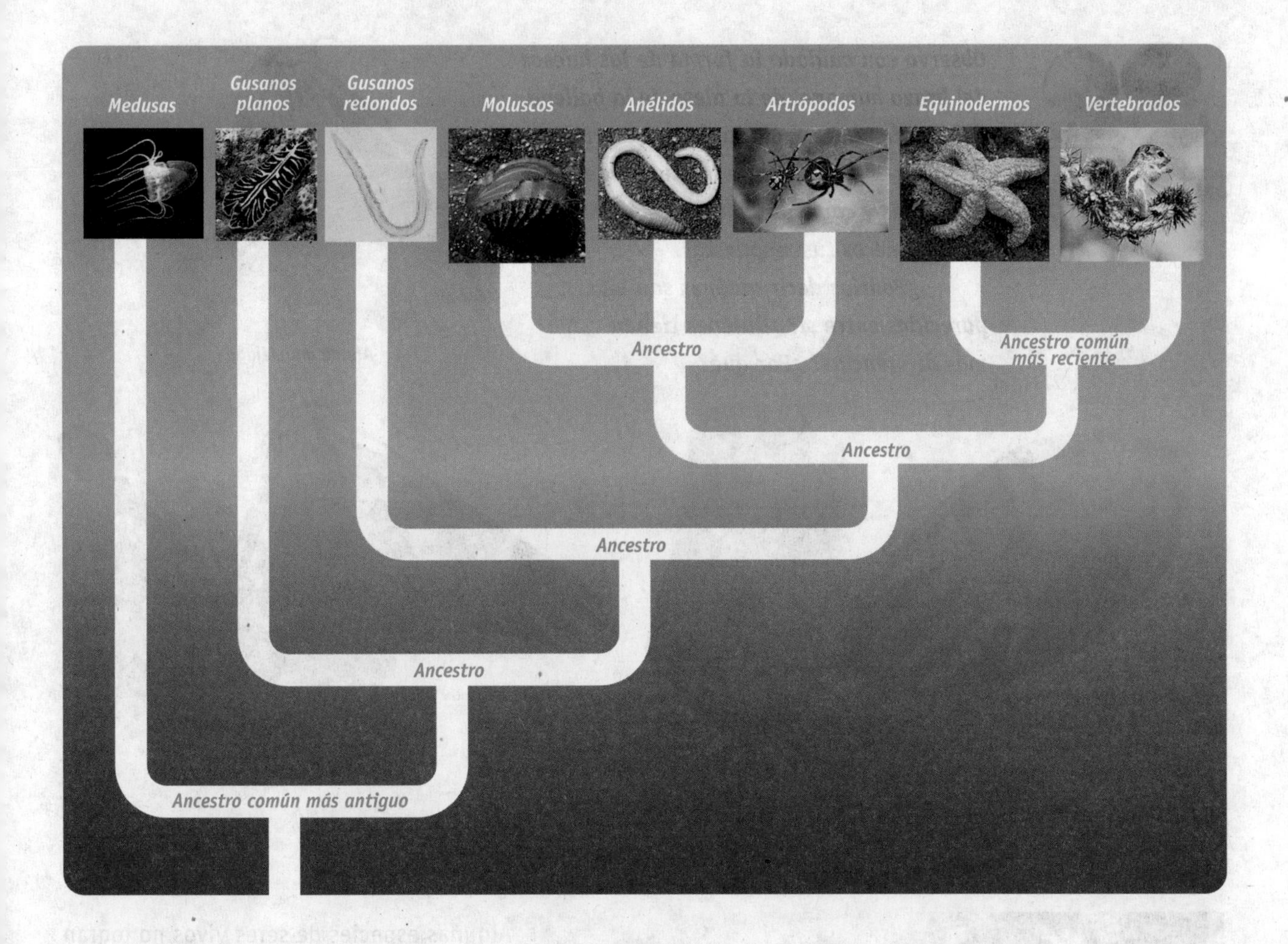

Este esquema representa la evolución de los animales. Para hacerlo se tomaron en cuenta las semejanzas y diferencias en el desarrollo y la estructura de sus cuerpos. Los organismos más sencillos y antiguos, como las medusas y los gusanos planos, tienen el ancestro común más antiguo. Por otro lado, los equinodermos y los vertebrados comparten un ancestro común más reciente.

Para entender la evolución de los seres vivos, los biólogos identifican las diferencias y las semejanzas entre dos o más especies. Las partes que se comparan pueden ser estructuras, como los huesos y los tejidos; funciones como la reproducción, la respiración y la fotosíntesis; o comportamientos, como la alimentación de las crías al nacer. Estas diferencias y semejanzas nos permiten encontrar el parentesco de las especies entre sí. Mientras más semejanzas encontremos entre dos o más organismos, evolutivamente están más relacionados entre sí.

Para clasificar las especies, los biólogos comparan las características que los seres vivos tienen en común. Para hacer esta clasificación es muy importante la elección adecuada de las características que se van a comparar; por ejemplo, la forma de vida de los organismos, si vuelan o nadan, si tienen esqueleto, si presentan órganos sexuales y si son ovíparos o vivíparos. En el caso de las plantas, si tienen flores, cómo se reproducen y si producen semillas o esporas. Comparando así las características comunes de los diferentes grupos de especies, la clasificación nos muestra cómo las formas vivientes pudieron haber evolucionado a partir de un ancestro común.

Los dinosaurios surgieron hace 250 millones de años. Algunos eran del tamaño de un pollo o un pavo.

Observa con cuidado la forma de los huesos del brazo humano, de la aleta de la ballena, del ala de un ave y de la de un murciélago. Contesta en tu cuaderno las siguientes preguntas y comenta con tus compañeras y compañeros tus respuestas.

¿Podrías decir quiénes son más parecidos entre sí? ¿Quiénes tienen más diferencias? ¿Por qué?

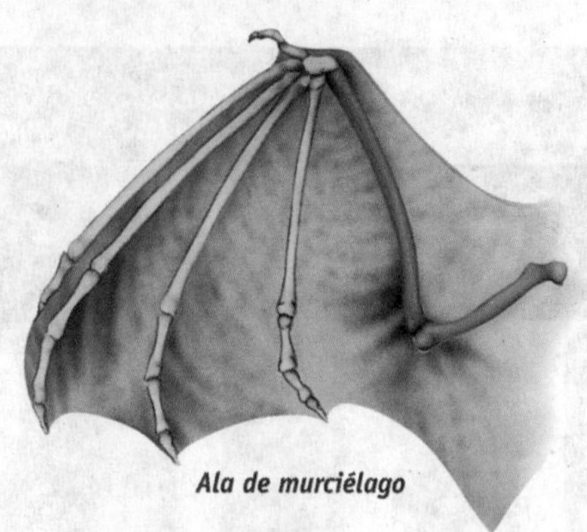

Ala de murciélago

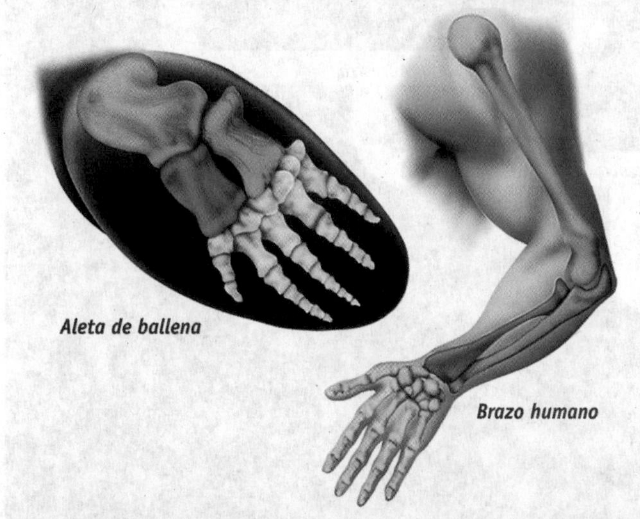

Aleta de ballena

Brazo humano

Ala de ave

Cacería de un mamut

Algunas especies de seres vivos no logran sobrevivir cuando el ambiente en donde viven cambia drásticamente. De esta manera, las especies desaparecen, a veces lentamente, cuando en cada generación mueren muchos de los individuos que las forman, en otras ocasiones de manera súbita, pero en ambos casos a este proceso se le denomina extinción. Los mamutes, por ejemplo, probablemente se extinguieron porque en una época el clima del planeta se volvió extremoso, muy caluroso en el verano y muy frío en el invierno. Además, los primeros seres humanos cazaban mamuts para su alimentación.

Otros dinosaurios alcanzaron tamaños enormes. Dominaron durante la era Mesozoica.

Se cree que el tigre dientes de sable desapareció debido a que sus enormes colmillos sólo le permitían cazar grandes animales como los mamutes. Al desaparecer los mamutes, fueron incapaces de cazar animales más pequeños, y se extinguieron.

La extinción natural de las especies es parte importante de la evolución biológica. De todas las especies que han poblado la Tierra, desde que se inició la vida hace 3 500 millones de años, se ha extinguido la mayor parte. En algunos casos, las extinciones se produjeron en forma masiva por procesos naturales, como cambios súbitos en el ambiente. En casos más recientes, las especies han desaparecido de la Tierra a causa de diversas actividades del ser humano, como consumirlas en exceso, alterar o destruir su hábitat, o traficar con ellas.

Observa en la gráfica qué periodo geológico ha tenido mayor número de especies extintas. Cada barra representa el porcentaje de especies extinguidas en cada periodo.

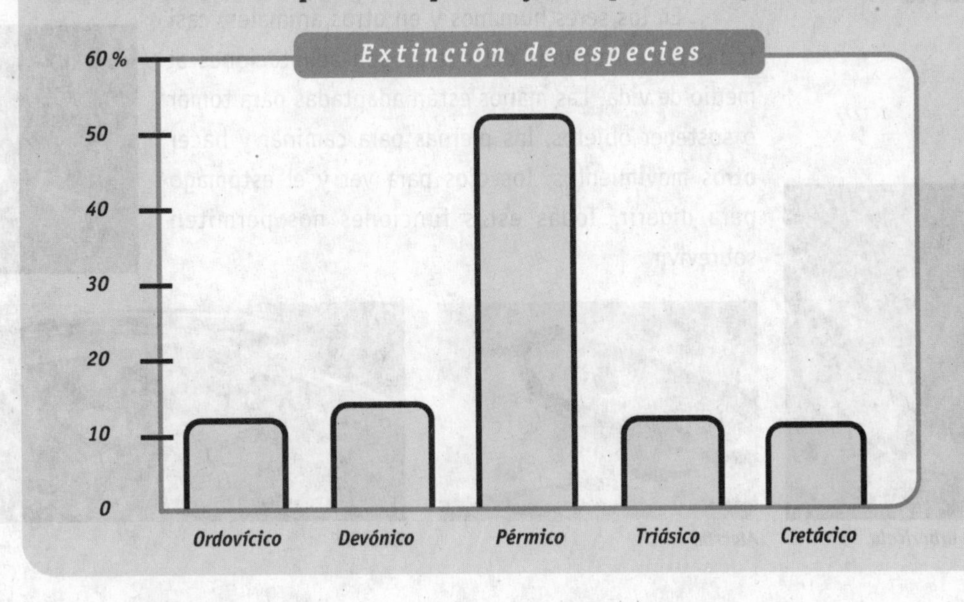

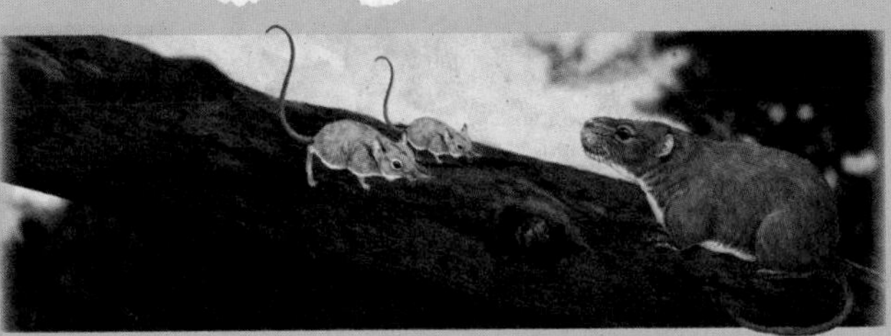

Los primeros mamíferos se originaron de un grupo de reptiles hace 200 millones de años.

LECCIÓN 7

Selección natural y adaptación

Los seres vivos tienen algunas características

Serpiente

Pájaro carpintero

que les permiten sobrevivir y reproducirse, es decir, adaptarse a diferentes ambientes de acuerdo con su forma de vida. La forma de los huesos en los vertebrados, la forma y coloración de las hojas o la fotosíntesis en las plantas, entre otras características, están adaptadas para la vida de cada organismo. Tomemos un ejemplo: el pájaro carpintero posee un pico fuerte y agudo que le permite excavar huecos en los troncos de los árboles para obtener su alimento, y también posee una larga lengua con la cual puede extraer los insectos que se encuentran en la corteza. Tiene piernas cortas y dedos largos con uñas curvas que le permiten sujetarse a los troncos. Hacen con el pico huecos que sirven como nido. Se puede decir, entonces, que la forma del pico y las características del cuerpo del pájaro carpintero lo adaptan al medio donde vive.

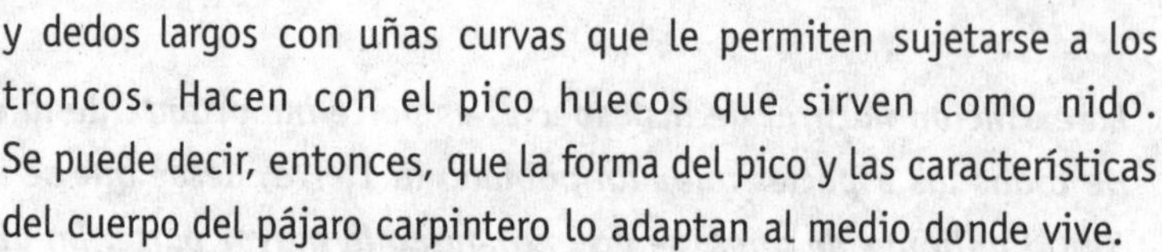

Otra forma de adaptación, que seguramente conoces, es el camuflaje. Algunas especies de animales tienen coloraciones y formas que los hacen menos visibles en un ambiente determinado, como es el caso de ciertas serpientes. El camuflaje les permite sobrevivir, ocultándolos de sus enemigos naturales o de sus presas. Esta es una forma de adaptación al medio.

Insecto palo

Turipache selvático

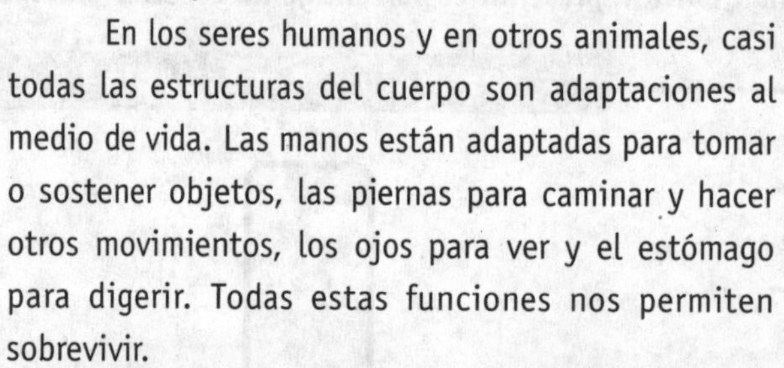

En los seres humanos y en otros animales, casi todas las estructuras del cuerpo son adaptaciones al medio de vida. Las manos están adaptadas para tomar o sostener objetos, las piernas para caminar y hacer otros movimientos, los ojos para ver y el estómago para digerir. Todas estas funciones nos permiten sobrevivir.

Mantis

Rana arborícola

Alacrán

Coralillo

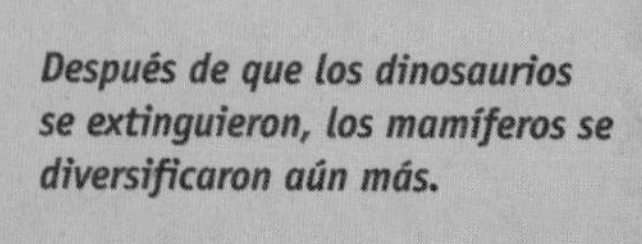
Después de que los dinosaurios se extinguieron, los mamíferos se diversificaron aún más.

En las siguientes imágenes puedes observar las extremidades de diferentes mamíferos. Observa que, aunque cada una tiene diferencias en su forma y realizan diferentes funciones, todas presentan básicamente los mismos huesos. Las diferencias son el resultado de la interacción de cada animal con el medio en el que vive. Con el tiempo, cada extremidad desarrolla una forma y lleva a cabo una función diferente, es decir, ocurre una adaptación.

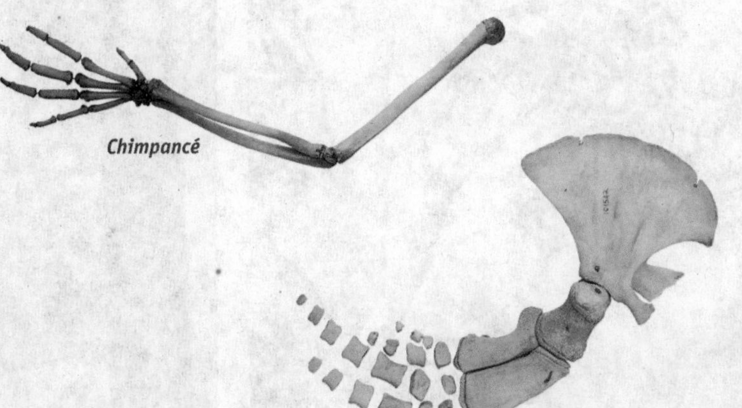

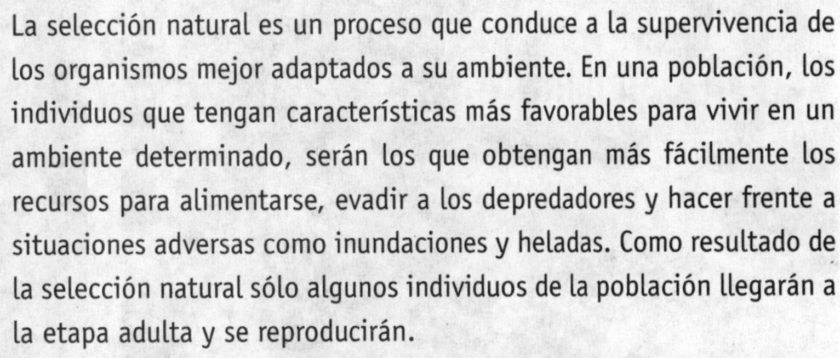

Polilla oscura

Polilla clara

La selección natural es un proceso que conduce a la supervivencia de los organismos mejor adaptados a su ambiente. En una población, los individuos que tengan características más favorables para vivir en un ambiente determinado, serán los que obtengan más fácilmente los recursos para alimentarse, evadir a los depredadores y hacer frente a situaciones adversas como inundaciones y heladas. Como resultado de la selección natural sólo algunos individuos de la población llegarán a la etapa adulta y se reproducirán.

Como resultado de este proceso natural, después de muchas generaciones se observarán cambios tanto en los individuos como en las poblaciones y si el tiempo es mucho más largo, por ejemplo, millones de años, como vimos en la lección 5, sería evidente el origen de nuevas especies y la evolución. ¿Cómo lo explicaríamos?

El color es una característica que puede favorecer la supervivencia de los organismos por selección natural.

Las plantas con flores surgieron hace 136 millones de años.

Si el medio en el que vive una población se modifica, las poblaciones también cambian como resultado de la selección natural. Un caso histórico es el de una especie de polilla. En el siglo XIX en Gran Bretaña, los troncos de los árboles en donde se posaban estas polillas se ennegrecieron debido a la acción contaminante de las fábricas que proliferaron durante la revolución industrial.

Del lado izquierdo puedes observar una escena sin contaminación, mientras que del lado derecho, al producirse contaminantes, se ennegrece la escena.

Antes de la contaminación, el color dominante en la población de polillas era el claro, ya que éstas se camuflaban con el color de los troncos, evitando así ser atrapadas por sus depredadores. También existían polillas de coloración oscura, pero eran menos comunes debido a que resultaban presa fácil de los pájaros. Al oscurecerse la coloración de los troncos por la contaminación, las polillas que se vieron favorecidas fueron las oscuras y empezó a aumentar su población. Las polillas de alas claras estaban en desventaja, pues ahora eran presas fáciles de los pájaros. Al ser comidas más frecuentemente se reprodujeron menos y su número disminuyó en forma drástica. Después de múltiples generaciones, el color oscuro de las alas de polillas fue dominando en la población. Esto resultó una adaptación a las nuevas condiciones ambientales.

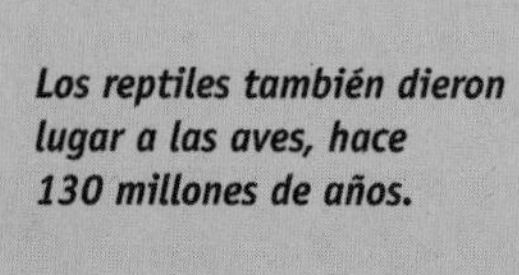

Los reptiles también dieron lugar a las aves, hace 130 millones de años.

Islas Galápagos

Los biólogos han estudiado muchas poblaciones naturales para entender cómo funciona el proceso de la selección natural. Por ejemplo, en los últimos 20 años han estudiado una población de aves llamadas pinzones que habitan en las islas Galápagos, un archipiélago en el Océano Pacífico, cerca del ecuador.

Se ha visto que las especies de pinzones presentan una gran variedad en la forma de sus picos. Algunos picos funcionan mejor para abrir semillas duras, mientras que otros, más pequeños, lo hacen mejor para abrir semillas pequeñas y blandas. Durante la época de sequía predominan las plantas cuyas semillas son más duras y, por lo tanto, predominan también los pinzones con picos más grandes.

Los animales que predominan son capaces de dejar más descendientes en las siguientes generaciones. Cuando el ambiente se vuelve más húmedo, las plantas de semillas blandas florecen y predominan los pinzones con el pico pequeño. Esto se debe precisamente a que se seleccionan los individuos con características que hacen posible estar mejor adaptados a su ambiente. En el ambiente seco, se seleccionan los pinzones de pico grande y, por el contrario, cuando el ambiente se vuelve más húmedo, lo hacen los pinzones de pico más pequeño.

Se cree que las diferentes especies de pinzones se originaron a partir de una población ancestral que llegó a una isla. Al no haber competencia por los alimentos, las generaciones siguientes desarrollaron picos con formas variadas adaptadas al tipo de alimento; posteriormente se concentraron en las islas donde el ambiente les favorecía.

Ancestro

Cabeza y pico de diferentes especies de pinzones

Muchas aves antiguas tuvieron tamaños enormes.

La selección natural

Para que te des una idea de cómo ocurre la selección natural en las poblaciones, organízate en parejas para realizar el siguiente juego.

Necesitas por pareja:

una cartulina de color azul y una blanca, un cuarto de cartoncillo rojo, tijeras, una bolsa de papel o plástico, una moneda o un objeto circular de aproximadamente 2 cm de diámetro, reloj con segundero, cuaderno y lápiz

1. ***Recorta de cada cartulina y del cartoncillo una tira de 3 cm de ancho. Marca 15 círculos con la moneda en cada tira de cartulina.***
2. ***Recórtalos.***
3. ***Coloca los círculos de cartulina en la bolsa y revuélvelos.***
4. ***Arroja suavemente los círculos sobre la cartulina azul, evitando que caigan fuera.***
5. ***Pide a tu compañera o compañero que, en un lapso de medio minuto, trate de tomar la mayor cantidad de círculos posibles y los coloque en la bolsa. Anota en tu cuaderno el número de círculos de cada color que tomó tu compañero. Repite la misma acción pero ahora sobre la cartulina blanca. Compara los resultados que obtuvieron al jugar con las dos cartulinas y coméntenlo en clase.***

¿Qué pasó al jugar con cada cartulina?

Imagina que las fichas son una población de insectos y que durante el juego tu compañero es un pájaro que se alimenta de ellos. ¿Cómo explicas tus resultados?

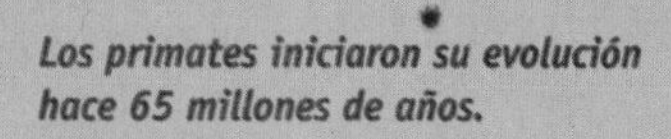

Los primates iniciaron su evolución hace 65 millones de años.

Vamos a mostrar cómo podemos organizar la información más importante que hemos visto acerca de la adaptación, para lo cual identificamos los principales conceptos y los relacionamos entre sí, por medio de un mapa conceptual. Aunque el mapa que elabore cada persona puede ser diferente, mostramos a continuación uno que representa lo que deseamos:

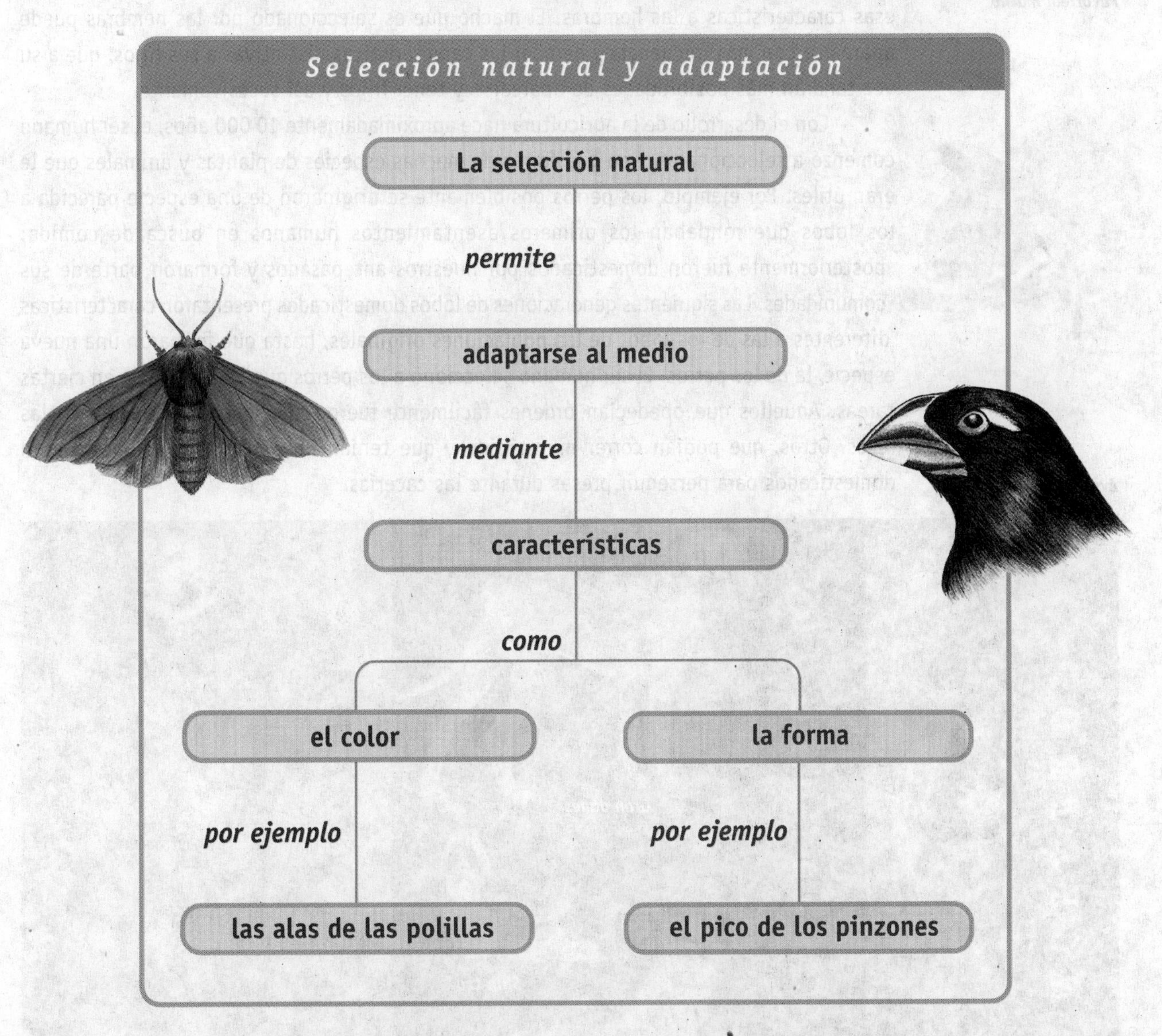

Como viste en tu libro de quinto, para elaborar un mapa conceptual es necesario hacer lo siguiente:

- Leer la lección con cuidado, identificar el tema general y anotarlo como título del mapa.
- Identificar los conceptos más importantes del texto. Anotar primero los más generales y después los particulares o más específicos y encerrarlos en un óvalo.
- Unir los conceptos con líneas y palabras que permitan relacionarlos.

Entre los antiguos primates se encontraban los ancestros de los monos actuales y también los del ser humano.

Pavorreal macho

Los machos de algunas especies de animales tienen características sexuales secundarias muy vistosas o atractivas, como la forma y la coloración de las plumas, el tamaño de las astas o el tono del canto. Durante la época de reproducción, los machos realizan cortejos exhibiendo esas características a las hembras. El macho que es seleccionado por las hembras puede aparearse con más frecuencia y heredar las características distintivas a sus hijos, que a su vez tendrán más posibilidades de aparearse y tener hijos y así sucesivamente.

Ave del paraíso macho

Con el desarrollo de la agricultura hace aproximadamente 10 000 años, el ser humano comenzó a seleccionar el tipo y la forma de muchas especies de plantas y animales que le eran útiles. Por ejemplo, los perros posiblemente se originaron de una especie parecida a los lobos que rondaban los primeros asentamientos humanos en busca de comida; posteriormente fueron domesticados por nuestros antepasados y formaron parte de sus comunidades. Las siguientes generaciones de lobos domesticados presentaron características diferentes a las de los lobos de las poblaciones originales, hasta que formaron una nueva especie, la de los perros. El ser humano seleccionó a los perros que le eran útiles en ciertas tareas. Aquellos que obedecían órdenes fácilmente fueron entrenados para cuidar a las reses. Otros, que podían correr muy rápido y que tenían un olfato privilegiado, fueron domesticados para perseguir presas durante las cacerías.

Se tienen indicios de que los primeros ancestros del ser humano aparecieron aproximadamente hace 4.4 millones de años.

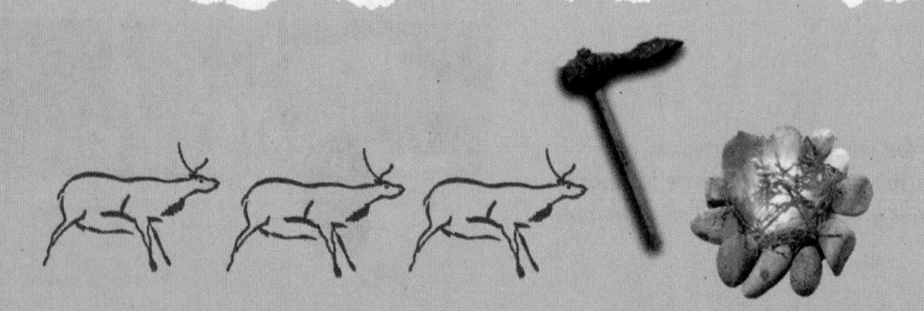

Teozintle,
maíz prehispánico

Los seres humanos hemos cambiado deliberadamente muchas especies al cruzarlas de manera especial. Como resultado del desarrollo de la agricultura, el hombre ha modificado muchas especies de plantas para su consumo, en un proceso de selección artificial. El maíz, por ejemplo, que es de origen mexicano, no era como lo conocemos ahora. Era una planta más pequeña, con mazorcas que apenas llegaban a medir 6 cm. Los antiguos pobladores de México empezaron a sembrar solamente semillas de las mazorcas que contenían más granos y eran más grandes. Con el paso del tiempo las plantas cuyas mazorcas fueron más grandes y más alimenticias predominaron, y aquellas con las mazorcas más pequeñas desaparecieron.

En el siglo XIX existieron varias teorías que trataron de explicar cómo evolucionaban las especies en el tiempo. Lamarck, un científico francés, decía que los organismos, plantas o animales, cambiaban por necesidad. Si un animal como la jirafa necesitaba alcanzar la copa de los árboles más altos, al usar su cuello continuamente, éste se iba a ir alargando, y por lo tanto sus hijos iban a nacer con el cuello más largo. Ahora sabemos que no es así.

a)

b)

c)

d)

Teoría de la evolución de Lamarck:
a) Las jirafas no alcanzan el follaje de los árboles.
b) Las jirafas estiran el cuello constantemente para alcanzar el follaje.
c) Por lo mismo, el cuello se alarga.
d) Las jirafas de las siguientes generaciones heredan esta característica.

La ciencia explica hoy la evolución de las jirafas, a partir de la teoría de Darwin: en la población de los ancestros de las jirafas existía una gran diversidad no sólo en el largo del cuello sino en otras características como el tamaño y el peso. Al volverse extremoso el clima y desaparecer los arbustos de que se alimentaban, sólo aquellos individuos cuyo cuello les permitía alcanzar la copa de los árboles sobrevivieron, los demás individuos al no alimentarse debidamente murieron sin dejar descendientes. Las jirafas que sobrevivieron tuvieron descendientes de cuello largo y así sucesivamente durante múltiples generaciones.

a)

b)

c)

d)

Teoría de la evolución de Darwin:
a) Existe gran variabilidad en el tamaño del cuello de las jirafas.
b) Unas alcanzan el follaje y otras no.
c) Las jirafas que alcanzan el follaje sobreviven y dejan descendientes parecidos a ellas.
d) Con el paso de las generaciones dominan las jirafas de cuello largo.

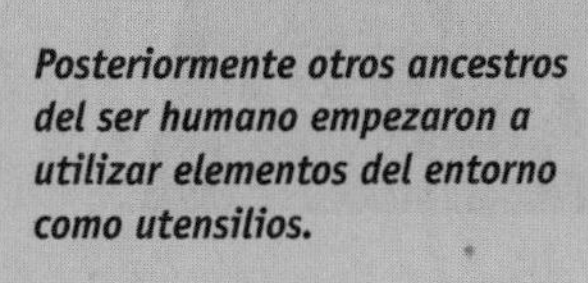
Posteriormente otros ancestros del ser humano empezaron a utilizar elementos del entorno como utensilios.

LECCIÓN 8

El Universo a través del tiempo

Como estudiaste en este bloque, han transcurrido 15 000 millones de años desde que el Universo se formó a partir de una gran explosión. Posteriormente se empezaron a formar las galaxias, las estrellas y los planetas, como la Tierra.

Para tratar de comprender lo que significan estos largos periodos de tiempo, se han elaborado representaciones que muestran algunos eventos que han ocurrido desde la gran explosión hasta el origen del ser humano en la Tierra. Una de esas representaciones se conoce como el *calendario cósmico*.

Con un calendario puedes precisar, por ejemplo, el día en que va a ser tu cumpleaños o los meses en que vas a tener vacaciones. Probablemente has notado que en los calendarios se resaltan algunas fechas importantes como el inicio del año, el día que celebramos la Independencia de México o la Revolución.

Imagina por un momento que cada día del calendario representa un año, es decir, lo que hiciste hace dos días es como si lo hubieras hecho hace dos años. ¿Cuántos años duraría una semana? ¿Hace cuántos años empezaste tus clases de sexto grado?

La idea de hacer un *calendario cósmico* es comprimir los 15 000 millones de años que han transcurrido desde la gran explosión hasta ahora y representarlos sólo en uno. De esta manera podemos comparar periodos de tiempo muy grandes y difíciles de imaginar, con otros que son más comprensibles, como los meses y los días.

Si se distribuyen los 15 000 millones de años en 365 días, se puede calcular el número de años que representan un mes, un día e incluso una hora y un minuto. De esta manera es posible ubicar en qué mes y qué día de este calendario ocurrieron acontecimientos como la formación de la Vía Láctea y el sistema solar. A continuación puedes observar las principales fechas registradas en el *calendario cósmico* antes de diciembre.

Los calendarios nos permiten recordar fechas importantes.

1 de enero		*La gran explosión*	
1 de mayo		*Origen de la Vía Láctea*	
9 de septiembre	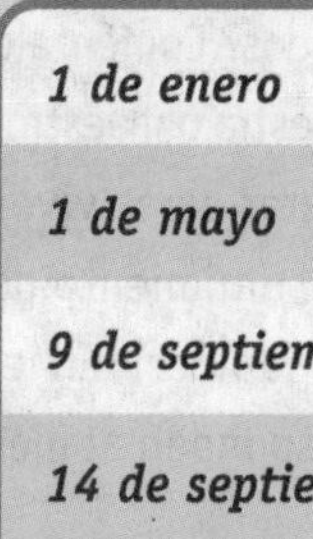 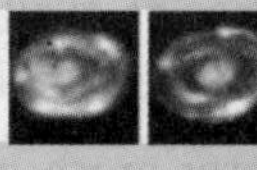 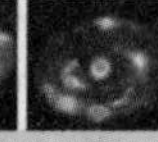 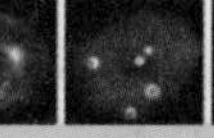  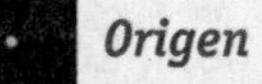	*Origen del Sistema Solar*	
14 de septiembre		*Formación de la Tierra*	
1 de octubre	 	*Formación de la atmósfera*	
1 de octubre		*Formación de los océanos*	
8 de octubre	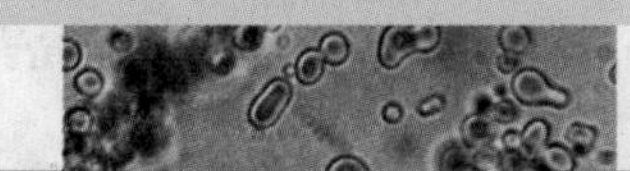	*Origen de la vida en la Tierra*	

Calendario cósmico

ENERO

Lun	Mar	Mie	Jue	Vie	Sáb	Dom
1	2	3	4	5	6	7
8	9	10	11	12	13	14
15	16	17	18	19	20	21
22	23	24	25	26	27	28
29	30	31				

FEBRERO

Lun	Mar	Mie	Jue	Vie	Sáb	Dom
			1	2	3	4
5	6	7	8	9	10	11
12	13	14	15	16	17	18
19	20	21	22	23	24	25
26	27	28				

MARZO

Lun	Mar	Mie	Jue	Vie	Sáb	Dom
			1	2	3	4
5	6	7	8	9	10	11
12	13	14	15	16	17	18
19	20	21	22	23	24	25
26	27	28	29	30	31	

ABRIL

Lun	Mar	Mie	Jue	Vie	Sáb	Dom
						1
2	3	4	5	6	7	8
9	10	11	12	13	14	15
16	17	18	19	20	21	22
23 30	24	25	26	27	28	29

MAYO

Lun	Mar	Mie	Jue	Vie	Sáb	Dom
	1	2	3	4	5	6
7	8	9	10	11	12	13
14	15	16	17	18	19	20
21	22	23	24	25	26	27
28	29	30	31			

JUNIO

Lun	Mar	Mie	Jue	Vie	Sáb	Dom
				1	2	3
4	5	6	7	8	9	10
11	12	13	14	15	16	17
18	19	20	21	22	23	24
25	26	27	28	29	30	

JULIO

Lun	Mar	Mie	Jue	Vie	Sáb	Dom
						1
2	3	4	5	6	7	8
9	10	11	12	13	14	15
16	17	18	19	20	21	22
23 30	24 31	25	26	27	28	29

AGOSTO

Lun	Mar	Mie	Jue	Vie	Sáb	Dom
		1	2	3	4	5
6	7	8	9	10	11	12
13	14	15	16	17	18	19
20	21	22	23	24	25	26
27	28	29	30	31		

SEPTIEMBRE

Lun	Mar	Mie	Jue	Vie	Sáb	Dom
					1	2
3	4	5	6	7	8	9
10	11	12	13	14	15	16
17	18	19	20	21	22	23
24	25	26	27	28	29	30

OCTUBRE

Lun	Mar	Mie	Jue	Vie	Sáb	Dom
1	2	3	4	5	6	7
8	9	10	11	12	13	14
15	16	17	18	19	20	21
22	23	24	25	26	27	28
29	30	31				

NOVIEMBRE

Lun	Mar	Mie	Jue	Vie	Sáb	Dom
			1	2	3	4
5	6	7	8	9	10	11
12	13	14	15	16	17	18
19	20	21	22	23	24	25
26	27	28	29	30		

DICIEMBRE

Lun	Mar	Mie	Jue	Vie	Sáb	Dom
					1	2
3	4	5	6	7	8	9
10	11	12	13	14	15	16
17	18	19	20	21	22	23
24 31	25	26	27	28	29	30

En el cintillo de este bloque puedes identificar los eventos que están registrados en dicho calendario. Como te puedes dar cuenta, desde la gran explosión hasta la formación de las primeras galaxias transcurrió un mes y medio, lo cual representa miles de millones de años. Observa cuántos meses o días transcurrieron entre los eventos que ocurrieron después. ¿Qué crees que ocurrió en los días que no están marcados? Coméntalo con tus compañeras y compañeros, y tu maestra o maestro.

Desde que se originaron los primeros seres vivos en la Tierra, los procesos de evolución y surgimiento de nuevas especies ocurrieron con mayor rapidez. En el *calendario cósmico*, estos procesos corresponden al mes de diciembre.

Elabora tu *calendario cósmico*

Para que te des una idea de qué tan lejanos en el tiempo están los eventos relacionados con la evolución de los seres vivos, organízate en equipo y elabora tu calendario del mes de diciembre.

Necesitas por equipo:

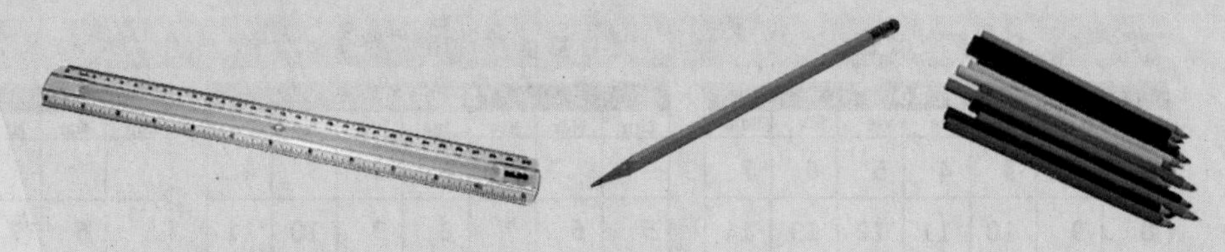

una cartulina, una regla, un lápiz, lápices de colores

Dibuja en la cartulina el mes de diciembre, como se muestra en la ilustración, y numera los días en la esquina superior izquierda de cada cuadro. Deja espacio suficiente para que dibujes lo que ocurrió durante la evolución de los seres vivos.

DICIEMBRE						
Lun	Mar	Mie	Jue	Vie	Sáb	Dom
				1	2	3
4	5	6	7	8	9	10
11	12	13	14	15	16	17
18	19	20	21	22	23	24
25	26	27	28	29	30	31

Para elaborar el calendario, consideraremos como primer evento el origen de los invertebrados y, como evento más reciente, el origen de los seres humanos.

Revisa el cintillo y localiza el origen de los invertebrados, observa que el tiempo que aparece ahí es el que vas a representar en el mes de diciembre.

Para conocer a cuántos millones de años equivale cada día del mes, divide ese número entre 31. Por ejemplo, si el número fuera 500 millones de años, dividirías 500 entre 31, y el resultado sería 16.12. Sin tomar en cuenta las cifras a la derecha del punto tendríamos que cada día del mes equivale a 16 millones de años.

Ahora, anota en millones de años el tiempo que le corresponde a cada día. Siguiendo con el ejemplo, escribirías 16 millones de años en la línea inferior del día 31 y a partir de ahí sumarías 16 millones de años a cada día; en el día 30, que ocurrió hace dos días, anotarías el resultado de sumar 16 + 16 = 32 millones de años; el día 29 el resultado de 32 + 16 y así sucesivamente hasta el 1 de diciembre.

Ahora ya puedes ubicar los eventos que ocurrieron en tu calendario. De acuerdo con el cintillo dibuja en el 1 de diciembre algunos invertebrados y en el 31 el origen del ser humano.

Revisa nuevamente el cintillo y observa lo que ocurrió después de que surgieron los invertebrados. ¿Cuándo se originaron los peces, los insectos y las plantas con flor? ¿En qué día de tu calendario debes ubicar cada caso? Dibújalos.

Revisa el cintillo hasta el final del bloque y completa tu calendario. Una vez que lo hayas terminado muéstralo al grupo y comenten lo que creen que ocurrió en los días que quedaron vacíos entre cada evento.

Organiza con ayuda de tu maestra o maestro una exposición de carteles para, entre todos, tratar de explicar de acuerdo con la idea del *calendario cósmico*, lo que para cada uno significan 15 000 millones de años.

De acuerdo con los cálculos de los científicos, el hombre se originó como especie aproximadamente a las 22:30 horas del día 31 de diciembre y durante los últimos 10 minutos del *calendario cósmico* se ha registrado toda la historia de las civilizaciones humanas, empezando con el descubrimiento del fuego y el desarrollo de la agricultura, hasta el desarrollo actual de la ciencia y la tecnología.

Como puedes observar, los seres humanos llevamos muy poco tiempo en el Universo, comparativamente con las estrellas, los planetas, las montañas y con otras especies animales y vegetales, pero ese tiempo ha sido suficiente para poder investigar y tratar de explicarnos de dónde venimos. La historia del ser humano, que en el *calendario cósmico* abarca una hora y media, es precisamente lo que estudiarás en el bloque 2.

Al igual que lo hiciste en los grados anteriores, continúa elaborando tu diccionario científico.

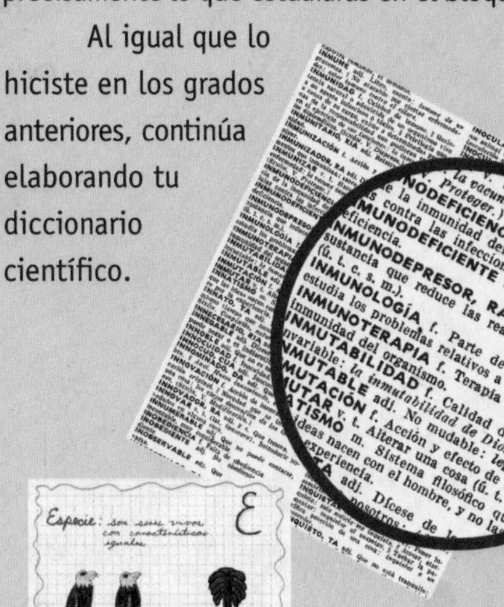

La población humana ha crecido desigualmente en el tiempo, hasta llegar a más de 6000 millones de personas que habitamos hoy la Tierra.

Observa el mapa del mundo. La extensión del territorio y forma de los países es diferente a la que comúnmente observas en los mapas que utilizas. Éste está dibujado en proporción al número de habitantes de cada país. Cada cuadro representa un millón de personas y los colores indican el ritmo al que crece la población. ¿Sabes cómo viviremos en el futuro, cuando sin duda seremos más?

En este bloque estudiarás cómo ha vivido el ser humano a lo largo de su historia, cómo ha mejorado sus condiciones de vida, qué problemas enfrenta en el presente, cuáles enfrentará en el futuro y qué debe hacer para solucionarlos.

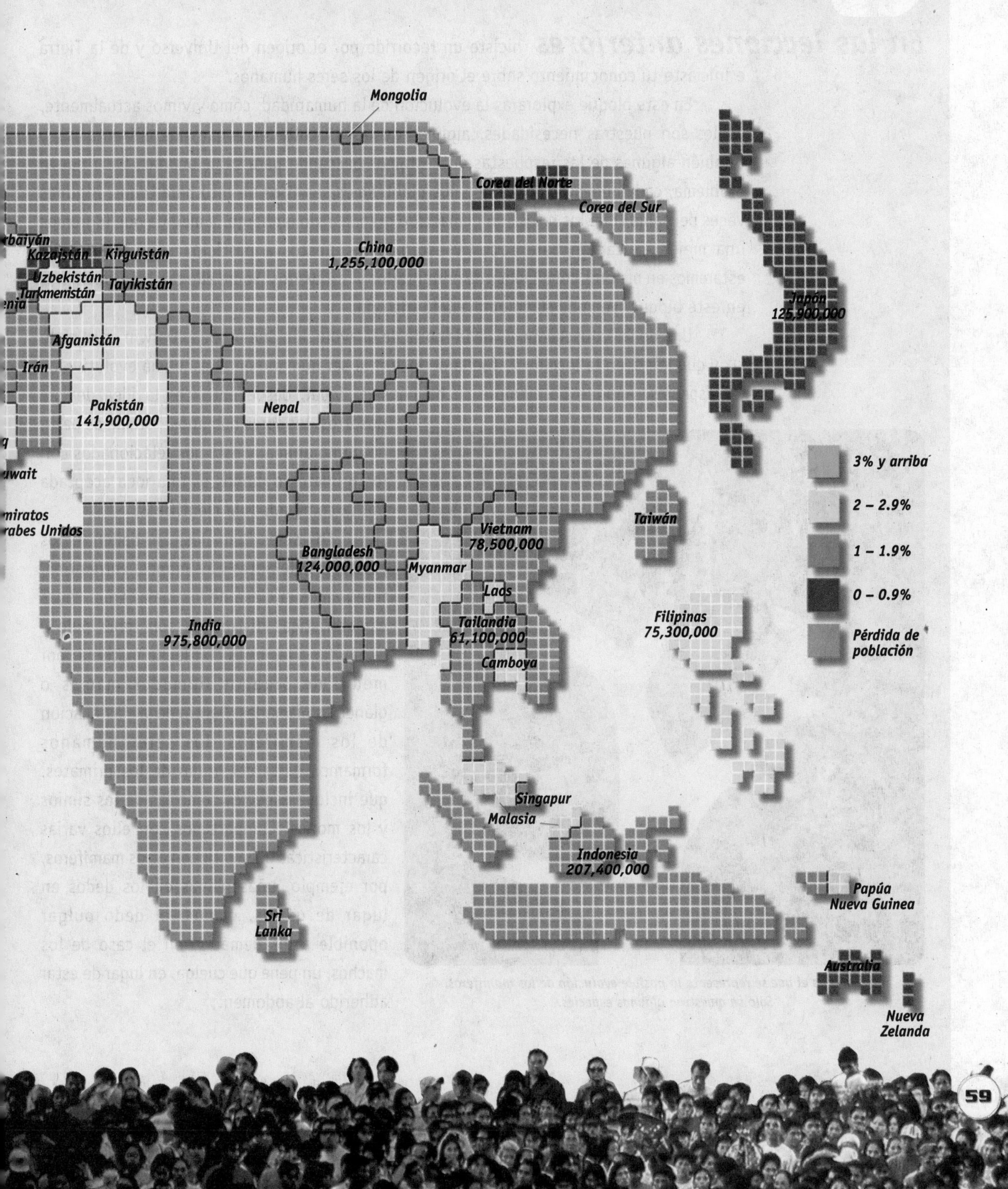
Mongolia
Corea del Norte
Corea del Sur
China
1,255,100,000
Kazajstán
Kirguistán
Uzbekistán
Tayikistán
Turkmenistán
Japón
125,900,000
Afganistán
Irán
Pakistán
141,900,000
Nepal
3% y arriba
2 – 2.9%
1 – 1.9%
0 – 0.9%
Pérdida de población
Taiwán
Vietnam
78,500,000
Bangladesh
124,000,000
Myanmar
Laos
Tailandia
61,100,000
Camboya
India
975,800,000
Filipinas
75,300,000
Singapur
Malasia
Indonesia
207,400,000
Papúa
Nueva Guinea
Sri
Lanka
Australia
Nueva
Zelanda

LECCIÓN 9

El camino hacia la humanidad

En las lecciones anteriores hiciste un recorrido por el origen del Universo y de la Tierra e iniciaste tu conocimiento sobre el origen de los seres humanos.

En este bloque explorarás la evolución de la humanidad, cómo vivimos actualmente, cuáles son nuestras necesidades, algunas de las dificultades a que nos enfrentamos y también algunas de las respuestas que estamos buscando para solucionarlas. Cada nuevo problema, cada nueva pregunta que nos planteamos significa un reto para todos. Algunas veces pensamos que los retos son demasiado grandes; sin embargo, a medida que logremos una mejor educación para todos y estemos dispuestos a participar con los demás, estaremos en mejores condiciones de enfrentarlos y resolverlos. Sobre ello también trabajarás en este bloque. Veamos cómo empieza la historia.

Una de las consecuencias de la teoría de la evolución que propuso Darwin en el siglo XIX y que leíste en la lección 7, fue la de incluir al ser humano en el esquema evolutivo de las especies. Aunque no siempre se ha pensado igual, desde entonces la idea de que nosotros, los seres humanos, formamos parte del reino animal y estamos relacionados con los primates o monos es una idea aceptada por la comunidad de científicos.

Los seres humanos, las ballenas, los perros, los elefantes y los monos, entre otros, integramos la clase de los mamíferos, cuyas características distintivas son tener pelo y alimentar a las crías con leche materna, por medio de órganos llamados mamas o glándulas mamarias. Dentro de la clasificación de los mamíferos, los seres humanos formamos parte del grupo de los primates, que incluye especies como las de los simios y los monos. Compartimos con ellos varias características que no tienen otros mamíferos, por ejemplo, uñas planas en los dedos en lugar de garras, manos, el dedo pulgar oponible a los demás y, en el caso de los machos, un pene que cuelga, en lugar de estar adherido al abdomen.

Esquema en el que se representa la posible evolución de los mamíferos. Sólo se muestran algunas especies.

El ancestro más antiguo que se conoce del ser humano es el homínido denominado **Ardipithecus ramidus**, *que apareció hace 4.4 millones de años.*

Australopithecus afarensis
(3 a 3.9 millones de años).

Australopithecus robustus
(2 millones de años).

¿Sabías que... ***el médico griego Galeno en el siglo II ya pensaba que el ser humano pertenecía al reino animal? Para sus estudios, Galeno realizó disecciones en varios animales y encontró un gran parecido entre la constitución física de los monos y la del ser humano.***

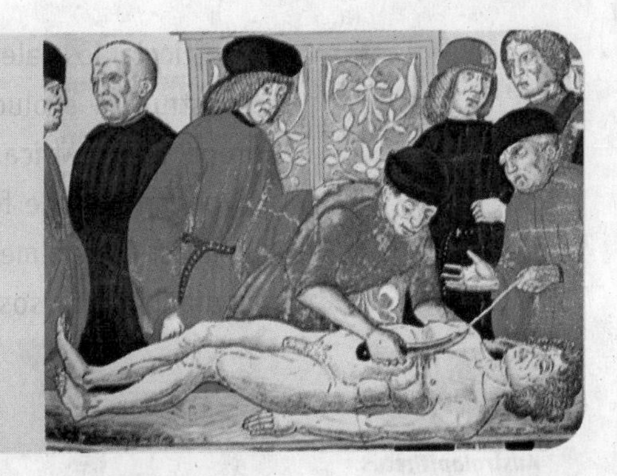

Dentro de los primates, tenemos más rasgos comunes con los monos, como el gibón, el orangután, el chimpancé y el gorila.

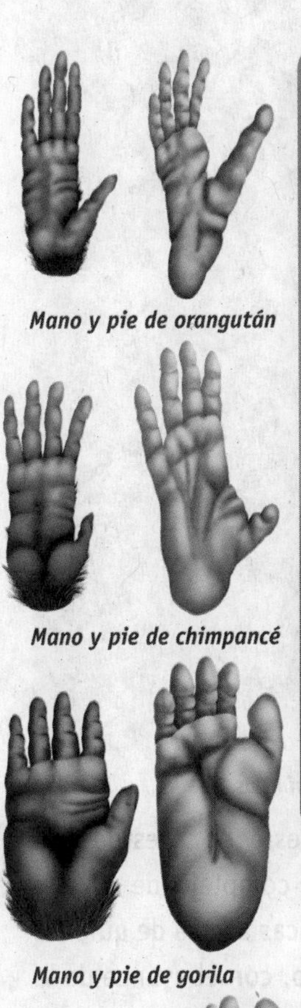

Mano y pie de orangután

Mano y pie de chimpancé

Mano y pie de gorila

Mano y pie de ser humano

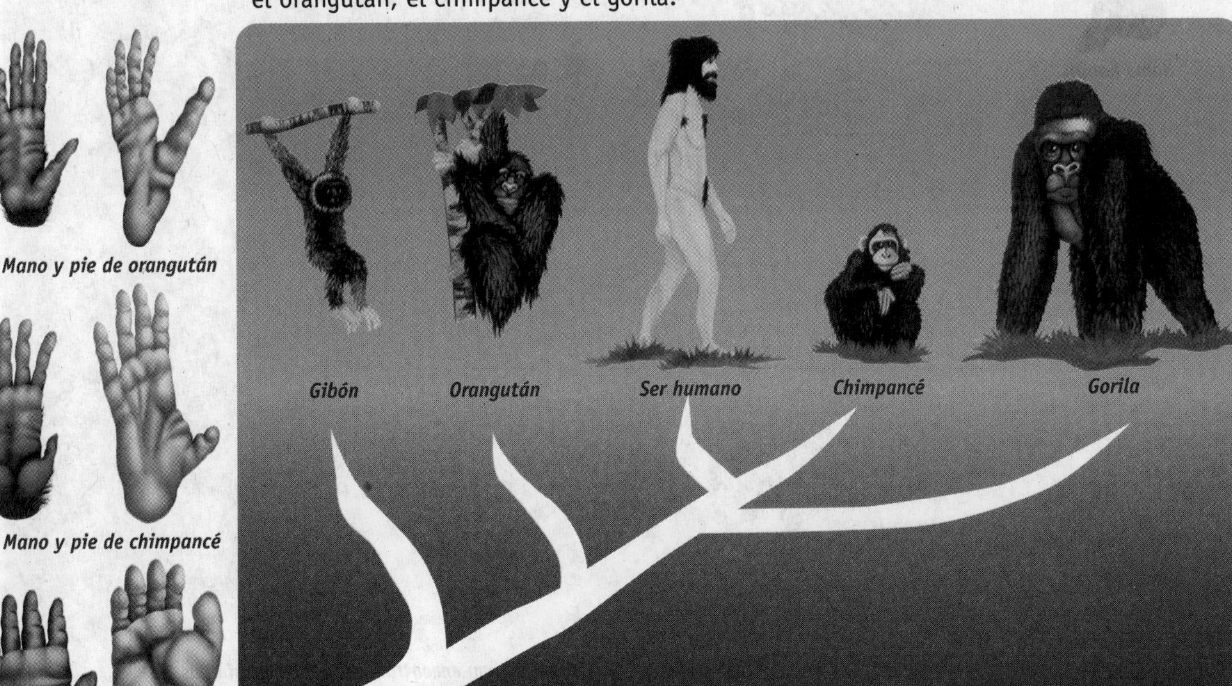

Esquema evolutivo del ser humano y de algunos primates actuales

A pesar de las semejanzas, el ser humano presenta diferencias notables con los otros primates, como son tener el cerebro más grande, el cuerpo cubierto por un vello muy delgado, la postura erecta, la cara plana, el dedo pulgar oponible más largo, una inteligencia y la capacidad del habla mucho más desarrolladas y el uso, control y modificación de su entorno. Todas estas diferencias son biológicas, pero hay otras características típicamente humanas que lo separan aún más del resto de los seres vivos, incluidos los primates. El ser humano sabe que morirá algún día, ha desarrollado una capacidad moral y establece relaciones afectivas más profundas y variadas. El conocimiento de todas estas diferencias ha ayudado a los científicos a explicar la evolución humana.

El Homo habilis utilizaba utensilios para fabricar nuevos instrumentos (2.5 millones de años).

El Homo erectus se extendió de África a Asia. Inventó el hacha de mano (1.8 millones de años).

En particular los paleontólogos, que son los científicos que estudian los fósiles, han logrado reconstruir la evolución de los seres humanos con base en los fósiles encontrados en Europa, Asia y África. En el siguiente mapa puedes ver los lugares en donde se encontraron mayor cantidad de fósiles de homínidos, es decir, de los ancestros directos de los seres humanos. Generalmente se encontraron sólo partes de esqueletos como cráneos, dientes, mandíbulas y huesos de las extremidades.

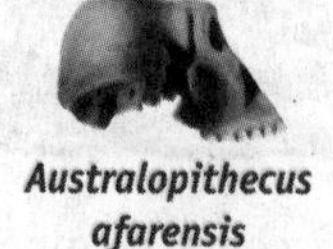

Australopithecus afarensis

Homo habilis

Homo erectus

Homo sapiens

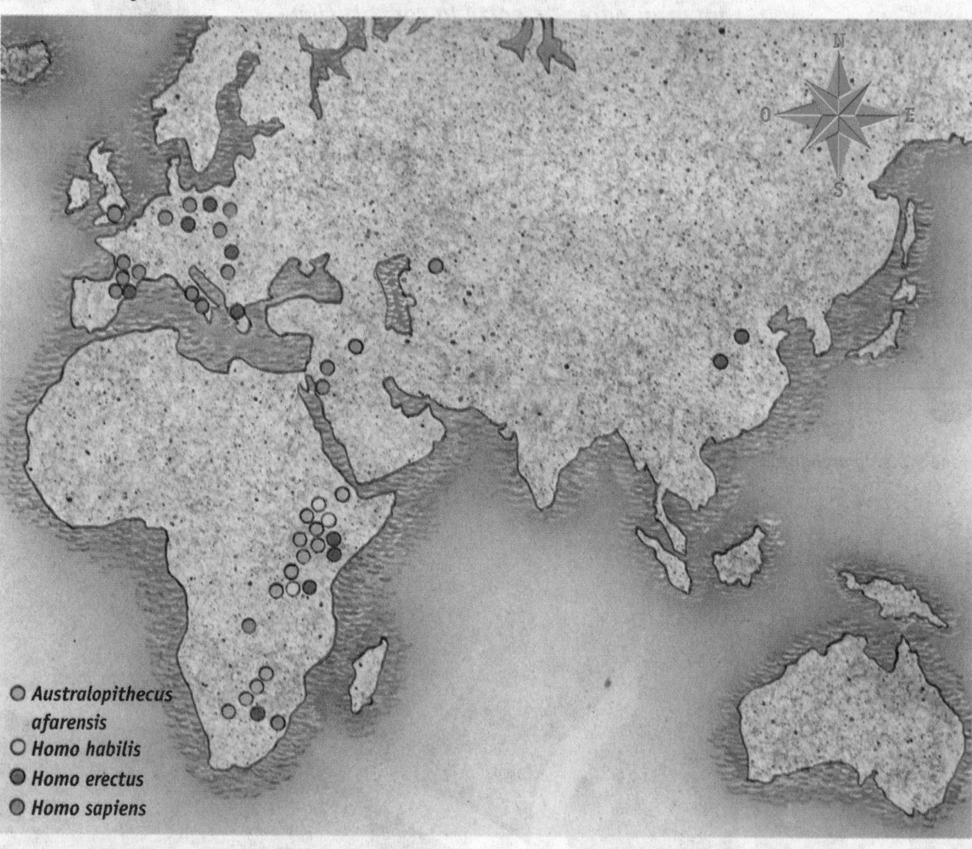

Mapa de África, Europa y Asia con los lugares donde se han encontrado fósiles de homínidos.

África es el lugar donde se ha encontrado la mayor cantidad de fósiles, y de su estudio se ha concluido que la evolución humana ha sido un proceso más complejo de lo que originalmente se había pensado. Aun en la actualidad existen polémicas acerca de quiénes fueron nuestros ancestros más remotos, y es posible que en el futuro, con el avance de la ciencia, se logre precisar esto con más claridad.

La especie más antigua de nuestro esquema evolutivo que se conoce hasta ahora fue apenas descubierta en 1994 y se le dio el nombre de *Ardipithecus ramidus*. Se cree que estos homínidos vivieron hace 4.4 millones de años, caminaban erguidos y medían aproximadamente 1.20 m. Los dientes de las crías de esta especie se parecen más a los dientes de un chimpancé que a los de un humano. Sólo se han encontrado algunos cráneos, por lo que aún se desconocen muchas de las características de esta especie.

Posible apariencia de* Ardipithecus ramidus, *que es el homínido más antiguo de los que se consideran antepasados del ser humano. Medía 1.20 m de altura.

Posiblemente, el* Homo erectus *usaba las cuevas como refugio.

Hace 400 000 años, con el dominio del fuego, los homínidos obtuvieron calor, protección contra los depredadores y pudieron cocer los alimentos.

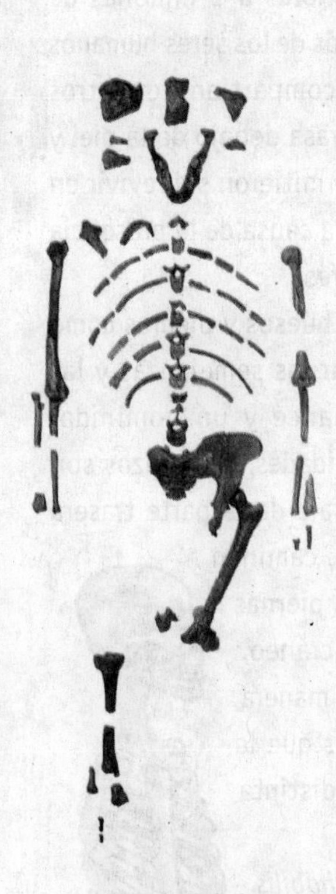

Esqueleto de Lucy

Otro de los ancestros más antiguos y mejor estudiados de los seres humanos es la especie formada por individuos parecidos a los monos, que medían de un metro a un metro y medio de estatura, caminaban erguidos, tenían brazos largos, pómulos salientes, cejas bajas y un cerebro pequeño. Esto se sabe por el descubrimiento de los restos fósiles de una hembra a la que los paleontólogos llamaron Lucy, y cuyo nombre científico es *Australopithecus afarensis*. Los restos fueron encontrados en el desierto de Afar, en Etiopía y su nombre hace referencia a un *mono del sur* (*Australo* = del sur y *pithecus* = mono). Localízalo en el mapa de la página 62.

Dibujo que representa cómo se piensa que eran los Australopithecus afarensis.

Las pruebas de laboratorio indican que los restos de Lucy tienen entre 3 millones y 3.9 millones de años de antigüedad. Se piensa que, a partir de los australopitecinos, se separaron dos ramas del esquema evolutivo, una representada por dos especies, *Australopithecus robustus* y *Australopithecus boisei*, las cuales se extinguieron. La otra rama, que se separó hace 2.5 millones de años, dio lugar a las especies denominadas *Homo habilis*, *Homo erectus* y *Homo sapiens*.

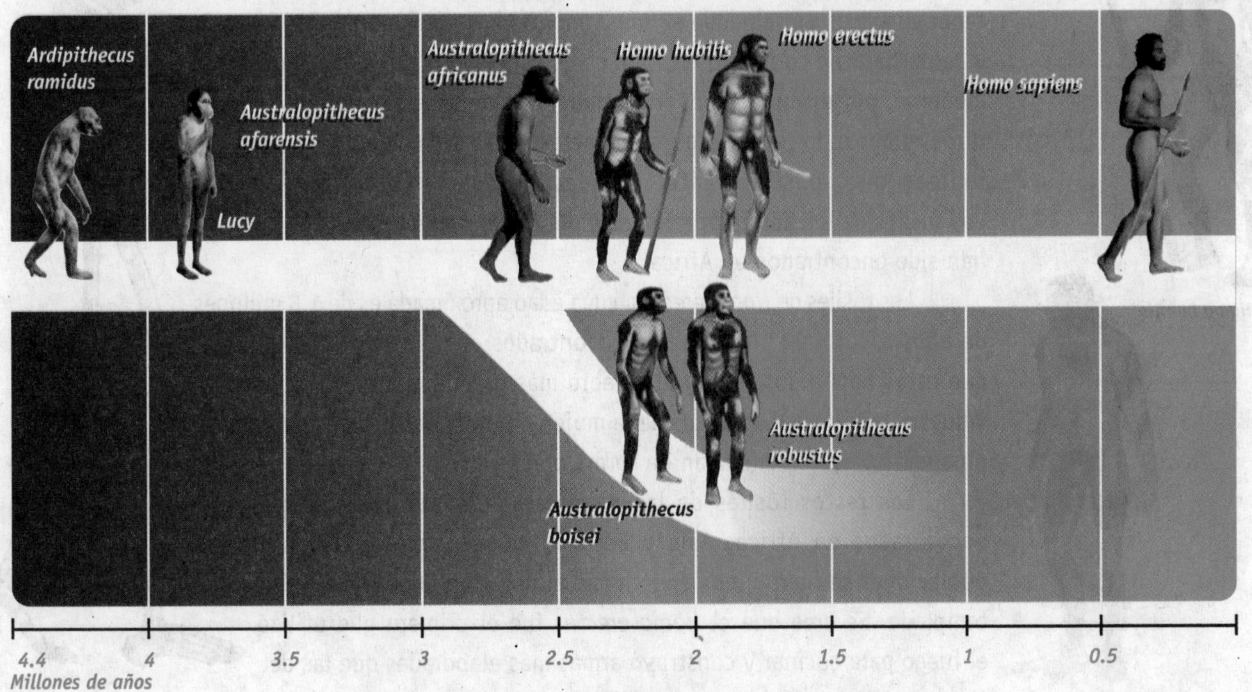

Representación de la historia evolutiva de los seres humanos

Hace 230 000 años el hombre de Neandertal era cazador y fue el primero en enterrar a los muertos.

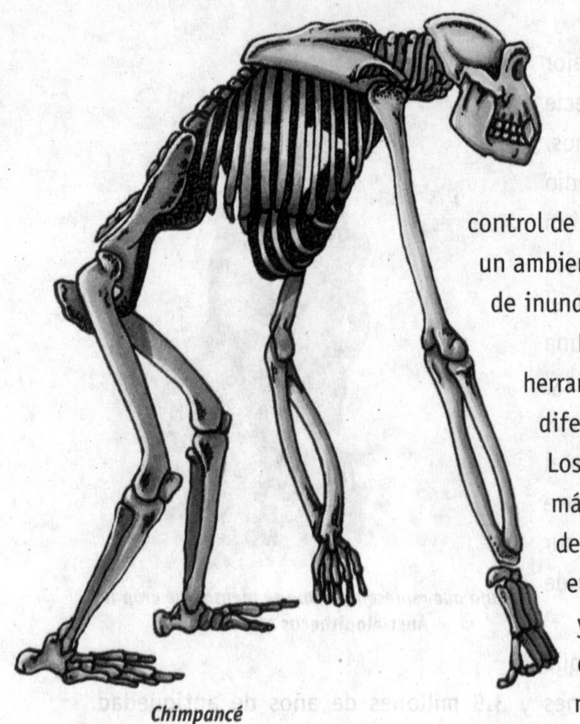

Chimpancé

Aunque no se han encontrado fósiles anteriores a 5 millones de años, se puede decir que los primeros ancestros de los seres humanos tenían características distintivas que no compartían con otros primates, como el vello corto, una capa de grasa debajo de la piel y control de la respiración bajo el agua. Todas ellas les permitieron sobrevivir en un ambiente adverso con mucha agua, principalmente a causa de la presencia de inundaciones, producto del deshielo de los glaciares.

Los homínidos caminaban erguidos y usaban huesos y piedras como herramientas. En las ilustraciones puedes observar las semejanzas y las diferencias entre los esqueletos de un chimpancé y un homínido. Los chimpancés caminan con las cuatro extremidades, sus brazos son más largos que las piernas y su espina dorsal sale de la parte trasera del cráneo. Los homínidos, como el ser humano, caminan erguidos, tienen los brazos más cortos que las piernas y su espina dorsal sale de la parte inferior del cráneo, de tal forma que lo pueden sostener erguido de manera natural. Si observas ambas ilustraciones verás que la forma en que la espina dorsal del chimpancé embona en el cráneo es distinta a la de los homínidos.

A diferencia de los australopitecinos o monos del sur, el *Homo habilis* vivía en cuevas, construía herramientas y armas para cazar animales y tener alimento. Se sabe que el *Homo habilis* vivía en comunidades pequeñas y tenía hábitos cooperativos, como los asociados con el ser humano moderno; por ejemplo, unos individuos iban de cacería mientras otros cuidaban la cueva. Algunas características de su cerebro indican que, posiblemente, eran capaces de hablar. Los fósiles de los australopitecinos y del *Homo habilis* sólo han sido encontrados en África.

Homo habilis

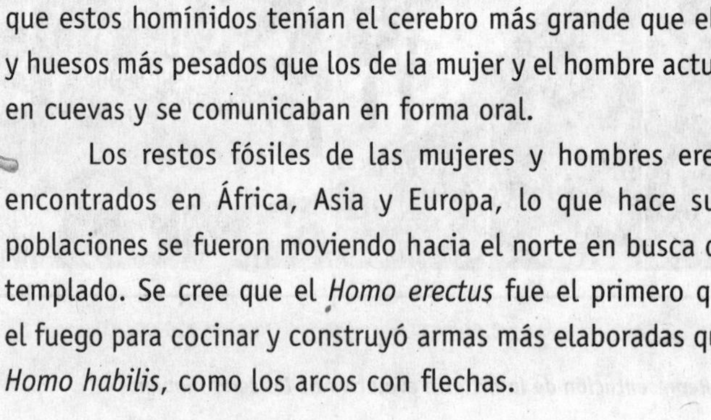

Los fósiles de *Homo erectus,* cuya edad aproximada es de 1.8 millones de años a 300 000 años, fueron encontrados el siglo pasado e indican que estos homínidos tenían el cerebro más grande que el *Homo habilis* y huesos más pesados que los de la mujer y el hombre actuales, moraban en cuevas y se comunicaban en forma oral.

Los restos fósiles de las mujeres y hombres erectos han sido encontrados en África, Asia y Europa, lo que hace suponer que las poblaciones se fueron moviendo hacia el norte en busca de un clima más templado. Se cree que el *Homo erectus* fue el primero que utilizó el fuego para cocinar y construyó armas más elaboradas que las del *Homo habilis*, como los arcos con flechas.

Homo erectus

Homínido

Alrededor de 70 000 a 60 000 años, los hombres y mujeres modernos llegaron a América. Se considera que los primeros pobladores del actual territorio de México llegaron hace 33 000 años.

Posible aspecto del hombre de Cro-Magnon

Nuestro viaje por la historia de la humanidad culmina cuando aparece, hace aproximadamente 500 000 años, el *Homo sapiens* y sus variantes modernas, hace apenas unos 120 000 años. Los seres humanos actuales somos los descendientes del primer *Homo sapiens,* que significa *hombre sapiente o sabio*, que sabe y es capaz de aprender.

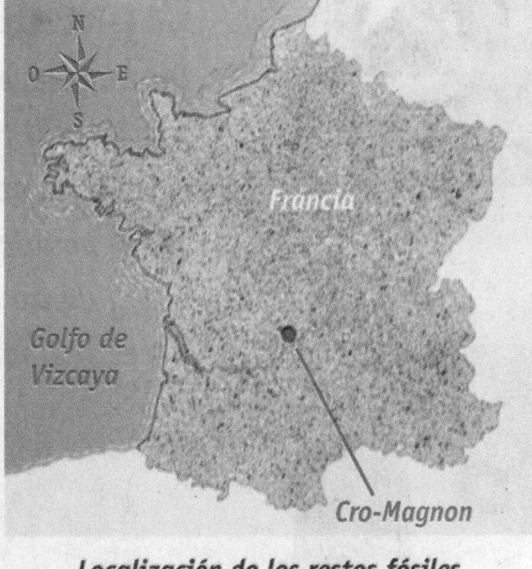

Localización de los restos fósiles de Cro-Magnon

En un proceso que duró mucho tiempo, y en el cual diversas especies de homínidos convivieron al mismo tiempo, el *Homo sapiens* fue remplazado hace aproximadamente 40 000 años por el denominado hombre de Cro-Magnon, cuyo nombre se debe a un lugar de Francia donde fueron encontrados sus restos fósiles. Observa en el mapa la ubicación de los restos. Estos individuos usaban armas y herramientas hechas de piedra, madera, hueso y cuerno. Tenían una organización social y vivían de la caza. Cuidaban a los heridos y enfermos y comúnmente enterraban a los muertos junto con comida, armas y en algunas ocasiones flores. También poseían un lenguaje para comunicarse y elaboraban grabados y pinturas en las paredes de las cuevas, los cuales se conservan hoy día en diferentes partes de Europa.

El ser humano moderno se estableció por toda Europa, Siberia y América del Norte, a la cual llegaron hace 70 000 a 60 000 años. En esa época, como resultado de una glaciación, descendió el nivel del mar, por lo que tierras que ahora están sumergidas quedaron en la superficie uniendo Siberia y Alaska, en lo que ahora es el estrecho de Bering. Se calcula que hace 10 000 años, cerca de cinco millones de seres humanos poblaban el mundo entero, menos de una milésima parte de los que ahora lo habitamos.

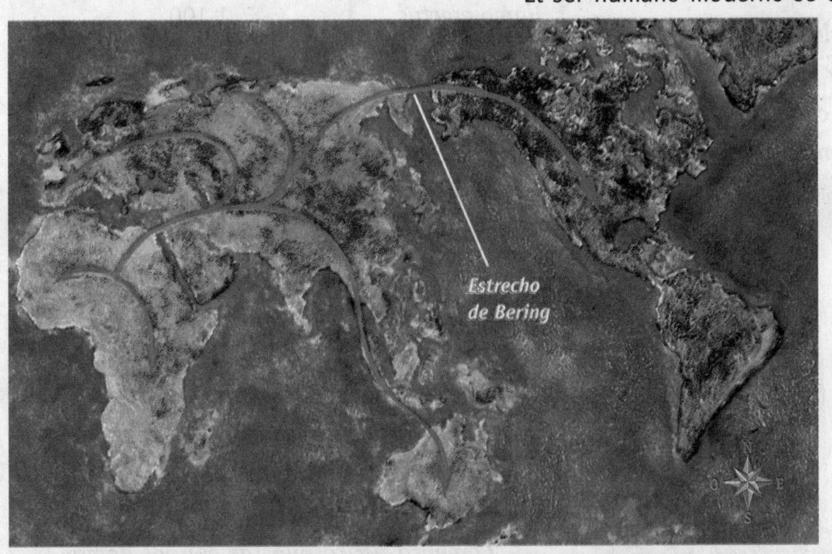

Esquema que representa el flujo del ser humano moderno de África hacia Europa, Asia, Australia y América.

Hace 40 000 años el hombre de Cro-Magnon manejaba una mayor variedad de instrumentos, con los que grababa y esculpía en cuevas.

Capacidad craneana

Durante la evolución de los homínidos, el cerebro ha aumentado de volumen, por lo cual también aumentó la capacidad craneana, es decir, el espacio que ocupa el cerebro dentro del cráneo. Al medir el espacio de los cráneos fósiles de los homínidos se ha podido conocer el volumen que tenía su cerebro. Organízate en equipo y realiza la siguiente actividad.

Necesitas por equipo:

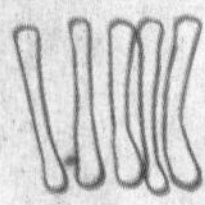

cinco bolsas de plástico grueso de 2 litros de capacidad aproximadamente, agua de la llave, una botella de plástico de 500 ml o una taza medidora, cinco ligas, un marcador

1. ***Divide la altura de la botella en cinco partes iguales y márcalas. Cada sección representará 100 ml.***
2. ***Anota en cada bolsa el nombre de una especie y su capacidad craneana, de acuerdo con la tabla que está a la derecha.***
3. ***Con ayuda de tu botella medidora, vacía en cada bolsa la cantidad de agua que le corresponda. Recuerda que un mililitro equivale a un centímetro cúbico. Amarra cada bolsa o sujétala con una liga para evitar que se salga el agua.***
4. ***Ordena las bolsas de mayor a menor volumen.***
5. ***Calcula cuántas veces es más grande el cerebro del Homo sapiens con respecto a los demás. Esto lo puedes saber dividiendo el volumen del cerebro mayor entre cada uno de los volúmenes de los otros cerebros.***

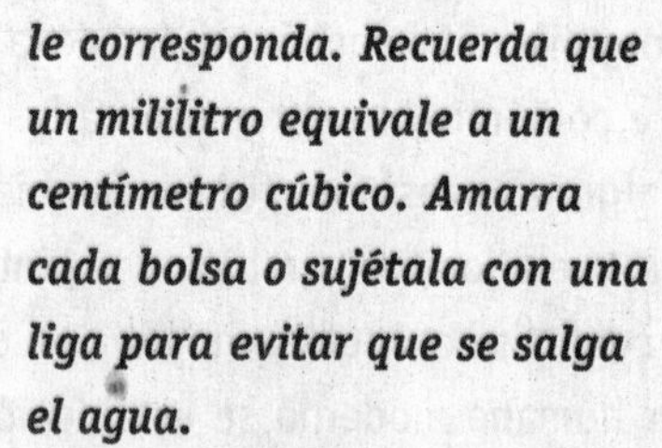

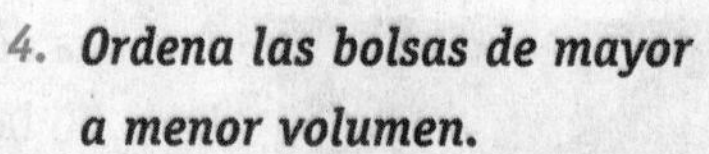

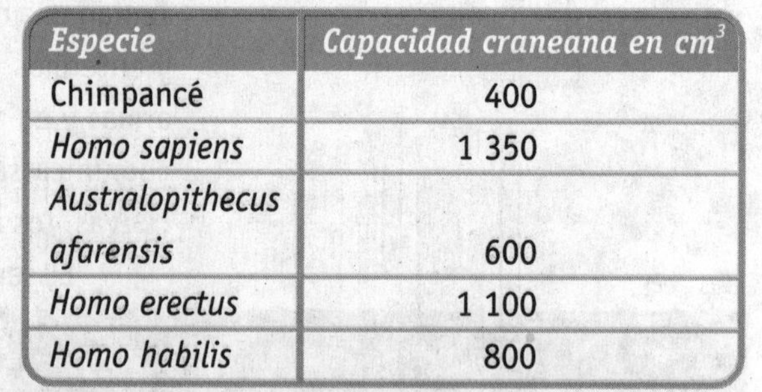

Especie	*Capacidad craneana en* cm^3
Chimpancé	400
Homo sapiens	1 350
Australopithecus afarensis	600
Homo erectus	1 100
Homo habilis	800

¿Qué especie tiene el cerebro más grande? ¿Cuántas veces es más grande el cerebro de esta especie con respecto a los demás? ¿Qué relación consideras que hay entre el tamaño del cerebro de las cinco especies y el desarrollo de habilidades como hablar o construir herramientas?

Comenta tus respuestas con los demás y anota tus conclusiones en tu cuaderno.

A sucesivas generaciones de hombres y mujeres les tomó cerca de 18 000 años poblar desde Norteamérica hasta la Patagonia.

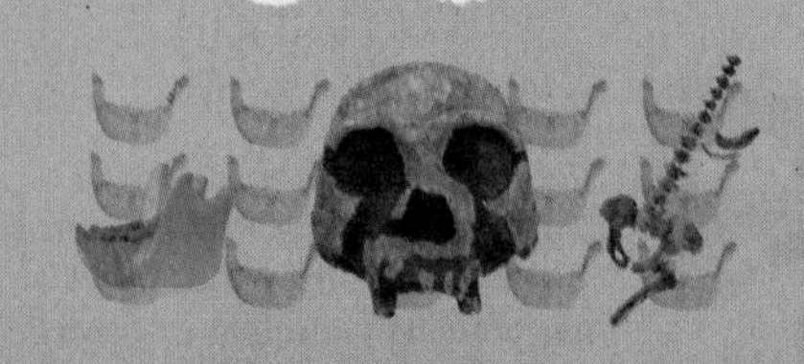

Los fósiles humanos más antiguos que se conocen del extremo sur de América datan de hace aproximadamente 12 000 años.

Herramientas de hueso y piedra

El diseño y uso de herramientas por el ser humano moderno se hizo cada vez más complejo. El aumento en las formas de comunicación y el establecimiento de pequeños poblados marcaron uno de los momentos más importantes en la evolución del ser humano. Desde entonces y hasta ahora la mayor parte de la población habita en lugares templados o con climas favorables, donde hay mejores condiciones para subsistir y producir alimentos.

El color de la piel se ha modificado a lo largo de la historia de la humanidad y representó un papel importante en la supervivencia de las antiguas poblaciones humanas, en diferentes ambientes. Por ejemplo, el color oscuro de la piel protege a las personas de los rayos intensos del sol en los climas muy calurosos. En la actualidad, las diferencias físicas y en particular el color de la piel no son importantes debido a la capacidad del ser humano para fabricar ropa y viviendas que lo protegen del frío o del calor. Gracias a ello el ser humano puede vivir en casi cualquier parte del planeta, independientemente de sus características físicas.

Con el paso del tiempo y el desarrollo de la ciencia y la tecnología, el ser humano ha logrado aumentar su esperanza de vida. Se ha estimado que los miembros de la especie a la que pertenecía Lucy vivían en promedio ¡20 años! En la actualidad, la alimentación, los cuidados médicos y una mejor calidad de vida han hecho que las mujeres y los hombres vivan más años y en mejores condiciones. Observa la gráfica y compara el promedio de vida actual con el de hace 12 000 años.

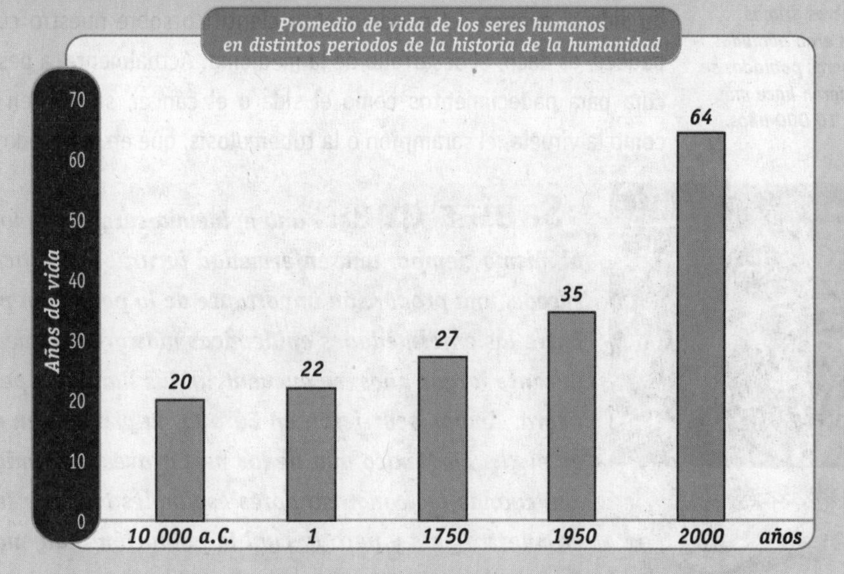

Las tribus eran grupos de seres humanos integrados hasta por cientos de personas sin una división del trabajo específica.

LECCIÓN 10 La población humana crece

En las clases de Historia y Geografía

has estudiado que los primeros grupos humanos eran nómadas, es decir, se movían de un lugar a otro buscando alimentos que les permitieran sobrevivir. Con el tiempo, desarrollaron formas de cultivar plantas, domesticar animales y almacenar alimentos para momentos de escasez. Todo esto hizo posible permanecer cada vez más tiempo en los sitios que habitaban, hasta que, poco a poco, dejaron de ser nómadas y se fueron haciendo sedentarios. Los primeros poblados aparecieron hace aproximadamente 10 000 años.

Los primeros grupos humanos eran nómadas. Los primeros poblados se establecieron hace más o menos 10 000 años.

Uno de los mayores logros de los seres humanos al hacerse sedentarios fue la posibilidad de organizarse mejor para desarrollar colectivamente sus actividades dando paso a la división del trabajo entre los integrantes de una comunidad: unos se dedicaban a cazar o a cultivar la tierra, otros realizaban tareas domésticas, como cocinar o confeccionar ropa. Con el paso de los siglos, como estudiarás con más detalle en el bloque 4, cada comunidad fue ampliando sus conocimientos científicos y tecnológicos, lo que los facultó para inventar mejores herramientas y desarrollar nuevas formas de cuidar su salud. Todo ello influyó en el mejoramiento de las condiciones de vida de muchos seres humanos, lo cual propició que el número de personas que habitaban el mundo aumentara.

Un factor muy importante para el incremento de las poblaciones humanas ha sido el avance del conocimiento científico sobre nuestro cuerpo y las enfermedades que padece, es decir, el desarrollo de la medicina. Actualmente, a pesar de que aún se desconoce la cura para padecimientos como el sida o el cáncer, se pueden tratar muchas enfermedades, como la viruela, el sarampión o la tuberculosis, que en el pasado provocaron epidemias fatales.

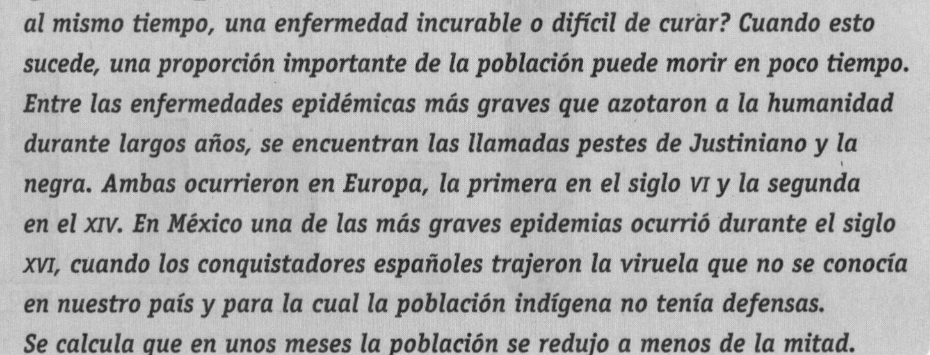

¿Sabías que... *una epidemia surge cuando muchas personas padecen, al mismo tiempo, una enfermedad incurable o difícil de curar? Cuando esto sucede, una proporción importante de la población puede morir en poco tiempo. Entre las enfermedades epidémicas más graves que azotaron a la humanidad durante largos años, se encuentran las llamadas pestes de Justiniano y la negra. Ambas ocurrieron en Europa, la primera en el siglo VI y la segunda en el XIV. En México una de las más graves epidemias ocurrió durante el siglo XVI, cuando los conquistadores españoles trajeron la viruela que no se conocía en nuestro país y para la cual la población indígena no tenía defensas. Se calcula que en unos meses la población se redujo a menos de la mitad.*

Las primeras ciudades se construyeron en lugares propicios para la agricultura, y surgieron entre ellos los primeros intercambios comerciales. Jericó se construyó hace aproximadamente 8 000 años en el Medio Oriente.

El crecimiento de la población en tiempos recientes

Desde que la humanidad se hizo sedentaria, el crecimiento de la población no ha sido el mismo. En algunas regiones se ha concentrado un número mayor de personas que en otras. En Asia, desde hace miles de años, vive la mayor cantidad de gente.

¿En qué lugares del mundo viven más personas?

Observa el escenario de las páginas 58 y 59 e identifica la población actual de los países más poblados de Asia: China, India, Indonesia, Paquistán, Japón y Bangladesh. ¿Cuántos habitantes tienen en total? Ahora observa la gráfica y analiza el número de habitantes de cada continente, a lo largo del tiempo. ¿Cuántos habitantes se estima que habrá en Asia en el año 2050? ¿Cómo se estima que cambiarán las poblaciones de Europa y América entre los años 2000 y 2050?

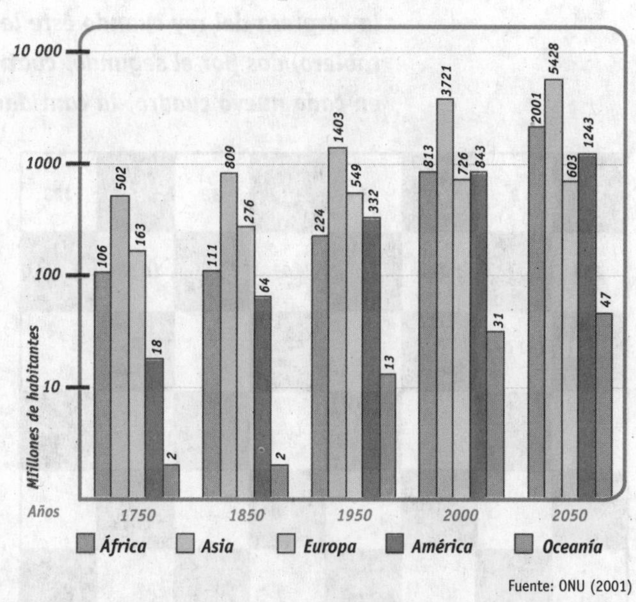

Fuente: ONU (2001)

La población humana no ha crecido al mismo ritmo en todas las épocas. Durante muchos siglos, las poblaciones de nuestro planeta, grandes o pequeñas, en general fueron creciendo lenta y paulatinamente. A mediados del siglo XIX la población mundial inició un crecimiento muy rápido, el cual continúa todavía en algunas regiones del mundo, aunque en la mayoría de los países, incluido México, ya ha disminuido. Como resultado de ese crecimiento acelerado, la población mundial se quintuplicó en 150 años. Aumentó de 1 262 millones de habitantes en el año 1850 a más de 6 000 millones que se estima somos en la actualidad.

La población del mundo creció lentamente hasta la primera mitad del siglo pasado, cuando principió un crecimiento veloz, que todavía continúa en algunos países, especialmente de África.

En la gráfica de la izquierda se muestra el crecimiento de la población, desde que los humanos se volvieron sedentarios hasta la actualidad.

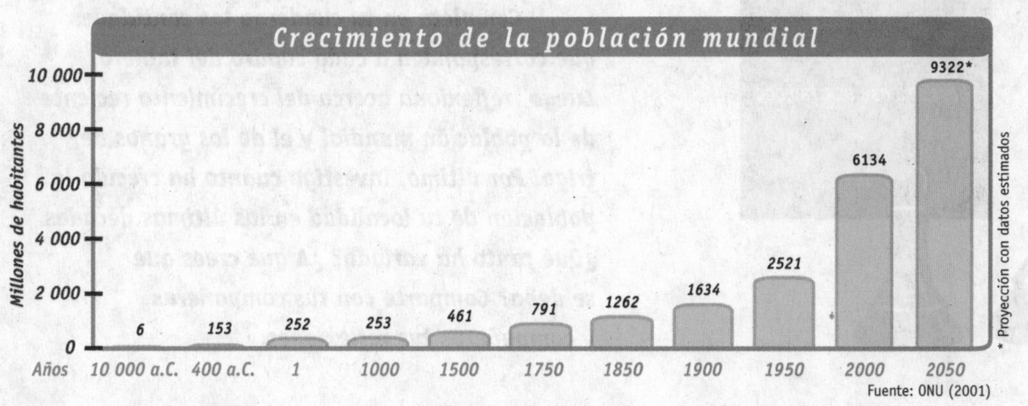

Fuente: ONU (2001)

Las cabras, las ovejas, el trigo y los olivos fueron de las primeras especies domesticadas para consumo en Medio Oriente.

El tablero de ajedrez y el crecimiento de la población mundial

Cuenta la leyenda que, hace muchos años, un poderoso rey del Medio Oriente recibió como regalo de uno de sus súbditos un tablero de ajedrez con piezas magníficamente talladas en marfil. El rey aprendió rápidamente a jugar y le agradó tanto que le dijo al súbdito que le daría lo que pidiera en pago por su memorable invento. Grande fue la sorpresa del rey cuando éste le pidió un grano de trigo por el primer cuadro del tablero, dos por el segundo, cuatro por el tercero y así, sucesivamente, duplicando, en cada nuevo cuadro, la cantidad anterior. El rey aceptó enseguida, pensando que le pedía poca cosa, unos cuantos granos de trigo por tan magnífico invento, y ordenó que trajeran un saco de trigo de sus silos.

Pronto supo el rey que había cometido un error. El cuarto cuadro del tablero suponía ocho granos de trigo, el quinto 16, el décimo 512, el decimoquinto 16 384 y el vigésimo primero ya requería más de un millón de granos. Al llegar al cuadragésimo cuadro se requerían ¡más de mil millones de granos! Consternado, se dio cuenta de que, antes de alcanzar el total de los 64 cuadros que tiene el tablero de ajedrez, todo el trigo de su reino no bastaría para pagar el invento.

Esta leyenda muestra cómo una cantidad que en un principio parece pequeña puede crecer muy rápidamente y, dependiendo de la situación, llegar a convertirse en un problema.
La población mundial nunca ha crecido a ese ritmo pero, en los últimos 150 años sí ha aumentado considerablemente.

Completa en tu cuaderno las cantidades que corresponden a cada cuadro del tablero. Luego, reflexiona acerca del crecimiento reciente de la población mundial y el de los granos de trigo. Por último, investiga cuánto ha crecido la población de tu localidad en las últimas décadas. ¿Qué tanto ha variado? ¿A qué crees que se deba? Comparte con tus compañeras y compañeros tus reflexiones.

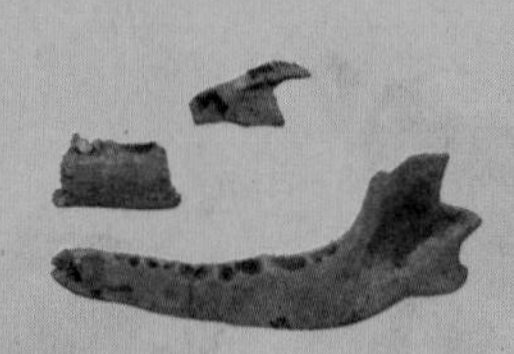

Se sabe que los perros convivieron con los habitantes de América. Los restos de perros más antiguos en este continente datan de hace 10 000 años.

El crecimiento de la población en México

Como en los otros países del mundo, durante el siglo XX la población de México también aumentó considerablemente. Hoy somos, más o menos, 100 millones de mexicanos, más del doble de la población de 1965 y casi ocho veces la de 1900. Esto se debe, entre otras causas, a que desde el fin de la Revolución Mexicana en la década de los años veinte del siglo XX, la mortalidad de la población ha disminuido mucho y a que, desde entonces, el tiempo o esperanza de vida ha ido aumentando. En 1930, los hombres en nuestro país vivían en promedio 35 años y las mujeres 38. Hoy, los hombres viven en promedio 73 y las mujeres 77 años, aunque este dato varía de una región a otra, ya que las condiciones de vida, los servicios de salud y el acceso a una mejor alimentación también varían.

La población mexicana de hoy está compuesta mayoritariamente de jóvenes, los cuales se irán haciendo adultos y, hacia el año 2030, la mayoría tendrá alrededor de 50 años. Además, el número de nacimientos anuales también ha disminuido notablemente en los últimos años. Así es que en sólo tres décadas cambiará la composición de nuestra población y, por lo tanto, también cambiarán sus necesidades.

La población de México en 1995 y en 2030

Observa las siguientes pirámides de población. Cada una de ellas te muestra los porcentajes de población, organizados por grupos de edad, que existían en 1995 y los que se estima existirán en el año 2030. Observa que en 1995 la mayor parte de los habitantes de México eran menores de 20 años. Según las estimaciones hechas por los demógrafos, encargados del estudio de las poblaciones, cuando estos niños y jóvenes sean adultos, formarán también el grupo mayoritario de la población, en el año 2030.

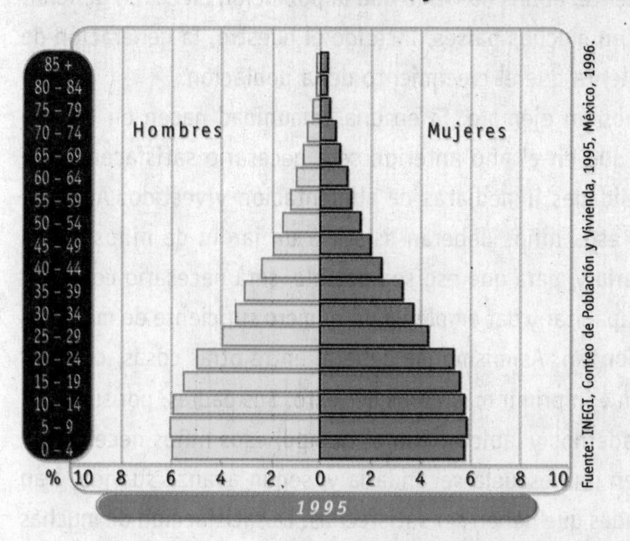

Fuente: INEGI, Conteo de Población y Vivienda, 1995, México, 1996.

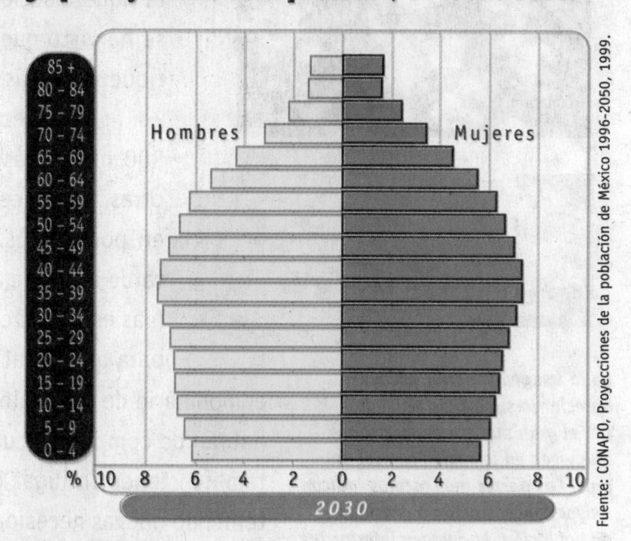

Fuente: CONAPO, Proyecciones de la población de México 1996-2050, 1999.

¿Cuántos años tendrás tú en esa fecha? ¿Cuáles crees que serán tus necesidades entonces? Analiza por qué, si cada día somos más mexicanos, ya no estamos creciendo con la rapidez de años anteriores.

En Turquía se encontraron restos de casas construidas hace 9 000 años. Fueron hechas con adobe y tenían entradas por el techo.

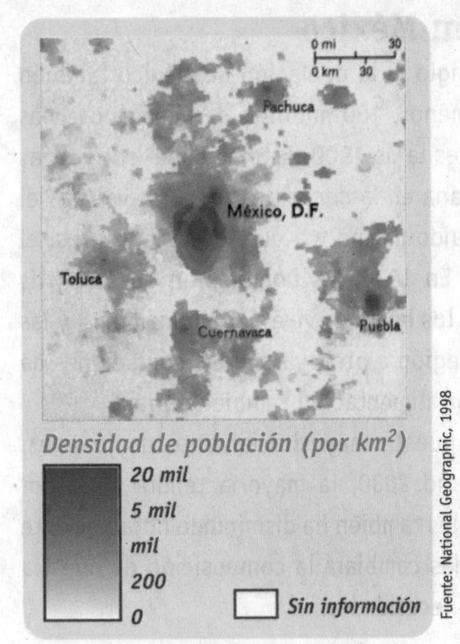

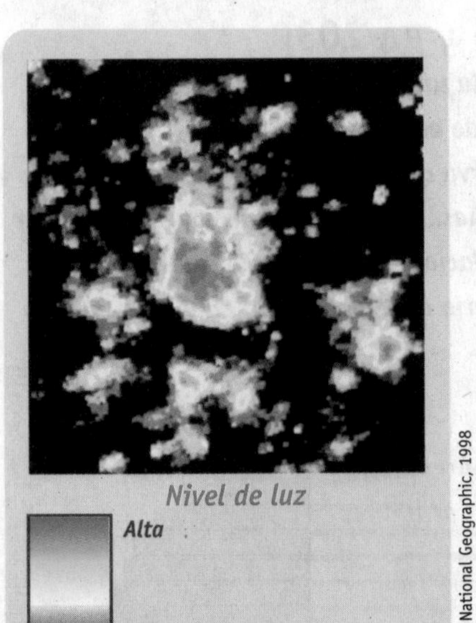

En la imagen superior puedes apreciar la superficie ocupada por el gran número de mexicanos que viven en la región central del país. Las partes más oscuras indican mayor concentración o densidad de población. La imagen inferior fue tomada de noche por un satélite y permite observar la cantidad de energía eléctrica que requieren las personas que habitan esa zona.

Crecimiento y necesidades de la población

El crecimiento de la población es un tema que ha interesado desde hace mucho tiempo a la humanidad. Sobre todo durante la segunda mitad del siglo XX, cuando el gran crecimiento de la población empezó a preocupar a gobernantes y científicos, se produjeron muchas discusiones sobre las causas y las consecuencias de este crecimiento. Se contaba ya con información suficiente para mostrar que existían muchos y muy grandes problemas sociales y ambientales y se pensó que la única causa era la cantidad de personas que vivía en el mundo.

Con el desarrollo de los estudios sobre la población se ha logrado aclarar que las causas de estos problemas no sólo radican en la cantidad de personas que habitamos el planeta sino también obedecen a: las condiciones de desarrollo social y económico de los distintos países o pueblos, la desigualdad y la pobreza, el uso que damos a los recursos naturales, las formas de producir los productos que usamos y a cómo y cuánto consumimos y desechamos.

Otro resultado de estos estudios es que, por una parte, el rápido crecimiento de las poblaciones ocasiona grandes demandas de alimentos y de servicios, como son empleos, viviendas, escuelas, unidades de salud, energía eléctrica y carreteras, entre otros. Y, por otra, que estas demandas no siempre pueden ser satisfechas con la prontitud y equidad que la población requiere, pues para poder satisfacerlas es necesario producir la riqueza suficiente, al mismo ritmo que la población crece. En general, se ha visto que en muchos países, incluido el nuestro, la generación de riqueza es más lenta que el crecimiento de la población.

Analicemos un ejemplo. Si en una comunidad nacen en un año 300 niños más que en el año anterior, será necesario satisfacer, entre otras, sus necesidades inmediatas de alimentación y vestido. Además, en pocos años, esos niños deberán asistir a un jardín de niños y más tarde a la primaria y, para que eso sea posible, será necesario construir más escuelas, capacitar y dar empleo a un número suficiente de maestros para que las atiendan. Asimismo, se deberá, entre otras cosas, comprar el mobiliario de cada salón e imprimir más libros de texto. Sus padres, por su parte, habrán de comprarles cuadernos y lápices. Con el tiempo, esos niños necesitarán también tener un lugar en una escuela secundaria y, según avanza su vida, irán teniendo nuevas necesidades que deben ser satisfechas. La satisfacción de muchas de ellas requiere servicios que corresponde proveer al Estado con los recursos que obtiene principalmente de los impuestos; otras les corresponden a sus padres y algunas más dependerán del esfuerzo y la creatividad de cada uno de ellos.

Hace aproximadamente 7 000 años, los cazadores y recolectores de América construían viviendas sencillas que usaban por tiempos breves.

Para hacer frente a las nuevas demandas de una comunidad o un país cuando crece su población, es necesario conocer anticipadamente cuáles serán estas demandas y, así, poder proponer medidas para atenderlas. A este proceso de anticipación de necesidades y diseño de soluciones, se le llama planeación. Es muy importante que tanto las personas en lo individual como las familias, las organizaciones sociales y los gobiernos diseñen planes para poder hacer frente a las necesidades que le competen a cada cual, con suficiencia y prontitud.

A continuación analizarás un ejemplo de un procedimiento particular para obtener información acerca de la población y de sus necesidades, muy útil en los procesos de planeación.

Una de las formas para conocer el número de habitantes de un lugar, reconocer y analizar las características de una población es por medio de los censos. Un censo consiste en la cuenta del número de personas que viven en determinado lugar. En la República Mexicana, el Instituto Nacional de Estadística, Geografía e Informática (INEGI), con sede en la ciudad de Aguascalientes, realiza cada 10 años un censo para conocer la cantidad de habitantes de todo el país, su edad, escolaridad y las actividades a las que se dedican. Con esta información es posible identificar cómo ha cambiado la población y cuáles son sus necesidades, para planear la construcción de viviendas y escuelas, la creación de empleos o la ampliación de servicios como electricidad, agua potable y drenaje. Una vez que se tiene esta información es posible planear cuáles servicios deben atenderse prioritariamente y en qué plazos es posible hacerlo.

¿Cuántos somos?

Con este ejercicio haremos algo parecido a un censo. Pregunta a cinco personas, que no vivan contigo ni sean compañeros de tu salón de clases, su nombre, sexo, edad y el número de personas que viven en su casa. Organiza la información recabada por grupos de edad y elabora una tabla. Con los datos obtenidos por cada uno construye la tabla del grupo. Analiza primero tus resultados, luego los del grupo y contesta lo siguiente:

¿Cuántas personas se censaron en total? ¿Cuántas son mujeres? ¿Cuántas son hombres? ¿Qué grupo de edad es el más numeroso en este censo? ¿Qué requerimientos tienen los diferentes grupos de edad para satisfacer adecuadamente sus necesidades de educación, salud, alimentación, empleo, vivienda, transporte y recreación? ¿Podrías predecir cómo cambiaría tu tabla si volvieras a hacer el censo dentro de 10 años? ¿Qué grupo de edad crees que será entonces el más numeroso? ¿Y el menos numeroso? ¿Cambiarían las necesidades de educación, salud, alimentación, empleo, vivienda, transporte y recreación?

Cada 10 segundos la población mundial aumenta en 27 personas. Seguramente el mismo tiempo que te tomó leer este párrafo. Ante una población creciente hay problemas también crecientes; revisaremos algunos de ellos en las próximas lecciones: los recursos alimentarios, las adicciones como un problema de salud pública, la contaminación, los problemas ambientales y la renovación de los recursos naturales.

Los primeros pescadores atrapaban los peces a mano.

Hace 6 000 años, algunas comunidades de Asia empezaron a usar intensivamente objetos de cerámica.

LECCIÓN 11

La alimentación, una necesidad básica de la población

La producción de alimentos y su consumo

Cultivo de arroz en Tailandia

El maíz se domesticó en México hace más de 5 000 años. En el Centro Internacional de Mejoramiento del Maíz y del Trigo en Texcoco, Estado de México, los científicos conservan granos de todas las especies de maíz del mundo.

han representando un papel fundamental en la organización y distribución de las poblaciones humanas. Los primeros grupos humanos migraban de un sitio a otro en busca de alimento, ya fuera porque en el sitio que habitaban temporalmente se habían agotado los recursos, debido a causas climáticas o al consumo, o bien porque habían sido vencidos y expulsados por algún otro grupo que llegaba a ocupar ese territorio.

Recolección de maíz en los Estados Unidos de América

La alimentación de los primeros seres humanos dependía de lo que encontraban, como raíces, frutos o animales. La humanidad tuvo control sobre su alimentación cuando, al volverse sedentaria, comenzó a cultivar plantas y a criar animales para alimentarse de ellos. Se cree que la agricultura se desarrolló en el Medio Oriente, hace poco más de 10 000 años, y que fueron sobre todo las mujeres quienes la comenzaron.

Rebaño de borregos en Suiza

Algunos de los cultivos más antiguos que se conocen son la caña de azúcar y el plátano en Nueva Guinea. La cría de cerdos en China también se inició hace mucho tiempo. Lo mismo ocurrió con la papa y la llama en los Andes o con el café en Etiopía. En México, el cultivo del maíz y del frijol, la domesticación de los guajolotes y otros seres vivos, tienen más de 5 000 años.

El desarrollo agrícola y ganadero ha ido cambiando la organización de los pueblos y ha permitido un mayor abastecimiento de alimentos. Este desarrollo dio origen a otro proceso importante de las sociedades humanas: el intercambio de productos y conocimientos de un lugar a otro. Por eso hoy podemos encontrar cultivos originarios de América en África, como el maíz y la papa; y productos de África en México, como el café.

Recolección de papa en Ruanda

En la producción de alimentos, la ciencia y la tecnología han tenido un papel central para descubrir procesos que permitieran cultivar plantas y animales. Por ejemplo, la invención del arado, hace unos 5 000 años, permitió tener abundantes cosechas más rápidamente.

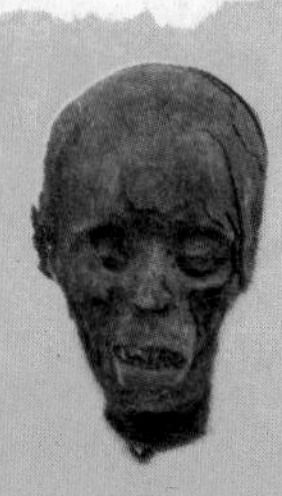
La viruela es la primera epidemia de que se tiene conocimiento. Esto se sabe por las huellas de la enfermedad en una momia egipcia que data de hace aproximadamente 5 600 años.

Las pirámides, como las de Egipto, son un ejemplo de edificios públicos que caracterizan a sociedades más organizadas.

A lo largo del tiempo, el ser humano ha aprendido a conservar mejor y durante más tiempo los alimentos, procesarlos de maneras diversas y distribuirlos en todo el mundo.

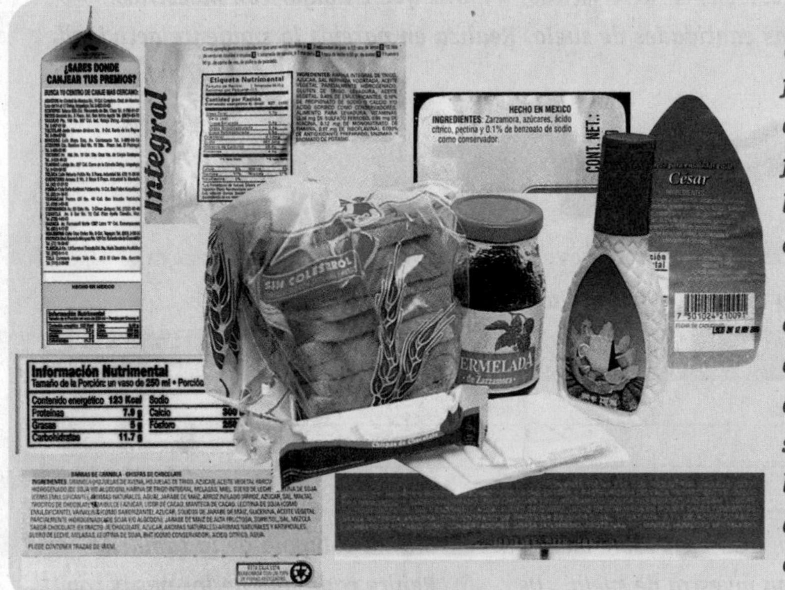

¿Sabías que... *hay muchas formas de conservar los alimentos para que no se descompongan? Algunas de las formas más antiguas son salar o endulzar los alimentos, como ocurre con la cecina o las mermeladas.*

Los químicos se dedican, entre otras cosas, a investigar para producir sustancias que añadidas en pequeñas cantidades a los alimentos evitan su descomposición sin cambiar mucho el sabor y la calidad, lo que, aunado a las técnicas modernas de empaque, permite mantenerlos frescos, en cualquier parte, durante algún tiempo.

México es un país donde hay grandes superficies de suelo arcilloso. Por eso, la arcilla ha sido usada desde tiempos prehispánicos para la fabricación de diversos objetos, muchos de ellos para contener alimentos.

En el suelo se encuentran distintos tipos de partículas, además de hojas secas, lombrices, insectos y otros pequeños animales.

El suelo

El suelo es una capa delgada que cubre parte de la superficie del planeta y que contiene diferentes sustancias, principalmente minerales, además de pequeños organismos que permiten mantener la vida vegetal. Su composición depende del tamaño de las partículas que lo forman. Las partículas más grandes, que miden entre 0.2 mm y 0.1 mm, se conocen como arena. Otras partículas más pequeñas son los limos y las más pequeñas, de 0.002 mm o menos, son las arcillas, de donde se obtiene el barro para hacer recipientes.

En el suelo se encuentran generalmente los tres tipos de partículas, además de seres vivos y material orgánico, como hojas secas. Hay terrenos donde existe mayor cantidad de unas partículas que de otras. En cada lugar, la posibilidad de cultivar y obtener buenas cosechas depende, sobre todo, de las características del suelo, el tamaño de sus partículas, la cantidad de humedad o de agua, y la cantidad y calidad de los nutrientes que se encuentran en él. Por eso, hay suelos fértiles y otros que no lo son.

Para conocer un poco más acerca de estas diferentes partículas y su relación con la producción de alimentos investiguemos cómo es el suelo.

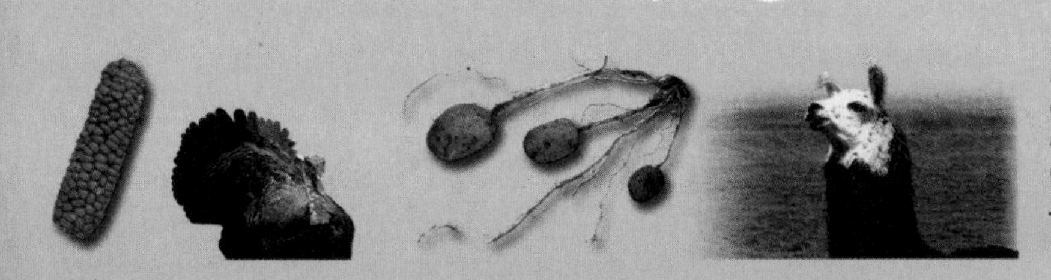

En lo que hoy es México, nuestros antepasados cultivaron el maíz y domesticaron al guajolote hace más de 5 000 años. Al mismo tiempo, en los Andes se domesticaron las llamas y se cultivaron las papas.

¿Cómo es el suelo?

Uno de los componentes más importantes de los ecosistemas es el suelo. Para aprender cómo son sus características, tendrás que trabajar con muestras, es decir, con pequeñas cantidades de suelo. Realiza en parejas la siguiente actividad.

Necesitas por pareja:

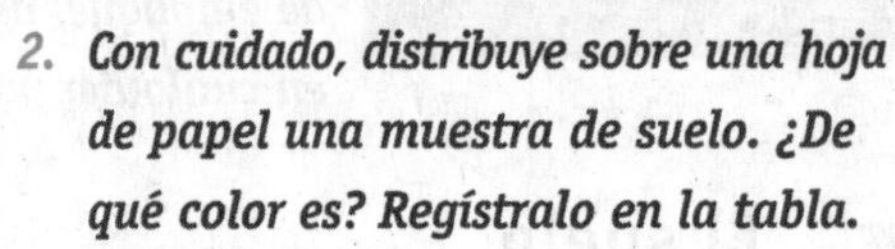

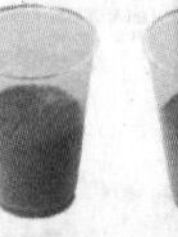

una lupa, lápices de colores, tres muestras de suelo de lugares diferentes, tres hojas de papel

1. ***Copia en tu cuaderno una tabla como la siguiente.***

Muestra	Lugar de donde se obtuvo	Color	Dibujo	Otras observaciones
1				
2				
3				

2. ***Con cuidado, distribuye sobre una hoja de papel una muestra de suelo. ¿De qué color es? Regístralo en la tabla.***
3. ***Observa la muestra de suelo con la lupa y dibuja en la tabla lo que observaste.***
4. ***Toma un poco de suelo entre los dedos, apriétalo y contesta: ¿Cómo se siente? ¿Se pegan entre sí las partículas o permanecen separadas? ¿Observas algún ser vivo en la muestra? Registra tus observaciones en la última columna de la tabla.***
5. ***Repite cada uno de los pasos con las otras dos muestras de suelo. Completa la tabla con tus observaciones.***

Junto con tu maestra o maestro, propón y lleva a cabo un experimento para investigar cuál de las muestras absorbe más agua y reflexiona acerca de qué suelo sería el más adecuado para cultivar y por qué.

Anota los resultados en tu cuaderno.

En Asia, hace 5 000 años, la invención del arado incrementó la producción agrícola. Su uso hizo vulnerable el suelo a la erosión.

Pobreza y hábitos alimentarios

A pesar del incremento de la población, la actual producción mundial de alimentos sería suficiente para que todos los seres humanos del planeta se alimentaran. Sin embargo, aún existen serios problemas de alimentación en diferentes regiones del mundo. Dos de sus causas principales son la pobreza y el cambio en los hábitos alimentarios.

Debido a que, desafortunadamente, la distribución de la riqueza es muy desigual en muchos lugares de nuestro país y del planeta, hay muchas mujeres y hombres del campo y la ciudad que padecen pobreza y, por ello, tienen serias limitaciones para satisfacer plenamente sus necesidades, en especial la de alimentarse adecuadamente. Cerca de la quinta parte de la población del mundo vive en condiciones de pobreza extrema, con agudos problemas de desnutrición, lo cual le impide tener un desarrollo sano y alcanzar un nivel de vida digno. El mayor problema que tiene un país como México es el de abatir la pobreza para lograr que toda su población tenga los medios para cubrir satisfactoriamente sus necesidades.

Por su parte, las sociedades con más recursos económicos están cambiando sus hábitos alimentarios. Éstos originalmente se centraban en el consumo de productos agrícolas y, con el tiempo, han sido parcialmente sustituidos por una dieta basada fundamentalmente en la carne. Además de las repercusiones que esto tiene para la salud de las personas, este incremento en el consumo de carne implica un uso menos eficiente de los recursos, ya que los animales deben ser alimentados antes de servir como alimento a los seres humanos. De los 200 millones de toneladas de granos que se cosechan anualmente en el mundo, casi 40% se destina a alimentar al ganado. En muchos países, incluido el nuestro, una proporción importante de los granos de maíz, cebada y soya se utiliza para alimentar a los animales. En México la demanda de granos ha crecido tanto que la producción del país no alcanza y, cada año, es necesario importar muchas toneladas.

Mientras que en los últimos 50 años la población humana se ha duplicado, el consumo de carne se ha cuadruplicado.

Observa la gráfica y compara los kilos de grano que se necesitan para producir un kilo de tortillas, de pollo, de cerdo y de res.

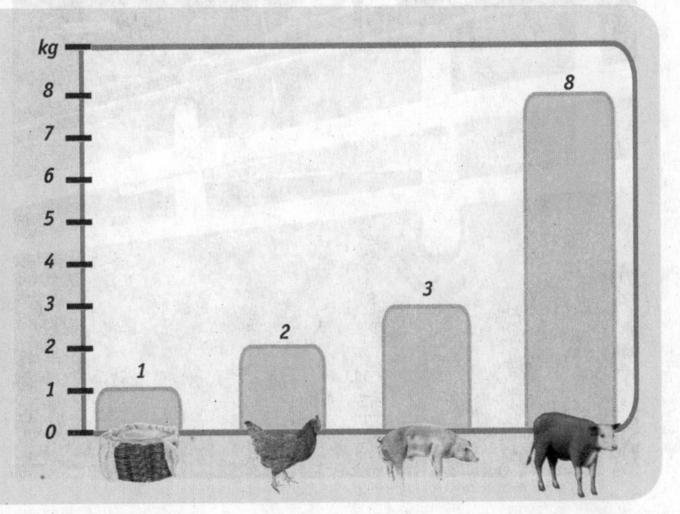

Hace 5 000 años se inventó, en el Medio Oriente, la escritura cuneiforme. Con ello, las sociedades se pudieron comunicar de una generación a la otra, de una manera perdurable.

LECCIÓN 12 El consumo de sustancias adictivas, un problema de salud pública

Los jóvenes son la parte de la población que está más expuesta al riesgo de consumir sustancias nocivas.

Uno de los grandes problemas que afectan a las sociedades de nuestro tiempo es el consumo de diferentes sustancias adictivas, las cuales dañan la salud de quienes las consumen, además de afectar a sus familias, a las personas con las que conviven y a las comunidades a que pertenecen. Por eso, el consumo de sustancias adictivas nos concierne a todos y no sólo a los directamente involucrados; es decir, las adicciones son un problema de salud pública.

En esta lección tendrás oportunidad de conocer, en particular, las características de algunas adicciones, analizando la variedad de enfermedades y de problemas personales y sociales que provocan. Asimismo, podrás reflexionar sobre algunos de los factores que contribuyen a construir una vida plena sin adicciones.

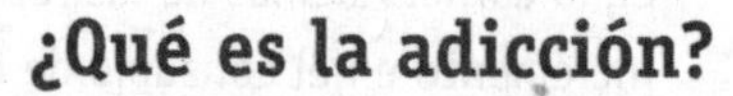

¿Qué es la adicción?

Como estudiaste en tu libro de Ciencias Naturales de quinto grado, cuando una persona se vuelve adicta a alguna sustancia pierde el control sobre su consumo, aunque no esté consciente de ello, y su cuerpo requiere esa sustancia en cantidad cada vez mayor y con más frecuencia.

El consumo de una sustancia adictiva o droga altera la capacidad de actuar y decidir libre y responsablemente. El daño que puede producirle a quien la consume depende de cómo afecte esa sustancia su salud y de las consecuencias emocionales y sociales que le provoque. Cada individuo tiene una constitución genética diferente, por lo cual, la reacción a las diversas sustancias adictivas varía de una persona a otra. Por lo mismo, tampoco es posible predecir qué cantidad de sustancia y qué tiempo de uso se requieren para causar una adicción. Lo que sí se sabe es que, en muchos casos, basta con muy poca cantidad.

El aguacate y el chile fueron parte de la dieta de las mujeres y los hombres de Mesoamérica.

Los chinos inventaron su escritura hace 3 500 años.

No existe una causa única que provoque el consumo de drogas y la adicción. Es un problema muy complejo en el cual intervienen diversos factores, estrechamente ligados entre sí. Éstos son de tipo personal, familiar y social. Sin embargo, cada persona tiene la posibilidad y la responsabilidad de cuidar su salud no consumiendo sustancias nocivas.

Una parte del cuidado de tu salud física y mental le corresponde a tus padres, a las personas que te quieren, a la escuela y a la sociedad, aunque lo más importante del cuidado de tu salud es responsabilidad tuya. Si decides hacer todo lo que esté de tu parte para vivir una vida plena y sana, te será más fácil evitar las adicciones.

Una manera de evitar las adicciones es estar informado. Por eso, a continuación analizaremos algunos factores que influyen en una persona llevándole a consumir sustancias nocivas para su salud, así como las características particulares de algunas de estas sustancias que causan adicción: el tabaco, el alcohol y los enervantes.

En la adolescencia se viven múltiples cambios que pueden poner al adolescente en riesgo de iniciarse en una adicción.

Factores que influyen en el consumo de sustancias nocivas

Te preguntarás quién puede querer dañar su salud. Muchas personas lo hacen por ignorancia, pues desconocen los efectos dañinos de algunas sustancias que consumen. Sorprendentemente hay personas que aun sabiendo que tales sustancias hacen daño, creen no estar expuestas al riesgo de sufrir las consecuencias que representan para su salud física y mental.

En general, la población joven es la que está más expuesta al riesgo de consumir estos productos. De ahí que muchas de las personas adictas a una sustancia nociva comenzaran a consumirlas durante la adolescencia. Una de las razones de ello, como estudiarás más adelante en la lección 19, es que en esta etapa se viven múltiples cambios que a veces inquietan o confunden y que pueden poner al adolescente en peligro de iniciarse en una adicción. Este riesgo se acrecienta por el hecho de que, en algunas de las actividades que realizan los adolescentes y en los lugares que frecuentan, hay en ocasiones otras personas de su edad o mayores que consumen drogas y que los pueden alentar o presionar para que inicien el uso de sustancias nocivas. Esto lo saben quienes comercian con drogas y por ello intentan inducir especialmente a los jóvenes desde temprana edad para que las consuman y, en muchos casos, lo logran.

En América, hace alrededor de 3 500 años, los primeros grupos humanos se establecieron en comunidades pequeñas, con lo que se favoreció el intercambio de productos.

Otras veces, los adolescentes se inician como consumidores por curiosidad, por querer imitar a otras personas, para ser aceptados como miembros de un grupo, o bien como un desafío a sus mayores o a la sociedad. En otros casos, el consumo puede estar asociado con la falta de estimación por uno mismo, la soledad, el abandono, el maltrato o la ausencia de comunicación en la familia.

Muchos consumidores lo hacen como una supuesta solución a sus problemas, pero ésta es una salida falsa pues esos problemas no sólo no desaparecen, sino que se agravan ante el riesgo de una adicción y los efectos que ella puede desencadenar, como dañar al propio cuerpo y obstaculizar el logro del desarrollo personal y social.

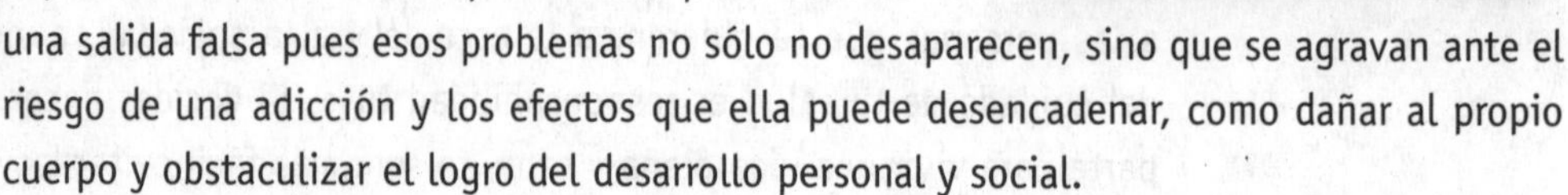

Las personas que usan estas sustancias, aunque sea una vez, lo hacen pensando que van a poder controlar la cantidad de droga que consumen; pero en realidad es muy fácil perder el control y no darse cuenta de que se ha perdido. Piensan que las adicciones les ocurren a los demás y que ellos están a salvo. Esto es muy frecuente entre los adictos, a quienes toma tiempo reconocer y aceptar que tienen un problema muy serio.

Iniciarse en el consumo de una droga es un riesgo para cualquiera, por lo que se debe estar informado y preparado para evitarlo. A continuación analizaremos las características particulares de las adicciones a ciertas sustancias.

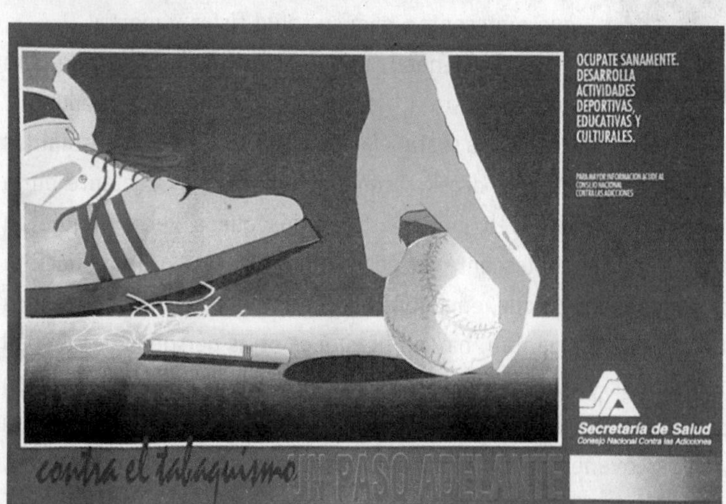

Tabaquismo

El tabaco es una planta originaria de América. Sus hojas se han fumado desde hace varios siglos, pues se pensaba que éste era un hábito sin riesgos. Recientemente, hace unos 20 años, se comenzaron a conocer con precisión sus efectos nocivos; hoy se sabe que fumar daña la salud del fumador y de quienes lo rodean y que causa adicción. A esta adicción se le conoce como tabaquismo y cada vez hay más campañas para combatirla.

La rueda para la elaboración de objetos de barro se empezó a utilizar aproximadamente hace 3 000 años, con lo que se pudo ampliar la capacidad de almacenar alimentos.

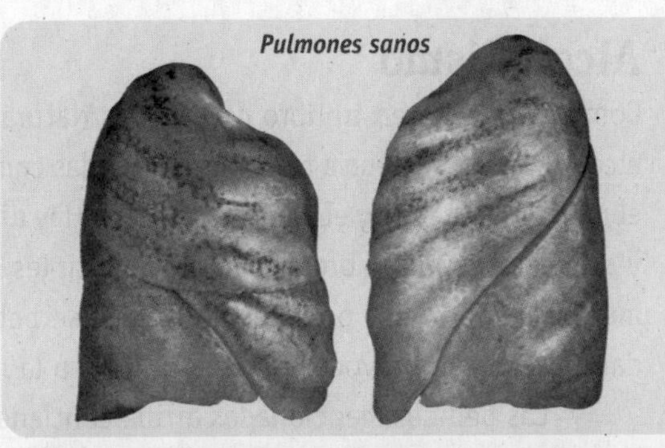

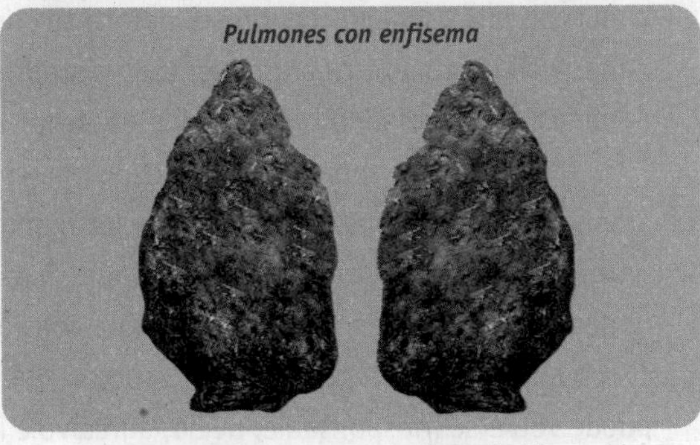

El enfisema pulmonar es una enfermedad incurable que debilita los pulmones hasta atrofiarlos.

El tabaquismo es un problema muy extendido en el mundo. En la República Mexicana, más de 15 millones de personas fuman y una cantidad casi igual lo hizo alguna vez. Es decir, que aproximadamente 30% de los mexicanos se ha visto en algún momento afectado por el tabaco. De éstos, más de la mitad son hombres, muchos de los cuales empezaron a fumar entre los 10 y los 16 años, ya sea por curiosidad o por imitar a los adultos, los amigos o los compañeros. Las personas con tabaquismo pueden desarrollar enfermedades graves como son la bronquitis, el enfisema pulmonar, afecciones cardiacas y cáncer.

La nicotina y el alquitrán en los pulmones

La nicotina y el alquitrán, que entran al organismo al fumar, se acumulan en los pulmones y con el tiempo los afectan.

Explora cómo afectan estas sustancias los pulmones. Pide a un fumador adulto que fume a través de un pañuelo desechable blanco una sola bocanada de humo, esto es, que inhale o exhale el humo de su cigarrillo a través del pañuelo. ¿Observas algo diferente en el pañuelo? ¿Qué sucede? Explícalo y comenta en grupo tus observaciones.

¿Sabías que...

el tabaco contiene una sustancia que se llama nicotina? Ésta es la responsable de que el fumador se vuelva dependiente del tabaco, es decir, que no pueda dejar de consumirlo. La nicotina es una de las sustancias más adictivas, porque, aunque se consuma en pequeñas dosis, produce muy rápidamente dependencia en las personas.

Hace 4 000 años y durante aproximadamente 700 años Babilonia, ubicada en el centro de Mesopotamia, fue una de las ciudades más importantes.

Para cultivar en terrenos con pendientes muy inclinadas se construían terrazas desde hace 3 200 años.

Hígado sano

Alcoholismo

Como estudiaste en tu libro de Ciencias Naturales de quinto grado, el alcohol es una sustancia presente en bebidas como la cerveza, el pulque, el mezcal, el tequila y el vino, entre otras. Hay diversos tipos de alcohol, y sus efectos en el organismo son múltiples. Uno de ellos llamado metanol, que se usa para desinfectar, si se bebe, es extremadamente dañino y puede provocar ceguera e incluso la muerte.

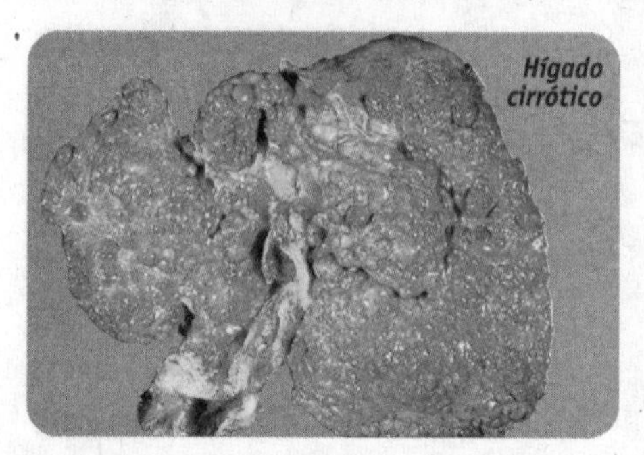

El alcohol en el cuerpo daña principalmente el hígado, provocando una enfermedad mortal que se llama cirrosis.

Las bebidas mencionadas arriba contienen otro tipo de alcohol, el etanol, que es menos peligroso, pero si se consume en exceso puede dañar principalmente el hígado y el sistema nervioso. Las células dañadas van perdiendo la capacidad de llevar a cabo sus funciones.

Cuando una persona se excede en el consumo de bebidas alcohólicas, o las consume de manera cotidiana, puede desarrollar una enfermedad grave llamada alcoholismo. Ésta se caracteriza por la imposibilidad que tiene el alcohólico para controlar su manera de beber, su voluntad y sus actos. Por los efectos del alcohol, el alcohólico puede volverse irresponsable, necio, agresivo e incluso peligroso; tener problemas de salud física y mental; desarrollar una mala relación con los miembros de su familia, en su escuela, su trabajo y con la sociedad en general.

Un problema serio para la atención del alcoholismo es que, por lo general, la enfermedad tarda en ser detectada y la persona no solicita ayuda hasta una vez que el alcoholismo está muy avanzado. Sin embargo, existen terapias que ayudan al alcohólico a dejar de beber y, aunque es una enfermedad que no puede curarse, le permiten controlarla para que pueda reincorporarse a sus actividades y restablecer las relaciones familiares, o de otro tipo, que se vieron afectadas mientras bebía.

Hay organizaciones que ofrecen apoyo a personas de todas las edades para que superen su alcoholismo.

El avance del alcoholismo es gradual y la única manera de controlarlo es dejar de beber por completo. Por ello, las personas adultas que consumen bebidas alcohólicas deben ser prudentes y moderadas al hacerlo.

En México, en los últimos años el consumo de bebidas alcohólicas se ha extendido entre la población joven. Más de la mitad de los alcohólicos que han recibido tratamiento médico, con el fin de controlar su adicción, reconocieron haber empezado a beber antes de los 14 años de edad.

Aun cuando una persona no sea alcohólica, si de vez en cuando consume alcohol en exceso, corre riesgos que deben evitarse. Bajo el efecto de la bebida se altera el estado emocional y mental; la agudeza de los sentidos disminuye y las reacciones se vuelven más lentas. Por eso es tan peligroso que una persona que ha bebido maneje un vehículo, utilice herramientas o camine por las calles. En un porcentaje importante de los accidentes de tránsito, de trabajo o domésticos, alguien bebió más de la cuenta.

En América del Norte, hace alrededor de 2 700 años, se inició el cultivo del girasol y la calabaza.

La mariguana contiene sustancias muy dañinas que afectan al sistema nervioso.

Tú debes saber que los efectos del alcohol son muy graves, especialmente en un organismo en proceso de crecimiento como el tuyo. Además, a tu edad hay riesgo de intoxicación y pérdida de control, aun con poco consumo. Por eso se recomienda que los niños y los adolescentes no consuman bebidas alcohólicas. Esta es la razón por la cual su venta está prohibida a menores de edad.

Enervantes

Como estudiarás a continuación, los enervantes o drogas como la mariguana, la cocaína, la heroína, el cemento, los solventes y otras más causan graves daños al organismo.

La mariguana proviene de una planta llamada *Cannabis sativa* y, por ser de origen natural, muchas personas piensan que no es dañina. Esto es completamente falso. Se ha comprobado que su consumo provoca daños emocionales, pérdida de la memoria, alteraciones del sueño y, en general, disminuye la actividad cerebral. Además, sus efectos son acumulativos, porque aunque se consuma una dosis pequeña, ésta no se elimina del organismo inmediatamente y, días después, sigue produciendo alteraciones en las funciones cerebrales.

La cocaína es una droga peligrosa y destructiva que se extrae de la planta de la coca y provoca severos daños al sistema nervioso.

La cocaína es otra sustancia peligrosa y destructiva, cuyo consumo afecta principalmente al sistema nervioso: produce agresividad, delirios, alucinaciones visuales y auditivas. Esto hace que las personas intoxicadas con cocaína sean peligrosas para sí mismas y para los demás. Entre los principales problemas que provoca en el organismo, muchos de ellos irreversibles y difíciles de reparar, se encuentran algunas afecciones del sistema nervioso, del aparato respiratorio, de la capacidad reproductiva y daños severos a órganos como el cerebro, el corazón y los pulmones. En dosis altas su consumo es mortal.

Entre los jóvenes, particularmente cuando ellos ignoran los riesgos que implica para su salud, se ha extendido el uso del tíner, el cemento, la gasolina y otras sustancias de uso doméstico e industrial, como sustancias enervantes, aunque su venta está prohibida a los menores de edad.

La inhalación frecuente de estas sustancias provoca adicción y efectos muy serios e irreversibles para la salud. Además de la agresividad y violencia que se van generando entre los adictos a ellas, su consumo llega a incapacitarlos mentalmente, pues dañan el sistema nervioso y en especial el cerebro. Los adictos se ven impedidos para estudiar y superarse. Su uso provoca el desarrollo de enfermedades mentales, ceguera y, en muchos casos, la muerte.

La adicción a estos productos provoca daños muy graves en el cerebro, que pueden ser irreversibles.

En América, hace aproximadamente 2 700 años se inició la construcción de ciudades con calles y edificios públicos.

En México se inventó la primera forma de escritura del continente americano.

Consecuencias de las adicciones

Cuando una persona usa alguna de estas sustancias y se vuelve adicta, cambia su manera de ser y se afecta su relación con los demás. También se siente culpable y se aísla, alejándose de su familia. El adicto es incapaz de realizar a plenitud sus proyectos, deseos y aspiraciones. Si el adicto es un adolescente, la pérdida de control sobre sí mismo y sobre sus actos altera su desarrollo emocional, lo que dificulta su proceso de maduración y, por tanto, su sentido de responsabilidad. Por ejemplo, un estudiante adicto, tarde o temprano, deja de asistir a clases y de cumplir con sus obligaciones escolares y familiares, lo cual, además, le ocasiona problemas personales, con sus maestros, con sus compañeros y con su familia. Las dificultades que enfrenta como resultado de su adicción y la necesidad de adquirir cada vez mayor cantidad de droga lo pueden llevar, incluso, a involucrarse en situaciones de violencia y a cometer actos delictivos, los cuales a veces se inician en el hogar con el robo de dinero u objetos, y pueden hacerse más graves. Muchos de los delitos que se cometen en México están relacionados con el consumo y el tráfico de drogas.

Quienes rodean al adicto también padecen consecuencias emocionales, sociales y económicas. En especial, sus familiares cercanos son los que enfrentan con mayor intensidad las consecuencias negativas que, en muchos casos, provocan rupturas e incluso violencia en la familia.

Las adicciones a sustancias nocivas pueden tratarse y controlarse, sobre todo si se detectan a tiempo. Los tratamientos son largos y requieren que el adicto ponga todo su esfuerzo y voluntad para superar su adicción. El adicto necesita, a su vez, apoyo y comprensión de quienes lo rodean para poder salir adelante. Existen profesionales y programas especiales para atender a los adictos y apoyar a sus familias.

En nuestro país, tenemos leyes que prohíben la producción, la distribución y el comercio de drogas. Son leyes que imponen severos castigos a quienes se dedican a estas actividades, pues éstos incurren en los llamados delitos contra la salud. El gobierno, por medio de diferentes instituciones públicas, y con ayuda de algunas instituciones privadas, invierte grandes recursos para acabar con las drogas, dado que el consumo de estas sustancias adictivas representa un riesgo muy grande para la salud y la seguridad de la población. Asimismo, el Ejército mexicano hace grandes esfuerzos para combatir el narcotráfico y la siembra de enervantes. Sin embargo, todas estas acciones no bastan. Cada persona, en lo individual, debe también hacer lo que esté a su alcance para erradicar las drogas: desde no consumirlas hasta no participar en acciones que tengan que ver con su producción, su venta o su distribución.

Uno de los factores que han incrementado la venta de drogas ilegales en todo el mundo es la fuerza que han adquirido los narcotraficantes, cuyo único interés es enriquecerse ilícitamente, sin importar el daño que provocan a los individuos a quienes inducen a consumir drogas ni los trastornos que causan a la sociedad.

La buena comunicación con la familia y los amigos ayuda a tener una vida sana, física y emocionalmente, así como a prevenir las adicciones.

La ciudad de Teotihuacan se fundó hace 2 200 años aproximadamente y fue una de las cinco ciudades más pobladas de la América precolombina.

Hace 2 000 años se formó la primera civilización de los Andes.

Las leyes mexicanas marcan penas de hasta 40 años de prisión por cometer delitos contra la salud. Entre estos delitos se encuentran la producción, transporte, compra-venta y tráfico de sustancias nocivas ilegales.

Es de interés para los narcotraficantes aumentar el número de personas involucradas en la distribución, venta y consumo de estas sustancias. Los jóvenes, en particular, deben estar alertas para no caer en las redes del narcotráfico, porque si lo hacen será prácticamente imposible para ellos y sus familias salir de ellas.

A continuación se presentan algunas recomendaciones que te pueden ayudar a evitar el consumo de sustancias adictivas:

1. Rechaza la compañía y la influencia de personas que pretendan inducirte al consumo de sustancias nocivas y adictivas. Quienes buscan hacerte daño no son tus amigos, únicamente procuran un beneficio económico.
2. No consumas drogas. Éstas dañan tu salud y pueden ocasionar que tengas accidentes, dañes a otros y transgredas las leyes. Esto no es señal de haber madurado, sino todo lo contrario, y tiene consecuencias que puedes lamentar el resto de tu vida.
3. Recuerda que consumir drogas no sólo afecta al consumidor, sino también a su familia, a sus amigos y a la sociedad a que pertenece.
4. Si bien hay sustancias adictivas cuyo consumo es legal, como las bebidas alcohólicas y el tabaco, debes tomar en cuenta que su venta a menores de edad es ilegal. Esto es así para proteger a los menores de un consumo que los perjudica.

Para evitar las adicciones

Ya que has estudiado las consecuencias físicas, emocionales, sociales y familiares de las adicciones vamos a continuar con la actividad que realizaste al finalizar el bloque 3 del libro de texto de Ciencias Naturales de quinto grado. Como recordarás, elaboraste un guión de un programa de radio para informar sobre los riesgos de consumir bebidas alcohólicas y cigarros. Organízate en equipos de tres o cuatro compañeros y compañeras. Discute con ellos cómo diseñarías una campaña de carteles para mostrar los beneficios de no consumir una de las sustancias adictivas estudiadas en esta lección, para lo cual cada equipo trabajará sobre alguna: bebidas alcohólicas, tabaco o enervantes. Trata de que todas sean trabajadas por los distintos equipos del grupo. Algunas frases que pueden servirte de base son:

- ***Cuando las personas abusan de una sustancia adictiva...***
- ***Cuatro razones para no consumir ______________ son....***
  sustancia adictiva
- ***Los daños que causa ______________ son...***
  sustancia adictiva
- ***Practicar un deporte o realizar alguna actividad artística ayuda a...***
- ***¿Conoces los riesgos de consumir ______________?***
  sustancia adictiva
- ***¿Confiarías en un amigo que, como prueba de amistad, te presione a consumir una sustancia adictiva? ¿Por qué?***

Organiza con tu grupo la exposición de carteles. Invita a visitarla a los demás integrantes de tu escuela, a tus padres y a los miembros de tu comunidad.

El algodón se ha empleado en la elaboración de hilo y prendas de vestir desde que empezó a cultivarse, aproximadamente hace 1 800 años.

LECCIÓN 13 La contaminación y otros problemas ambientales

Los problemas ambientales son resultado de diversos factores. Entre otros, la falta de información sobre los daños que un producto o desecho puede provocar en el ambiente; la falta de tecnología que permita eliminar apropiadamente los desechos y producir más limpiamente, o el descuido y la apatía de quienes ocasionan problemas ambientales, pensando que no les afectan. El deterioro ambiental se presenta tanto en las ciudades como en el campo.

Calidad del aire en las ciudades

En las ciudades una parte de este deterioro se manifiesta en la calidad del aire, afectada, entre otras causas, por las emisiones de gases de las industrias, los vehículos de transporte y la quema de basura producida en casas, comercios, hospitales, mercados y oficinas. En México, como en otros países, el combate a la contaminación del aire requiere el desarrollo de programas especiales. En nuestro país existen cerca de 12 ciudades con problemas graves en la calidad del aire y esto repercute directamente en la salud de la población. Guadalajara y la Ciudad de México, ésta junto con sus zonas conurbadas Chalco y Nezahualcóyotl, son las que tienen más problemas por la cantidad de polvo o partículas pequeñas flotando en el aire, así como de un contaminante llamado ozono.

Beijing, la capital de China, es una de las ciudades más contaminadas del mundo.

Para solucionar los problemas de la calidad del aire hay que seguir desarrollando programas, como el mejoramiento de combustibles para los automóviles y el uso de partes específicas en los motores de los vehículos que evitan la emisión de cierto tipo de gases contaminantes. En estos programas también deben participar las industrias que emiten gases dañinos. En algunos casos se requiere también el acuerdo de varios países, como verás en la lección 15. Tú también puedes participar en estas acciones, por ejemplo, caminando o usando la bicicleta siempre y cuando no pongas en riesgo tu salud, utilizando más el transporte público, así como evitando quemar basura, llantas y cohetes.

La calidad del aire se ve afectada en las grandes ciudades, como Buenos Aires, Argentina.

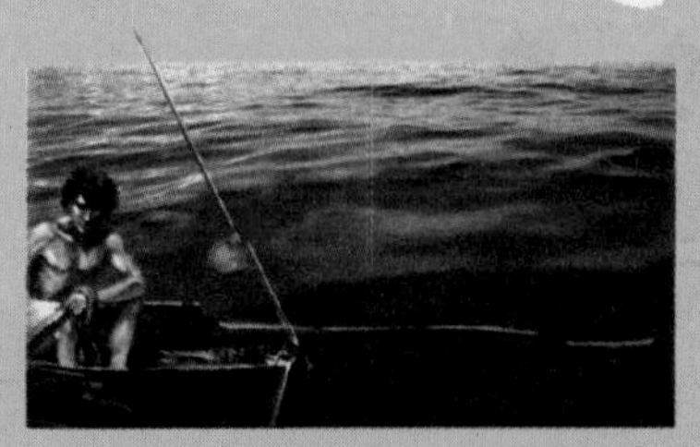

Los primeros grupos humanos procedentes de Polinesia llegaron navegando, hace 1 500 años, a habitar las islas de Hawai.

El Distrito Federal y su zona conurbada es una de las cinco ciudades en el mundo que más basura producen. En un día se juntan 19 000 toneladas, es decir, 19 millones de kilogramos, aproximadamente un kilo por habitante. De esa cantidad, 8 200 toneladas provienen de los hogares, 4 200 toneladas de los comercios y el resto de mercados, jardines, hospitales y fábricas. Procesar esa cantidad de manera adecuada es una tarea que requiere la participación de los ciudadanos, las autoridades y las empresas.

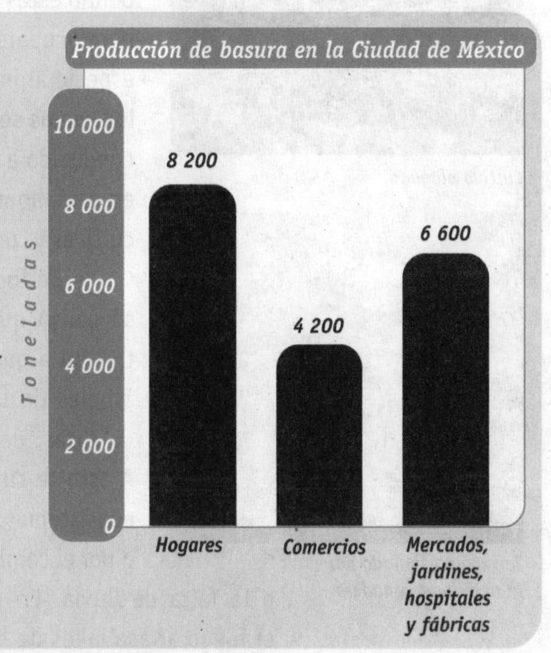

Problemas ambientales del campo

Daños ocasionados por una plaga de insectos

Como viste en tu libro de Ciencias Naturales de quinto grado, en las zonas rurales el deterioro ambiental está asociado a algunas actividades agrícolas, ganaderas o forestales que ahí se desarrollan de manera inadecuada, así como a la construcción de la infraestructura que los humanos necesitamos, como caminos y presas.

Por ejemplo a finales de la década de los ochenta y a principios de la de los noventa apareció en el norte de México una plaga llamada mosquita blanca. Atacó todos los cultivos de la región dejando en graves problemas económicos a los agricultores. Los investigadores encontraron que este insecto habitaba desde hacía mucho tiempo en esas zonas, pero que existía también otro insecto depredador que se la comía y mantenía la población de mosquitas en bajas cantidades. Los pesticidas que se habían utilizado durante muchos años para eliminar otras plagas, hicieron que también disminuyeran sus depredadores. La mosquita ya no tenía quien se la comiera, así que su población empezó a aumentar cada vez más, hasta convertirse en una plaga que atacó una gran parte de los cultivos. Las relaciones que se mantenían en el ecosistema permitían un equilibrio entre la población de la mosquita y su depredador. El uso inadecuado del pesticida rompió el equilibrio y restablecerlo no es una tarea sencilla.

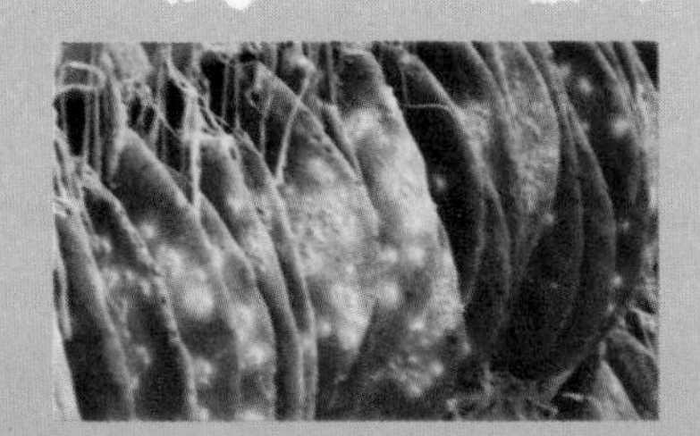
En México, desde el año 400 aproximadamente, las fibras se teñían con un tinte púrpura obtenido de la cochinilla, que aún se sigue empleando.

Alrededor del año 800 la producción textil en algunas sociedades favoreció la elaboración de diversos utensilios para tejer.

Cultivo plagado

Terreno erosionado por la actividad ganadera

Una de las consecuencias de la práctica inadecuada de las actividades agrícolas y ganaderas ha sido la desaparición de especies y de hábitats. Con el desarrollo de estas dos actividades, una gran cantidad de territorio que en otros tiempos era muy diverso, porque tenía distintos tipos de paisajes, de plantas y animales, perdió estas características. Por ejemplo, grandes terrenos de selvas se talaron para ocuparse con monocultivos, como el maíz o el algodón, o con una sola especie animal: el ganado vacuno. Parte del problema de estos sitios es que los suelos se fueron erosionando al perder su vegetación original. Esto los ha conducido a perder su riqueza de nutrientes y a servir poco o nada para lo que en otro momento se les creyó ideales: ya no sirven para criar ganado, ni para cultivar y, por supuesto, la selva no puede renovarse fácilmente.

En los bosques los problemas son semejantes. Durante mucho tiempo se pensó que podíamos extraer los recursos del bosque sin reponer o dar tiempo a que nuevos árboles pudieran nacer y crecer. Una gran cantidad de árboles de los bosques y selvas se tala para utilizarlos en la construcción de casas, de muebles, en la elaboración de papel o para usarse como leña. A esto se suman los incendios que, aunque forman parte de los ciclos de los ecosistemas, se han ido incrementando cada vez más por acciones humanas o por el cambio en las condiciones climáticas, como son las altas temperaturas o la falta de lluvia. En muchos casos se llegan a ocasionar grandes desastres cuando el fuego arrasa miles de hectáreas de vegetación.

¿Sabías que... ***en México los incendios forestales son causa de una gran pérdida de nuestro patrimonio natural? Casi todos los incendios son ocasionados por la acción humana.***

Los incendios forestales generan desastres.

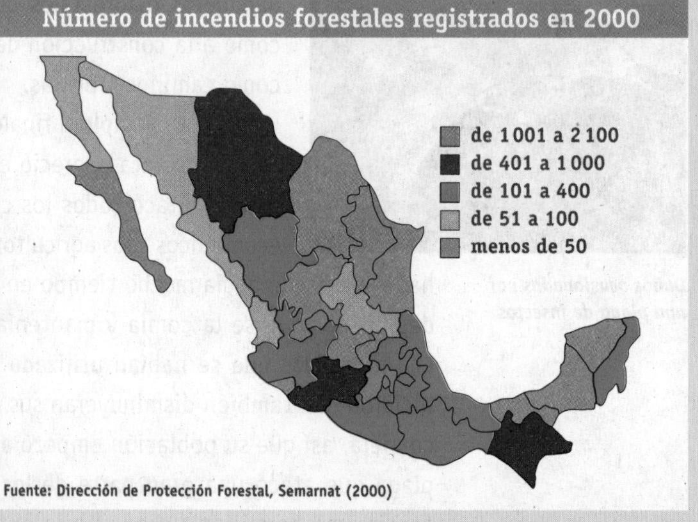

Por el año 800, en América, la construcción de almacenes comunitarios fue importante para guardar granos y cosechas que posteriormente se distribuían entre la población.

Cómo se apaga el fuego

A pesar de que uno de los conocimientos más antiguos del ser humano es el uso del fuego, cuando éste no puede controlarse se convierte en un gran problema. En esos momentos es muy importante saber cómo apagarlo. Veamos una forma de hacerlo.

Necesitas por equipo:

un plato hondo, un trozo de vela que no sobrepase la altura del plato, cerillos, un poco de plastilina, medio vaso con vinagre, dos cucharadas de bicarbonato de sodio

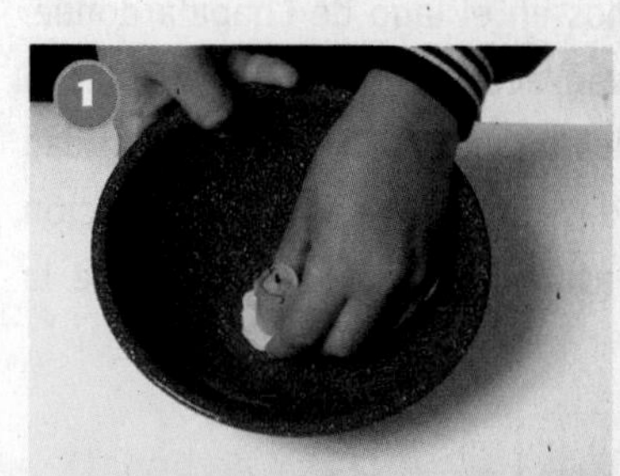

1. ***Pega la vela en el fondo del plato usando la plastilina.***
2. ***Vierte las dos cucharadas de bicarbonato alrededor de la vela.***
3. ***Con cuidado y auxilio de tu maestra enciende la vela.***
4. ***Agrega vinagre al bicarbonato. Enciende de nuevo la vela.***

Describe en tu cuaderno lo que sucedió.

Contesta y comenta las siguientes preguntas:

Explica lo que ocurrió con la vela.

¿Conoces otras formas de apagar el fuego?

¿En tu comunidad se han presentado incendios? ¿Cómo los han apagado?

¿Cómo crees que pueden evitarse los incendios?

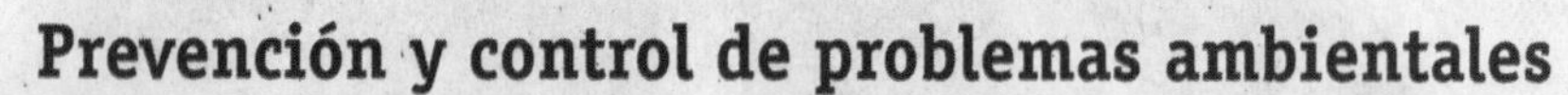

Prevención y control de problemas ambientales

Para buscar soluciones a los problemas ambientales a que nos referimos antes se están emprendiendo algunas acciones. Entre ellas están los programas de reforestación que se impulsan en todo el país, el apoyo a grupos de agricultores y campesinos para capacitarlos en la práctica de quemas agrícolas controladas, así como la formación de brigadas de prevención y control de incendios. De esta manera se buscan las mejores estrategias de manejo de los recursos naturales. Otra acción más, que tú ya conoces, es la creación de distintas áreas naturales protegidas en diferentes regiones del país.

La comunicación entre las ciudades mayas mejoró con la construcción de caminos (1250).

Mediante los mercados americanos se favoreció el intercambio de productos y el contacto entre las personas de diversos lugares del continente.

Con información, voluntad y acciones concretas se pueden mantener limpios muchos espacios naturales, como los lagos.

En México, un número creciente de industrias dispone de equipos especiales para reutilizar y reciclar los productos que desechan, así como para dar tratamiento a las aguas que usan antes de verterlas a los ríos, arroyos o al mar. También va en aumento el número de ciudades, grandes y pequeñas, que busca formas de manejar la basura que sean menos contaminantes y en las cuales se construyen rellenos sanitarios para eliminar los desechos.

Otro ejemplo lo tenemos en el lago de Chapala donde, desde hace tiempo, se realizan actividades para controlar la contaminación; sin embargo, en otros lagos y ríos de México todavía se vierte gran cantidad de desechos provenientes de las industrias y las ciudades, lo cual requiere la atención inmediata tanto de las autoridades como de los responsables de los desechos y de la población en general.

El crecimiento del lirio

Supón que tienes un estanque en el que crece un lirio acuático, el cual duplica su número cada día. Si permitieras que la planta creciera sin limitaciones cubriría el estanque en un plazo de 30 días, situación que modificaría las condiciones del estanque y posiblemente impediría que los peces se desarrollaran adecuadamente. Al principio no pondrías atención en el lirio porque durante muchos días sólo cubriría una pequeña parte de la superficie, hasta que casi repentinamente verías que el lirio ¡cubre la mitad del estanque! Observa los siguientes dibujos, donde se representa el crecimiento del lirio para algunos días. ¿A qué día corresponde cada una de las tres imágenes? ¿Qué relación existe entre este ejercicio y el no actuar para erradicar las causas de la contaminación? Analiza tus respuestas con tus compañeros y maestra o maestro.

Día __________ ***Día*** __________ ***Día*** __________ ***Día 30***

En 1400 aproximadamente, en diversos lagos y lagunas del Valle de México se desarrolló un sistema para el cultivo de hortalizas, la chinampa.

Tenochtitlan fue, en su época, una de las ciudades más pobladas del mundo (1500).

Para prevenir, una parte fundamental es tener la voluntad de hacerlo y buscar la manera de lograrlo. Por poco que tú creas que puedas hacer, si todos participamos en la solución de los problemas ambientales, la condición del medio ambiente puede mejorar. En la lección 15 aprenderás más sobre cómo podemos participar.

El siguiente mapa de conceptos reúne parte de la información en que hasta ahora hemos venido trabajando y algunas ideas que es importante que conozcas. Revísalo. Seguramente tú podrías elaborar otro diferente. ¡Hazlo!

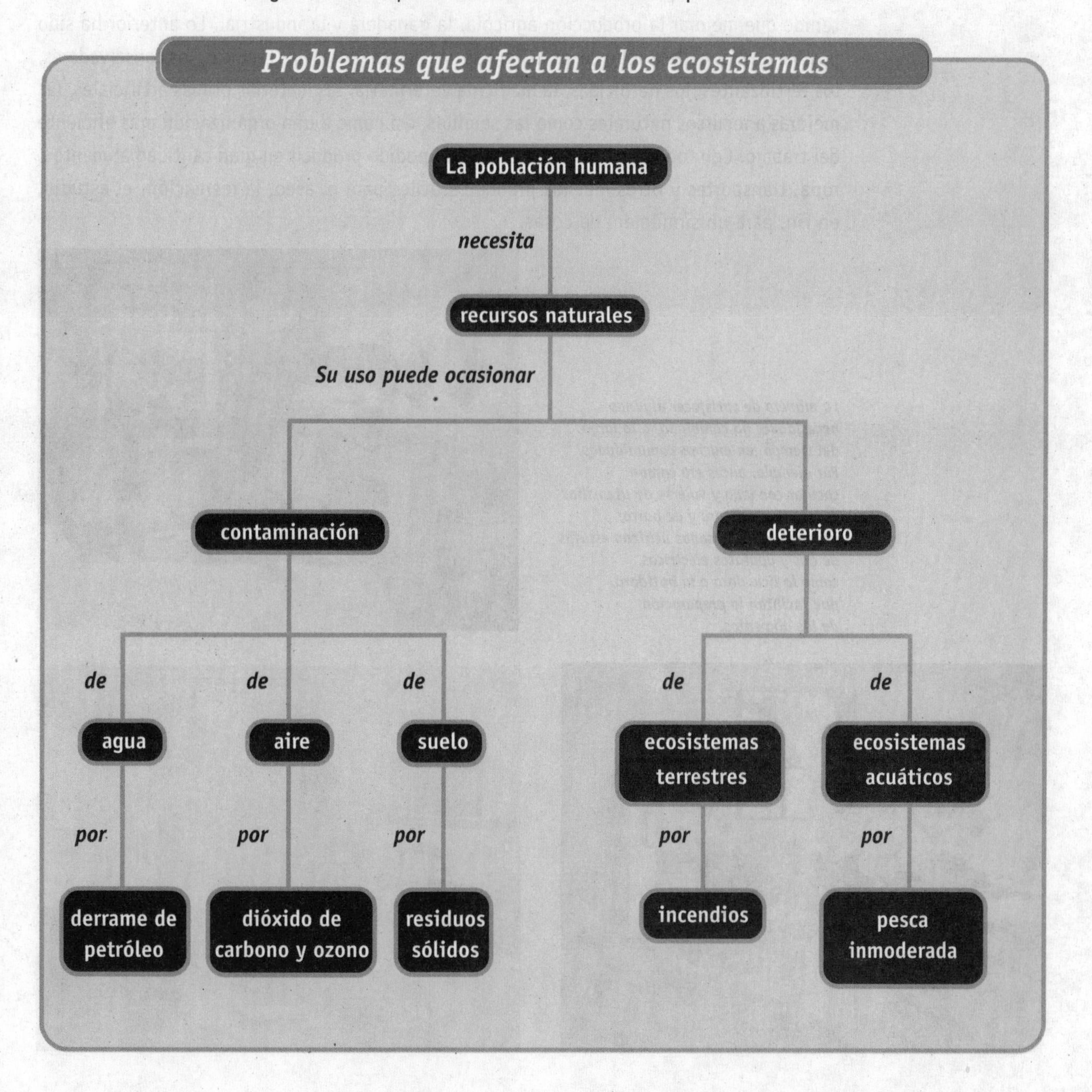

40 años después de la llegada de Colón a la isla que él llamó La Española, la población indígena desapareció completamente por la explotación y la enfermedad.

LECCIÓN 14

La renovación permanente de los recursos naturales

Para vivir, los seres humanos utilizamos y transformamos los recursos naturales. En la actualidad, para satisfacer las necesidades de la gran población humana se han tenido que mejorar la producción agrícola, la ganadera y la industrial. Lo anterior ha sido posible gracias al desarrollo de las máquinas, las herramientas, las técnicas, los conservadores, los fertilizantes, los herbicidas, la medicina veterinaria, las materias primas artificiales, las mejoras a recursos naturales como las semillas, así como a una organización más eficiente del trabajo. Con todos estos elementos se han podido producir en gran cantidad alimentos, ropa, transportes y otros muchos productos útiles para el aseo, la recreación, el estudio, en fin, para un sinnúmero de cosas.

La manera de satisfacer algunas necesidades ha cambiado, a lo largo del tiempo, en muchas comunidades. Por ejemplo, antes era común cocinar con leña y valerse de utensilios de peltre, de piedra y de barro; ahora muchas personas utilizan estufas de gas y aparatos eléctricos, como la licuadora o la batidora, que facilitan la preparación de los alimentos.

Los primeros esclavos africanos fueron traídos a América, para sustituir, en el trabajo, a la diezmada población indígena (1520).

La tala y la quema en Tailandia han destruido más bosque tropical que en ningún otro lugar.

Los excesos en la producción y el consumo

Como viste en la lección 10, el número de personas que habita la Tierra es uno de los factores que ocasionan los problemas ambientales actuales. Otro, todavía más determinante, es la forma en que producimos y consumimos. En muchos casos, la forma de usar los recursos naturales se ha llevado a cabo sin tomar en cuenta los ciclos de la naturaleza y el tiempo que se requiere para renovar y mantener el funcionamiento de los ecosistemas. El daño a los recursos naturales ocurre por muchas razones como la desinformación, la imposibilidad de cubrir las necesidades de otra manera, el desinterés o la negligencia. Todos debemos informarnos y conocer las consecuencias de nuestros actos para así contribuir a que se renueven adecuadamente los recursos que consumimos.

En algunas ocasiones, las formas de producción y consumo han provocado destrucción. Como viste en la lección 13, grandes extensiones de bosque se han talado para producir madera y papel o para criar ganado; algunas formas de pesca y caza han tenido como resultado la merma o la extinción de diferentes especies.

El arenque y el bacalao son dos de las especies cuyas poblaciones se han mermado por su captura en exceso.

Algunos recursos naturales necesitan mucho tiempo para renovarse. Por ejemplo el suelo tarda cientos y hasta miles de años en formarse. El petróleo y los arrecifes tardan millones de años en formarse y los árboles como el pino 30 años o más en alcanzar la edad adulta.

Un arrecife de coral tarda millones de años en formarse.

El suelo tarda en formarse cientos o miles de años; con la intervención humana puede formarse en cientos de años.

Un pino tarda 30 años o más para alcanzar la edad adulta.

El petróleo necesita millones de años para formarse.

El ganado vacuno se distribuyó en América a partir de su introducción y alta producción en México, un poco antes de 1600.

La revolución industrial favoreció la concentración de personas y la producción en gran escala a partir de 1800.

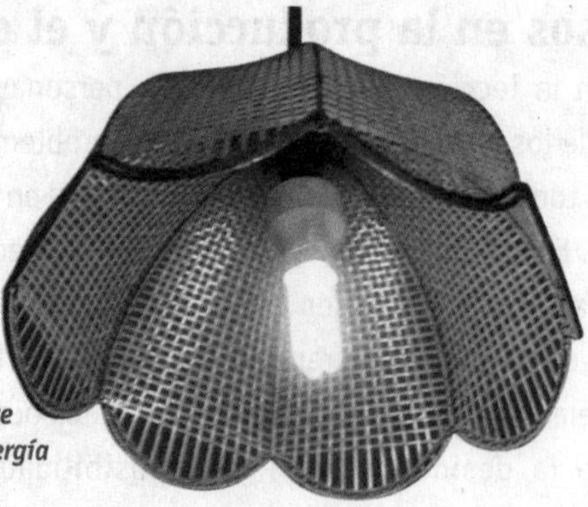

Uso racional de los recursos naturales

Sólo hasta hace pocos años, en todo el mundo, se empezó a ver con claridad la importancia de usar racionalmente los recursos naturales. Cada vez más gobiernos y organizaciones no gubernamentales realizan acciones para proteger el ambiente y la biodiversidad del planeta. Los técnicos y los científicos diseñan nuevas formas de aprovechar eficientemente los recursos naturales y proponen medidas para evitar daños al ambiente. Asimismo, la población en general se ha interesado por participar activamente en la protección del mismo. Poco a poco, la gente se ha vuelto consciente de la importancia de no gastar más agua de la necesaria y de depositar la basura en formas y lugares adecuados.

Estos cambios de actitud y la solución a los problemas ambientales en general, toman tiempo y por ello no siempre es posible ver de inmediato los resultados. Sin embargo, con las acciones para proteger el ambiente se ha iniciado un camino que puede llevarnos a lograr un futuro mejor para todos. Los retos son todavía enormes y para lograr enfrentarlos con eficacia se requieren grandes esfuerzos y una mayor participación de toda la sociedad.

Para evitar el deterioro ambiental y el agotamiento de muchos de los recursos naturales del planeta es importante que trabajemos en conjunto. De esta manera y como verás en la siguiente lección es posible encontrar diversas y mejores formas de aprovechar y conservar los recursos para que todos podamos satisfacer adecuadamente nuestras necesidades de acuerdo con lo que

Un foco fluorescente consume menos energía eléctrica que uno incandescente.

Reciclar el papel ayuda a que se talen menos árboles.

El riego por goteo evita el desperdicio de agua.

Las imágenes de estas páginas muestran productos, procesos y actividades que contribuyen al uso racional y a la renovación de los recursos naturales.

En la selva del Amazonas, a mediados del siglo XIX, se seguían conservando técnicas muy antiguas de pesca y caza.

Las plantas de tratamiento de aguas negras permiten aprovechar el agua, por ejemplo, para regar.

se conoce como desarrollo sustentable. Es decir, planear la producción y el consumo para cubrir las necesidades actuales, de tal manera que se aseguren los recursos necesarios a fin de satisfacer también las de las generaciones futuras. Asimismo, es necesario seguir investigando con el propósito de encontrar opciones para sustituir algún recurso natural que esté por extinguirse. Por ejemplo, el posible agotamiento del petróleo ha propiciado la investigación de otras fuentes de energía como la solar o la del viento.

¿Qué pasaría si todos hiciéramos lo mismo?

Como has estudiado, las acciones del ser humano influyen en el ambiente. En la medida en que todos las realicemos y de manera más frecuente, las repercusiones benéficas o perjudiciales pueden ser mayores. Si las acciones son negativas, son más difíciles de resolver.

Lee con atención la lista siguiente y escribe un texto con dos de los enunciados que más te interesen. Considera qué pasaría con el aire, el agua y el suelo, si todos hiciéramos lo mismo. Consulta las lecciones de este bloque, tus libros de Ciencias Naturales de los cursos anteriores, otros libros, revistas o a personas adultas que sepan sobre el tema para elaborar tu texto.

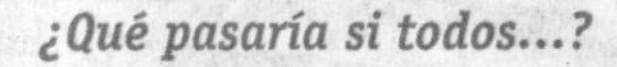
¿Qué pasaría si todos...?

- ***Cortáramos árboles sin plantar nuevos...***
- ***Pescáramos en exceso una especie...***
- ***Tiráramos basura en...***
- ***Plantáramos en exceso sólo...***
- ***Quemáramos el bosque...***
- ***Recicláramos basura...***
- ***Ahorráramos agua...***
- ***Usáramos transporte público...***

Posteriormente, organiza con tus compañeras y compañeros una sesión donde se presenten algunos de los textos, de preferencia sobre diferentes enunciados de la lista, y comenta con ellos tus sugerencias de cómo mejorar el ambiente.

El desarrollo del transporte posibilitó una mayor y mejor comunicación entre diferentes comunidades, a partir de 1825. Aquí se muestra un tren de 1910.

La fabricación de automóviles y el alumbrado público con energía eléctrica cambiaron las ciudades e iniciaron una gran transformación del medio ambiente.

LECCIÓN 15 Los problemas ambientales requieren la participación de todos

Algunas veces pensamos que los problemas ambientales son muchos, muy grandes y muy difíciles de solucionar. Y en cierta medida es verdad. Sin embargo, esto es resultado de ver nuestras acciones de manera individual, cuando lo que se necesita para detener el deterioro ambiental es reflexionar y actuar en conjunto. De este modo, la suma de esfuerzos será más grande y el resultado será mejor, sobre todo si de antemano nos hemos puesto de acuerdo en cómo resolver cada problema. Por eso, una forma de construir o buscar soluciones se encuentra en la capacidad y el deseo de organizarnos en grupo.

Participación de la población en el control de incendios

Brigadas de rescate después de los sismos de 1985

Organización y participación

En nuestro país existen diversas formas de organización y participación comunitaria, unas muy antiguas y aún presentes en algunas comunidades indígenas, como el tequio; otras se impulsaron en este siglo, como los ejidos y las cooperativas pesqueras; y unas más recientes, como las que se vienen desarrollando tanto en las ciudades como en las pequeñas comunidades, para rescatar ríos que estaban contaminados o para transformar basureros en zonas verdes. En cada una de ellas ha habido situaciones de éxito y de fracaso, dependiendo del lugar, de la época y de la gente. Lo importante de conocerlas es poder tomar las experiencias positivas para encontrar las mejores formas de organización social que nos permitan resolver los problemas y satisfacer las necesidades actuales y prever las futuras. Las actividades que en muchas ocasiones realizas en equipo durante tus clases son también una muestra de trabajo colectivo. Aprender a trabajar de esta manera implica compartir tus ideas y escuchar con respeto las opiniones de los demás. Ambos aspectos son fundamentales para lograr los objetivos de un proyecto de grupo. Por ejemplo, si los habitantes de una comunidad se reúnen y comprometen para trabajar y así dar solución a alguno de sus problemas, el beneficio será para todos.

A lo mejor has oído hablar de la ayuda que mucha gente brindó después de los fuertes sismos que en 1985 sacudieron el centro y sur de México. Esto es una muestra de la capacidad e importancia de la participación ciudadana. Ante la gran tragedia que se vivía en ese momento, los habitantes del país, así como de otros muchos países del mundo, se unieron para apoyar a la población afectada. En la Ciudad de México, por ejemplo, los ciudadanos organizaron brigadas de trabajo para auxiliar a la gente. Sin la colaboración de la población, las instituciones que participaron en el rescate difícilmente lo hubieran logrado.

El descubrimiento y uso extensivo de vacunas y antibióticos, a partir de 1950, disminuyó de manera importante la mortalidad y aumentó la esperanza de vida de la población.

Brigada de seguridad

Organízate en equipo e investiga si en tu escuela existe una brigada de seguridad. En caso de que exista, pregunta cómo está organizada, qué actividades realiza y quiénes participan en ella. Comenta lo anterior en tu grupo y elabora un periódico mural para que toda la comunidad de tu escuela pueda saber más acerca de esta brigada.

En caso de que no exista, identifica los riesgos a que pueden estar expuestos en tu escuela y organiza con ayuda de tu maestra o maestro la brigada de seguridad. Para conformarla es importante involucrar a todas las personas de la escuela. Lo primero es redactar un plan de trabajo y determinar las acciones por realizar. Lo siguiente es organizar grupos de trabajo:

- *Grupo de operaciones.* ***Se encargará de hacer la señalización de rutas de salida y zonas de seguridad.***
- *Grupo de mejoras.* ***Identificará objetos que requieran mantenimiento o que representen riesgos, a fin de que el personal indicado los repare o reubique en el plantel.***
- *Grupo de dotación.* ***Conseguirá o ampliará los recursos para atender emergencias, como extintores y botiquines e identificará albergues a los cuales se pueda acudir.***

Ahora que tu escuela ya tiene organizada la brigada de seguridad lleva a cabo cada una de las acciones que anotaron en el plan de trabajo.

Señalización de rutas de salida y organización del botiquín escolar

Las grandes concentraciones urbanas necesitan la construcción de autopistas y carreteras (1960).

El petróleo es la fuente de energía no renovable más importante. Además, es de gran utilidad en las actividades productivas, por lo que se ha fomentado el desarrollo y la aplicación de tecnología para su extracción y refinamiento (1989).

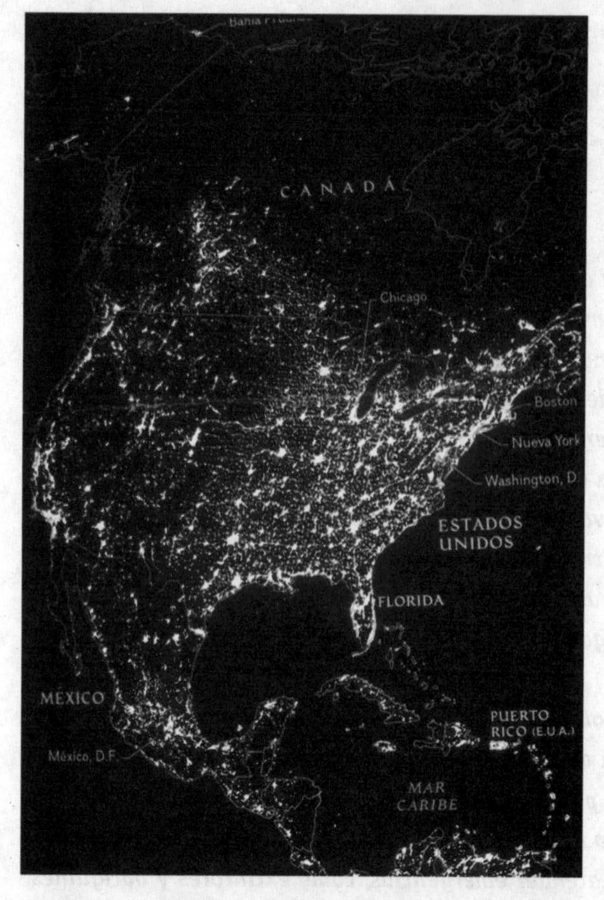

En Estados Unidos de América, Europa y Japón se concentra la mayor actividad industrial y el uso extensivo de vehículos que emiten dióxido de carbono a la atmósfera. En las fotografías se muestra el uso de energía eléctrica en la noche, que en un alto porcentaje se genera en plantas que funcionan con petróleo, por lo que también emiten dióxido de carbono.

Cada vez se hace más evidente que el aislamiento y el individualismo no son útiles para solucionar los problemas ambientales y sociales. Los resultados positivos que han tenido los proyectos de rescate de ríos contaminados o de zonas que mantenían formas de explotación inapropiada de sus recursos naturales, nos han mostrado que la organización y el trabajo en grupo son actividades que debemos efectuar con mayor asiduidad.

Todo esto nos enseña que la organización y la participación son el medio para construir, a distintas escalas, el futuro que deseamos en nuestras comunidades, en nuestro país o en el planeta entero. Participar en la solución de problemas ambientales precisa, además, que cada día estemos mejor informados sobre sus causas. Con base en las leyes de México y respetando los derechos humanos, es posible encontrar juntos los mejores caminos de solución.

Cooperación internacional

Existen algunos problemas que van más allá de las fronteras entre los países. El cambio climático que se ha dado en el ámbito mundial es uno de ellos: se cree que la generación de algunos gases, como el dióxido de carbono, emitidos por diversas fuentes industriales y de transporte localizadas en todos los países del mundo lo ha provocado. De las fuentes industriales destaca la generación de energía eléctrica, que principalmente se produce a partir de la combustión de petróleo y carbón. Atender las consecuencias del cambio climático requiere la cooperación de todos los países, para así evitar la acumulación de gases contaminantes en la atmósfera.

En 1998, la mayoría de los países firmó un documento en el cual se acordó que cada país buscaría la forma de disminuir los gases nocivos que se acumulan en la atmósfera y, de esa manera, evitar que el problema siga creciendo y amenace la vida en la Tierra.

México, aunque no produce tantas emisiones como los países altamente industrializados, forma parte de este grupo y, por lo tanto, ha puesto en práctica diferentes acciones para contribuir a la disminución del dióxido de carbono. Tres acciones que sobresalen son:

Los avances en la industria hacen posible la producción masiva de alimentos procesados.

- La conservación de los bosques y los arrecifes de coral, que capturan dióxido de carbono.
- El desarrollo de programas, como el horario de verano, que ahorran energía eléctrica.
- La producción de mejores combustibles para los automóviles.

¿Sabías que... *Mario Molina, científico mexicano, se hizo merecedor al premio Nobel de Química en 1995? Como resultado de sus investigaciones acerca de la capa de ozono en la atmósfera, hoy muchos países han disminuido la producción de gases que la afectan.*

¿Quién toma las decisiones?

En México, la Secretaría de Salud tiene la responsabilidad de decidir el tipo de vacunas que deben administrarse a todas las niñas y todos los niños, ya que posee la información sobre las enfermedades que pueden prevenirse por esta vía. Con base en este ejemplo identifica quién toma las decisiones sobre los siguientes asuntos: ¿Qué comer? ¿Dónde curarse? ¿Dónde alojar a los ancianos? ¿Dónde estudiar? ¿Cuántos hijos tener? Una vez que lo hayas hecho, investiga por qué se toman así las decisiones. Analiza y anota si piensas que podrían tomarse de otra manera. Comparte y debate tus reflexiones con tus compañeros.

Ante el conjunto de problemas que hasta ahora has visto, es importante pensar que las necesidades de la población como alimentación, vestido, educación y trabajo, así como las dificultades para enfrentar la farmacodependencia o el deterioro ambiental hacen necesario que aprendamos a organizarnos comunitariamente. Recuerda esto:

Piensa en el planeta y actúa en tu comunidad.

La población de América en la actualidad es de un poco más de 800 millones de habitantes.

LECCIÓN 16 La sociedad del futuro

¿Alguna vez te has preguntado

qué quieres hacer cuando seas adulto? ¿Te has puesto a pensar qué necesitas para lograr eso que quieres?

A lo largo de la historia mucha gente ha reflexionado sobre esto y sobre cómo le gustaría que fuera el mundo. Desafortunadamente, algunas personas han pensado en el futuro del mundo de manera muy egoísta, ambicionando sólo su propio beneficio o el de un reducido grupo. Sin embargo, también ha habido otras que, preocupadas por el futuro de toda la humanidad, han contribuido a lograr cosas importantes. El avance de la medicina a fin de mejorar la salud es muestra de ello.

Para conocer y transformar el mundo los seres humanos han inventado muchas formas de hacer las cosas. Estas invenciones han empezado muchas veces como sueños, como ideas y aspiraciones que parecían inalcanzables. Lo que deseamos en el futuro tiene un poco de semejanza con eso. Puede comenzar con un sueño que luego se reafirma en un conjunto de ideas y proyectos posibles de realizar, pero para lograrlo es necesario trabajar mucho en el presente.

Monumento que se encuentra frente al edificio de la Organización de las Naciones Unidas, en Nueva York, y que simboliza la esperanza de quienes desean que los recursos se utilicen para todos.

Refrigerador de energía solar utilizado en África para conservar medicinas.

Como has estudiado a través de este curso, el mundo ha cambiado a lo largo del tiempo. En una época, sólo debido a la propia evolución del planeta; pero en otros momentos menos remotos, a causa de las acciones que los seres humanos hemos realizado en él. Pensar en que somos capaces de transformar las cosas es un asunto central, porque eso significa que podemos cambiarlas positivamente. Para ello necesitamos primero saber cómo fue nuestro pasado, cómo es nuestro presente y pensar cómo queremos que sea el futuro y qué necesitamos hacer ahora para lograrlo.

Por ejemplo, en la actualidad, es importante que cada pareja decida responsablemente cuántos hijos tener. Observa la gráfica. En ella puedes apreciar tres posibles escenarios para el crecimiento futuro de la población mundial, los cuales dependen del número de hijos que, en promedio, tenga cada pareja.

Si son dos hijos, la población se estabilizará, si son menos de dos empezará a decrecer y si son más de dos aumentará mucho en poco tiempo.

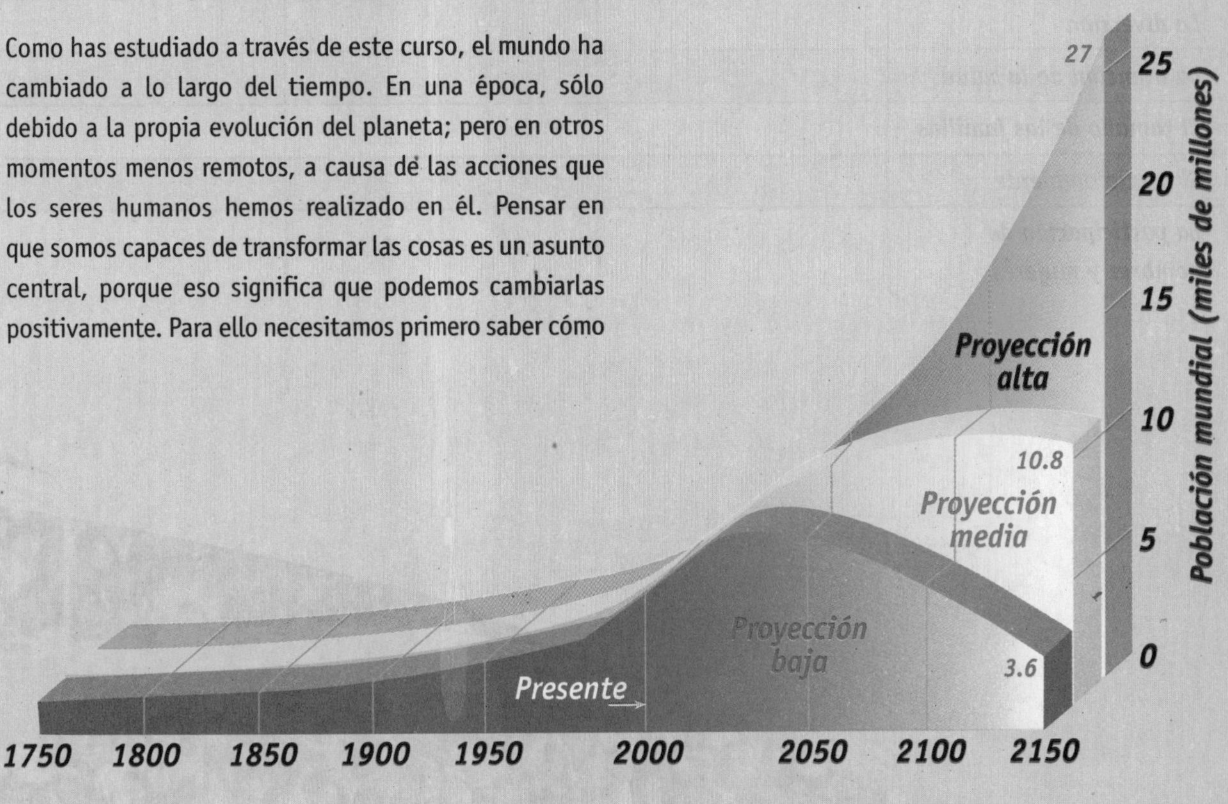

En la parte inferior de cada página de este bloque se muestra un cintillo que presenta imágenes acerca de aspectos relacionados con el desarrollo y el crecimiento de la población humana. Te invitamos a que describas lo que observas en él y a que reflexiones con tu grupo sobre las siguientes preguntas: ¿Cómo fueron los ancestros del ser humano? ¿Cómo somos ahora? ¿Cómo seremos?

La siguiente tabla puede ayudarte a organizar la información que obtengas del cintillo y del bloque en general. Complétala por parejas y ayúdate con información adicional que recuperes de tus libros de texto. También puedes preguntar a adultos y buscar en libros. Para completarla, puedes poner números, textos y dibujos.

	Cómo era antes de 1900	*Cómo es en el presente*	*Cómo será después del 2030*
La alimentación			
La vivienda			
La diversión			
La atención de la salud			
El tamaño de las familias			
El medio ambiente			
La participación de hombres y mujeres			

Una vez que hayas completado la tabla, comenta en grupo: ¿Cuáles son los cambios más importantes?, ¿por qué han ocurrido? y ¿por qué piensas que pueden ser de tal modo en el futuro?

Para finalizar, reflexiona acerca de cuál es tu responsabilidad en el futuro que imaginaste y decide qué podrías hacer para construir un mundo mejor.

Elabora un mapa conceptual sobre el futuro que imaginaste.

Continúa trabajando con tu diccionario científico.

En este bloque seguirás aprendiendo cómo somos los seres humanos y cómo cambia el cuerpo a lo largo de la vida, al crecer y desarrollarse. Observa las imágenes que están en la parte inferior del escenario, desde la del bebé de la izquierda hasta la de la mujer de la derecha. Todas miden 8 cm, para que puedas apreciar las distintas proporciones y formas que tiene el cuerpo humano. La proporción de la cabeza y las extremidades, así como la forma del cuerpo, varían durante las distintas etapas de la vida. Comenta a qué edad es proporcionalmente más grande la cabeza y a qué edad son proporcionalmente más largos los brazos. ¿A qué crees que se deba?

También puedes observar a hombres, mujeres, niñas y niños de distintas culturas. La diversidad de razas, lenguas, costumbres y tradiciones es una de las grandes riquezas de la humanidad.

¿CÓMO SOMOS?

BLOQUE 3

LECCIÓN 17

¿Cómo crecemos y nos desarrollamos?

En el bloque anterior vimos cómo, desde hace aproximadamente 10 000 años, la población humana creció extraordinariamente. Los seres humanos —que al principio formaban grupos pequeños, vulnerables y dispersos en un planeta inmenso— llegaron a sumar 6 000 millones al terminar el siglo XX. También has reflexionado sobre los problemas que una población tan grande tiene que superar para alimentarse, para tener servicios públicos, para preservar los recursos naturales y para convivir en libertad, orden y paz.

Ahora vamos a estudiar otro tipo de crecimiento: el que los seres humanos experimentan a lo largo de su vida.

Crecer es algo más que hacernos grandes

El aspecto del crecimiento humano que más fácilmente notamos es el aumento de la estatura y del peso, pues son muy acentuados durante las primeras dos décadas de la vida. Si nos fijamos con mayor atención, nos daremos cuenta de que al crecer también cambian las proporciones comparativas entre la cabeza, el tronco y las extremidades, y se modifican la forma y el volumen de los músculos.

Crecemos un poco todos los días, y por eso apenas nos damos cuenta de que estamos cambiando. Pero el crecimiento es un fenómeno extraordinario: si comparamos el peso y la talla de un recién nacido con los que en promedio alcanzará a los 20 años, el resultado nos indicará que la talla ha aumentado de tres a cuatro veces y el peso de 15 a 20 veces.

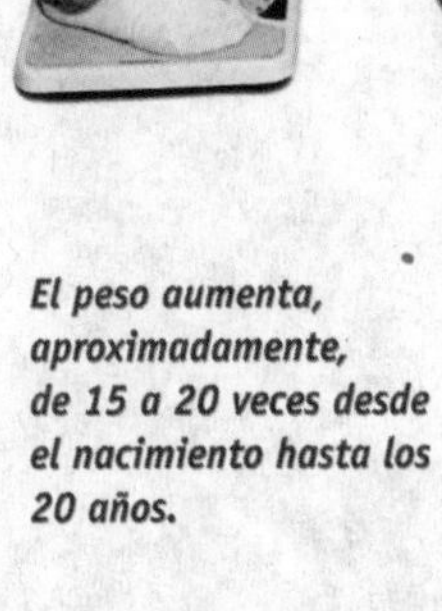

El peso aumenta, aproximadamente, de 15 a 20 veces desde el nacimiento hasta los 20 años.

Crecemos un poco todos los días, por eso apenas nos damos cuenta de que estamos cambiando.

Historia de una vida

La pareja

¿Crecemos a estirones?

El proceso de crecimiento de los seres humanos está influido por factores como la herencia y la alimentación, por eso aunque dos personas sean de la misma edad y sexo pueden tener estaturas distintas.

A partir de estudios y registros de la estatura o talla de las personas podemos conocer la estatura promedio de la población y establecer patrones de crecimiento por edad y sexo. Por ejemplo, en esta tabla se muestra el promedio de talla de las mujeres y los hombres desde que nacen hasta los 18 años, que es cuando en general alcanzan la estatura máxima.

	Mujeres	Hombres	
Edad (años)	Talla (cm)	Talla (cm)	
1 día	49.9	50.5	
1	74.3	76.1	
2	84.5	85.6	
3	93.9	94.9	
4	101.6	102.9	
5	108.4	109.9	
6	114.6	116.1	127.0
7	120.6	121.7	-116.1
8	126.4	127.0	10.9
9	132.2	132.2	
10	138.3	137.5	
11	144.8	143.3	
12	151.5	149.7	
13	157.1	156.5	
14	160.4	163.1	
15	161.8	169.0	
16	162.4	173.5	
17	163.1	176.2	
18	163.7	176.8	

Fuente: Norma Oficial Mexicana para el Control de la Nutrición, Crecimiento y Desarrollo del Niño y del Adolescente, 1994.

Analiza los datos de la tabla y contesta las siguientes preguntas, distinguiendo entre mujeres y hombres. Escribe las respuestas en tu cuaderno y coméntalas con tu grupo.

¿A qué edad es mayor el incremento de la talla en relación con el año anterior? Ahora marca en la tabla series consecutivas de tres años (1 día a 2 años, 3 a 5 años, etcétera)

¿En qué series es mayor el crecimiento? ¿En qué series es menor? Por ejemplo, en la tabla se han marcado los datos de la serie 6 a 8 años, por lo que la diferencia de talla entre los hombres de esas edades es de 10.9 cm.

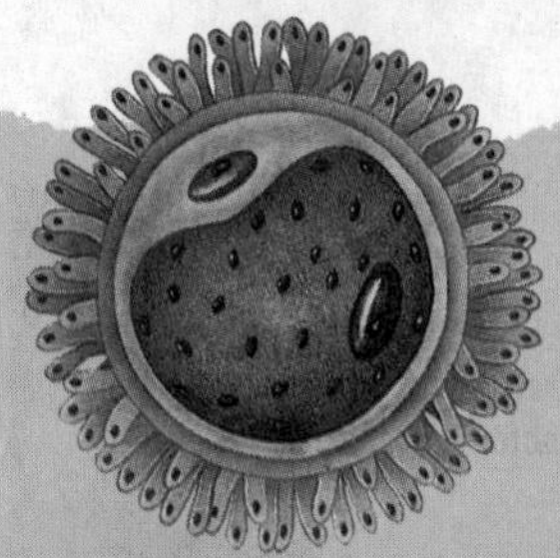

El óvulo es la célula sexual de la mujer y la más grande de las células humanas, aunque no puede verse a simple vista.

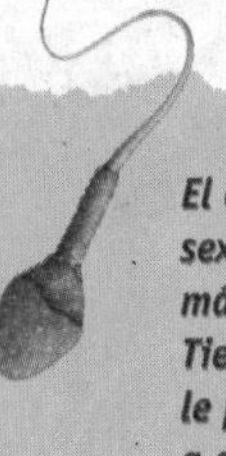

El espermatozoide es la célula sexual del hombre y es mucho más pequeña que el óvulo. Tiene un flagelo o cola que le posibilita desplazarse a gran velocidad.

El crecimiento es resultado de la multiplicación de las células que forman los huesos, los músculos y los órganos de nuestro cuerpo. Las células se van dividiendo hasta llegar a ser millones de millones. Cuando se alcanza el máximo crecimiento, hacia los 20 años, un organismo sano sólo producirá las células que necesita para sustituir a las que van muriendo.

El crecimiento corporal es sólo uno de los muchos cambios que experimentan los seres humanos a lo largo de su existencia. Al mismo tiempo que nos hacemos grandes, las personas adquirimos capacidades y rasgos nuevos. La fortaleza y las destrezas físicas aumentan; desarrollamos nuestras posibilidades de aprender acerca de temas más complicados y abstractos, maduramos sexualmente; definimos nuestros gustos e intereses y se van desenvolviendo múltiples capacidades y habilidades para trabajar y producir. El crecimiento físico termina, mientras que el desarrollo humano sólo se detiene con la muerte, porque a cualquier edad las personas conservan la posibilidad de seguir aprendiendo y de realizar actividades nuevas. Si lo pensamos bien, nuestro desarrollo es más impresionante que el crecimiento físico, pues un recién nacido, que depende en todo de sus padres y de otros familiares, llega a ser un adulto independiente, capaz de adquirir responsabilidades y de tomar decisiones, como elegir su manera de vida, así como cuándo y con quién formar su propia familia.

El crecimiento físico termina, mientras que el desarrollo sólo se detiene con la muerte. Una persona puede, a cualquier edad, aprender y realizar actividades nuevas.

¿Sabías que... ***estas imágenes corresponden en realidad a un mismo animal? Lo que ves son las distintas fases del ciclo de vida de un escarabajo acuático. A este fenómeno se le llama metamorfosis. Los animales que presentan este tipo de desarrollo son los que más cambian a lo largo de su crecimiento. En el caso de los seres humanos, los cambios de apariencia física no son tan notorios.***

Huevo *Larva* *Pupa* *Escarabajo acuático*

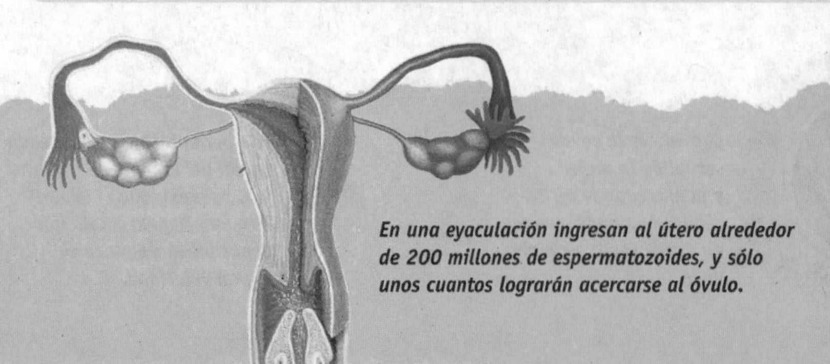

En una eyaculación ingresan al útero alrededor de 200 millones de espermatozoides, y sólo unos cuantos lograrán acercarse al óvulo.

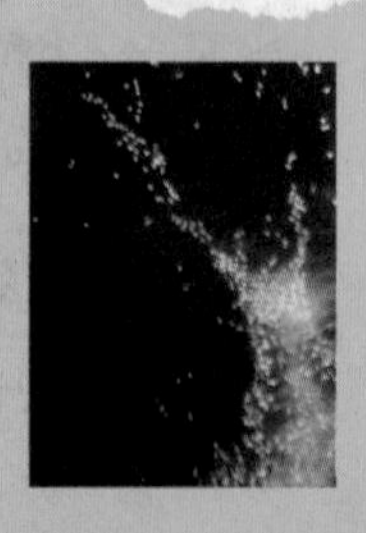

Espermatozoides viajando hacia el óvulo que está en la trompa de Falopio.

Las grandes etapas del crecimiento y el desarrollo

A lo largo de la vida, los seres humanos pasamos por una serie de etapas sucesivas: la niñez o infancia, la adolescencia, la edad adulta y la vejez o tercera edad. Sabemos a qué edad termina una etapa y empieza otra para el promedio de la población; pero en lo individual, una etapa puede empezar un poco antes o un poco después. Esas variaciones son normales.

La niñez o infancia

Entre todos los seres vivos, los humanos somos quienes tenemos la niñez más prolongada: se extiende desde el nacimiento hasta los 10 o 12 años. Algunos animales nacen prácticamente listos para resolver sus necesidades; otros pasan por una fase en la que deben ser cuidados y alimentados por sus padres, pero esa protección generalmente dura poco tiempo, pues pronto aprenden a valerse por sí mismos. La cantidad y la complejidad de las cosas que un niño o una niña deben aprender, explican por qué la infancia humana es más larga.

El desarrollo que ocurre en la niñez es la base de las capacidades que una persona utilizará y perfeccionará durante toda su vida, desde las más sencillas hasta las más complicadas. En los primeros dos años las niñas y los niños desarrollan la coordinación motriz que les permite controlar sus movimientos, manipular objetos y desplazarse, hasta que llega el gran logro que es aprender a caminar. En esta época el niño va reconociendo a quienes lo rodean, empezando por su madre y su padre, y puede expresar por medio de la sonrisa, el llanto y los gestos sus sensaciones de bienestar, alegría, incomodidad o dolor.

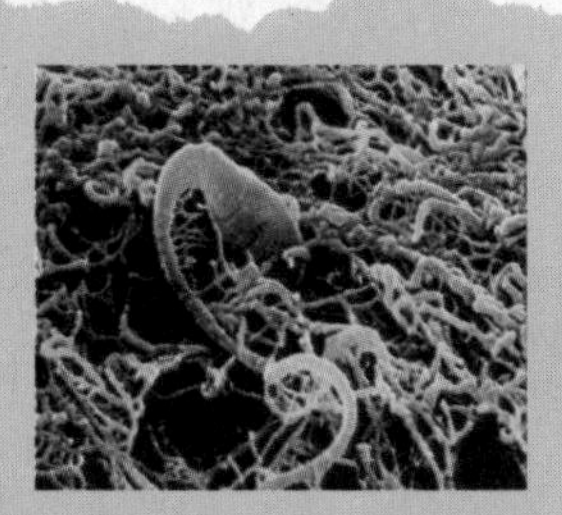

Los espermatozoides tienen que viajar unos 18 cm, de la entrada del útero a la trompa de Falopio, y aunque su cola les ayudará a desplazarse, muy pocos lo lograrán. El de la izquierda se atoró a la entrada del útero.

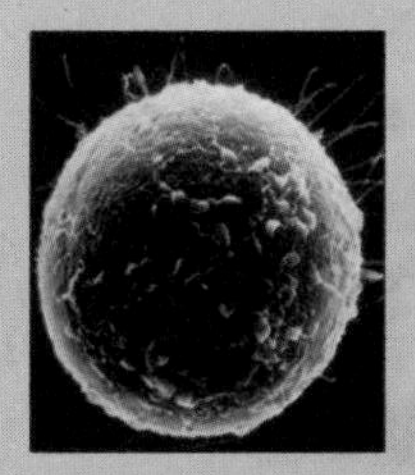

Óvulo rodeado por los espermatozoides que consiguieron llegar hasta él.

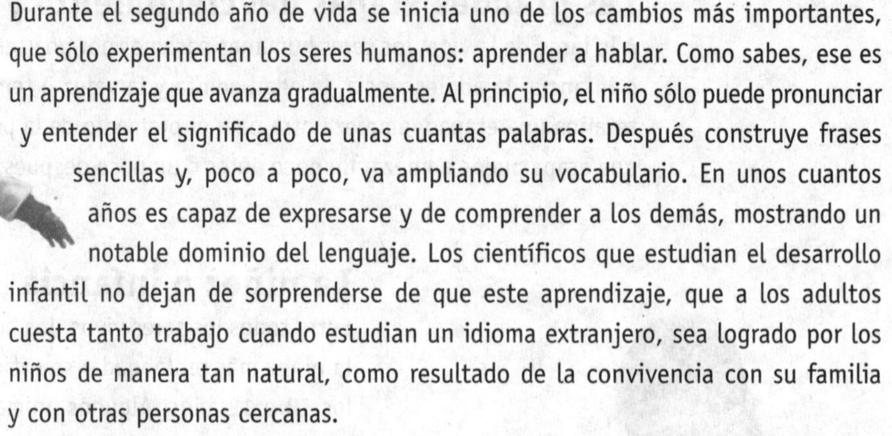

Durante el segundo año de vida se inicia uno de los cambios más importantes, que sólo experimentan los seres humanos: aprender a hablar. Como sabes, ese es un aprendizaje que avanza gradualmente. Al principio, el niño sólo puede pronunciar y entender el significado de unas cuantas palabras. Después construye frases sencillas y, poco a poco, va ampliando su vocabulario. En unos cuantos años es capaz de expresarse y de comprender a los demás, mostrando un notable dominio del lenguaje. Los científicos que estudian el desarrollo infantil no dejan de sorprenderse de que este aprendizaje, que a los adultos cuesta tanto trabajo cuando estudian un idioma extranjero, sea logrado por los niños de manera tan natural, como resultado de la convivencia con su familia y con otras personas cercanas.

Hasta los cuatro o cinco años, la mayoría de los niños se ha desarrollado únicamente en el núcleo familiar, de acuerdo con las costumbres y las reglas que cada familia tiene. En este núcleo han aprendido mucho, pero aún les falta la experiencia que les proporcionará la escuela. Ahí adquirirán los conocimientos y las capacidades que todos necesitamos y se acostumbrarán a trabajar con otros niños y con los maestros en un ambiente organizado.

Durante los años de la educación primaria has pasado por grandes cambios. Has crecido mucho y ha aumentado tu destreza física, que ejercitas en juegos y deportes. Tus capacidades intelectuales se han desenvuelto; puedes entender conceptos más complicados, tienes muchas preguntas sobre lo que te rodea y no te dejan satisfecho las explicaciones simples. Te puedes relacionar con personas que no forman parte de tu círculo más cercano y se ha ido formando tu conciencia moral, es decir, tu capacidad de distinguir lo bueno de lo malo y lo justo de lo injusto.

Al llegar al sexto grado tus compañeros y tú están en el final de la niñez. Se acercan a la adolescencia y en muchos de ustedes se empiezan a presentar cambios que anuncian esa nueva etapa de la vida. Se acelera el aumento en la estatura, y en las niñas, cuyo desarrollo comienza un poco antes, es frecuente que ocurran transformaciones relacionadas con la maduración sexual, como son las primeras menstruaciones y el crecimiento de los senos.

Los espermatozoides intentan penetrar el óvulo; en la mayoría de los casos sólo uno lo logrará.

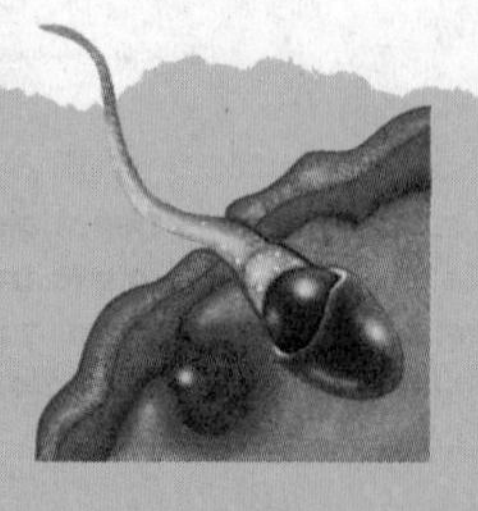

Sólo un espermatozoide logra perforar la parte externa del óvulo para fecundarlo.

Logros del desarrollo

Es común que no recordemos cuándo ocurrieron ciertos avances importantes de nuestro propio desarrollo. Platica con tus padres y otros familiares, para que te ayuden a precisar qué edad tenías cuando:

- ***Pudiste caminar sin ayuda***
- ***Pronunciaste tus primeras palabras***
- ***Apareció tu primer diente***
- ***Adquiriste habilidades físicas como saltar la cuerda, patear con dirección un balón o andar en bicicleta***
- ***Escribiste tu nombre***
- ***Leíste en voz alta***
- ***Resolviste problemas usando la multiplicación o la división***

Compara tus respuestas con las de tus compañeros de equipo. Identifica las semejanzas. ¿Hay diferencias importantes? Si tienes curiosidad, averigua cuándo ocurrieron otros logros de tu desarrollo.

En general todos los niños y las niñas pueden desarrollar las capacidades antes descritas, más o menos en los mismos periodos. Sin embargo, un pequeño grupo requiere de atenciones especiales, porque alguna de sus facultades tiene limitaciones. Por ejemplo, una niña o niño con problemas visuales, auditivos, motores o neurológicos necesitará apoyos adicionales y atención educativa especial. Desde hace algunos años se ha propiciado que estos niños y niñas estudien en las escuelas regulares como la tuya. Si cuentan con los apoyos necesarios, todos los niños y niñas pueden aprender y desarrollarse.

Los problemas auditivos se superan con recursos especiales.

Óvulo fecundado o zigoto. En el centro se observan los núcleos originales del óvulo y el espermatozoide. En ellos está toda la información genética necesaria para que se desarrolle el nuevo ser humano.

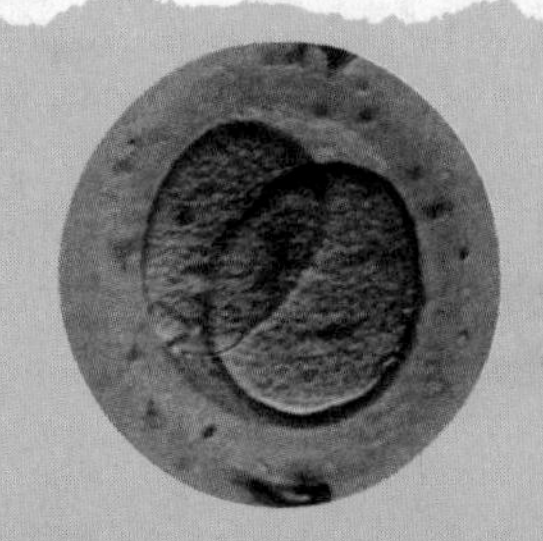

Inicio de la primera división celular del zigoto.

La adolescencia

Entre los 12 y los 18 años todas las personas experimentamos un cambio intenso y rápido, que se refleja en el desarrollo del cuerpo, en las actividades intelectuales, en las emociones y en los afectos. Al acelerarse el proceso de maduración del aparato sexual y de la sexualidad, se presentan otras transformaciones. Es la etapa del *gran estirón*, cuando se alcanza una talla cercana a la que se tendrá en la edad adulta; los músculos se fortalecen, se aumenta de peso y se incrementan los requerimientos de hierro y calcio. Adquirimos mayor capacidad para entender cuestiones científicas y explicaciones más complicadas. Se despierta nuestro interés por cosas en que antes no nos fijábamos y es frecuente sentir una gran energía, una tendencia a estar activos todo el tiempo, aunque también pueden presentarse mucho sueño y cansancio. Nos damos cuenta de que ya no somos los niños que éramos y deseamos ser más autónomos, pero al mismo tiempo podemos sentirnos confusos e inseguros. Estamos definiendo nuestra identidad y por eso buscamos la amistad y la cercanía de nuestras compañeras y nuestros compañeros; aunque también con frecuencia preferimos estar solos.

Como tu adolescencia está cercana o está empezando, es bueno que sepas que vas a experimentar muchos cambios físicos y emocionales, y que sentirás la necesidad de buscar tu sitio en la vida. Por la importancia que esta etapa tiene le dedicaremos las siguientes dos lecciones.

La edad adulta

Entre los 18 y los 20 años, el cuerpo de los seres humanos completa su crecimiento y empieza la edad adulta. Es común distinguir en esta edad dos fases: la del adulto joven, que va hasta los 40 años y la del adulto maduro, que se extiende desde los 40 hasta cerca de los 65 años.

El adulto joven se independiza progresivamente de su familia y se va haciendo cargo de nuevas responsabilidades; por ejemplo, se va desenvolviendo en un campo de trabajo y, cuando considera que tiene suficiente madurez, forma una nueva familia.

La edad en la cual un adulto joven asume plenamente sus responsabilidades varía de una sociedad a otra y está influida por las condiciones de vida y por la cultura del grupo social a que pertenece. En unos casos sucede muy pronto, cuando apenas se ha salido de la adolescencia; en otros se prefiere posponer las grandes decisiones y las responsabilidades hasta que se haya logrado la mejor preparación posible y la madurez sea mayor.

En la edad adulta es muy importante mantener un buen estado físico, lo cual se logra con una alimentación correcta y una buena combinación de ejercicio y descanso. En esta etapa el riesgo de obesidad es mayor y con ella aumentan las posibilidades de contraer enfermedades serias. Por eso debe mantenerse un peso que corresponda a la estatura y a la complexión de cada quien.

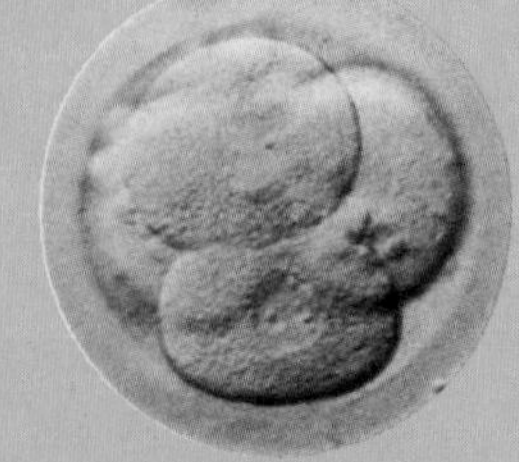

El zigoto se sigue dividiendo mientras se mueve lentamente de la trompa de Falopio hacia el útero, trayecto que toma aproximadamente cuatro días. En esta imagen se aprecia la segunda división que da lugar a cuatro células.

Que dejen de crecer y alcancen la madurez no significa que las personas adultas dejen de desarrollarse y se estanquen. De hecho en esta etapa alcanzan su nivel más alto las capacidades físicas y la actividad intelectual de los hombres y las mujeres. Un adulto activo y sano profundiza sus conocimientos, aprende de la experiencia y adquiere nuevos intereses y aficiones. Sus obligaciones en el trabajo y en la vida familiar representan una fuerte responsabilidad, pero al mismo tiempo le proporcionan las más grandes satisfacciones.

La vejez

Con el paso del tiempo, la fortaleza y la energía de las personas empieza a disminuir y se inicia la vejez o tercera edad. Aunque se considera que para el promedio de los hombres y las mujeres esta etapa comienza alrededor de los 65 años, en realidad hay grandes variaciones individuales. Algunas personas conservan un gran vigor y una intensa actividad hasta una edad muy avanzada. Otras muestran desde antes problemas de salud y de fatiga. Estas diferencias están influidas por factores hereditarios, pero sobre todo por los hábitos y las formas de vida que cada persona haya tenido desde su juventud, entre otros, su alimentación y la práctica de algún deporte.

Como estudiaste en lecciones anteriores, el número de personas que alcanzaban la vejez en el pasado era proporcionalmente bajo, porque las enfermedades mataban a mucha gente joven. En la actualidad, los avances de la medicina y de los servicios públicos como los de salud permiten evitar y combatir enfermedades que antes eran mortales. La duración que en promedio tiene la vida humana ha aumentado.

Una de las más grandes obligaciones que tienen la sociedad y las familias es asegurar el bienestar de las personas mayores. En México es necesario ofrecer buenos servicios de salud a la población de la tercera edad, darle seguridad y abrirle oportunidades de actividad y descanso, de acuerdo con las necesidades de cada quien. Entre las mejores tradiciones de las familias mexicanas está la solidaridad con los mayores, a quienes debemos dar nuestro afecto, cuidar y respetar no sólo porque les estamos agradecidos y porque algún día todos seremos viejos, sino también por la experiencia y sabiduría que poseen y que nos brindan. Recordemos que en muchas comunidades indígenas el consejo de ancianos es el que toma las decisiones más importantes.

¡La experiencia cuenta!

Es muy importante considerar la experiencia y sabiduría de los ancianos. Organízate en equipo y contesta las siguientes preguntas: ¿por qué consideras que hay que ceder el asiento a los ancianos? ¿Por qué es importante tomar en cuenta los consejos que nos dan los ancianos?

Ahora pregunta a tu abuela, abuelo o a un familiar de la tercera edad cuáles son, desde su punto de vista y por su experiencia, tres consejos importantes para la vida. Registra sus comentarios en tu cuaderno y reflexiona sobre ellos con tus compañeras y compañeros.

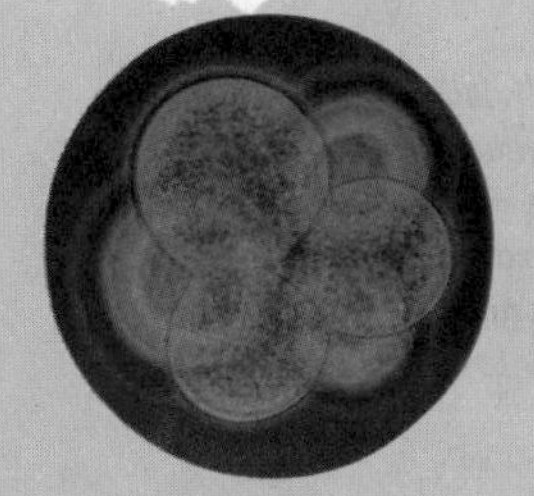

La división celular continúa. Hacia el tercer día, el zigoto tiene ya ocho células y manda señales al organismo de la madre para proteger su desarrollo, impidiendo la siguiente menstruación.

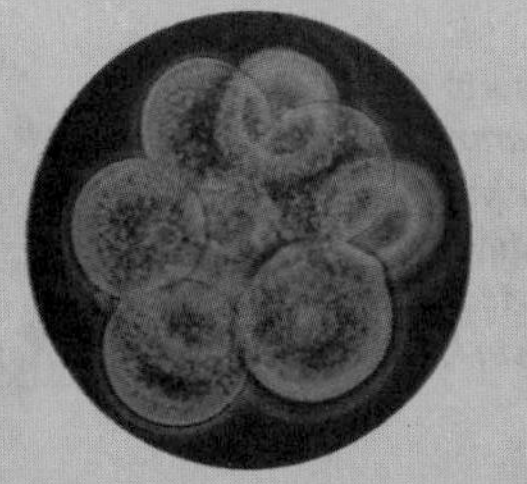

La división celular hace que en un momento el zigoto parezca una mora. Por su forma, a este estado se le llama mórula.

LECCIÓN 18 Los cambios del cuerpo en la adolescencia

Para entender las distintas etapas de la vida del ser humano, revisaste en la lección anterior las relaciones entre crecimiento y desarrollo. Cada etapa, como viste, tiene características particulares que se manifiestan en diferencias en el crecimiento corporal y en el desarrollo de habilidades y capacidades.

Conocer y entender los cambios que vienen te permitirá estar más preparado para enfrentarlos y te dará más elementos para poder actuar con seguridad, respeto hacia ti mismo y hacia los demás, así como para alcanzar metas que te hagan sentir personalmente satisfecho y útil a la sociedad.

En esta lección estudiarás los cambios corporales que se presentan en la adolescencia, y en la siguiente revisarás los cambios emocionales e intelectuales, así como sus implicaciones para la vida social.

Los cambios del cuerpo se producen a diferentes edades según las personas. Usualmente suceden con mayor rapidez entre los 13 y los 15 años.

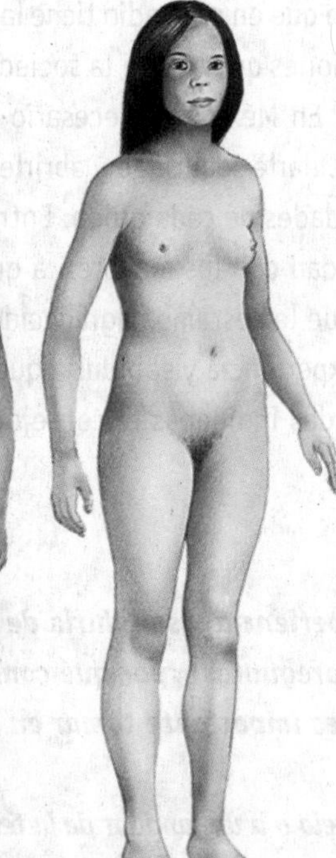

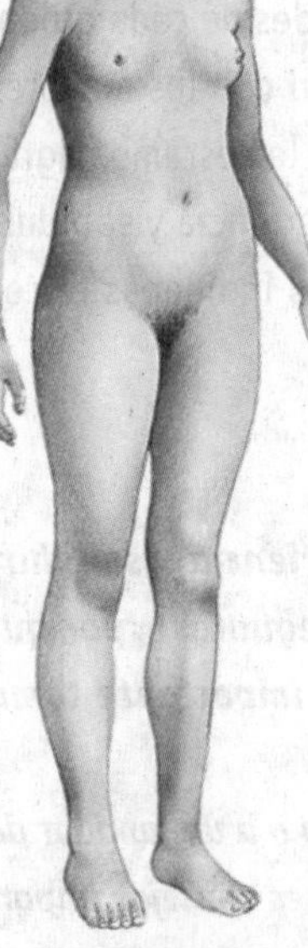

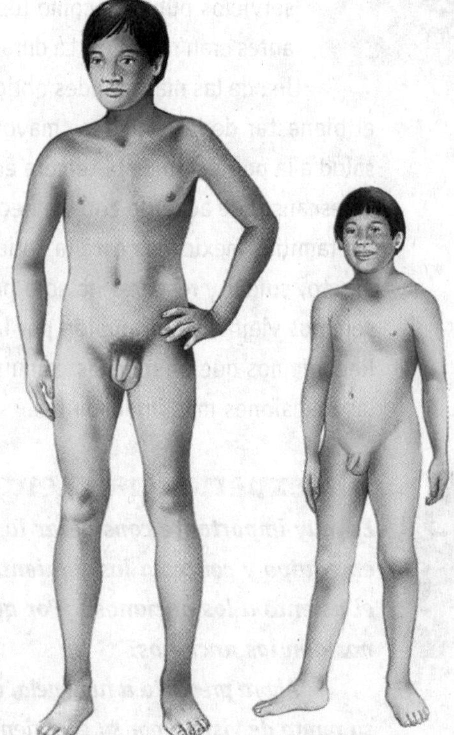

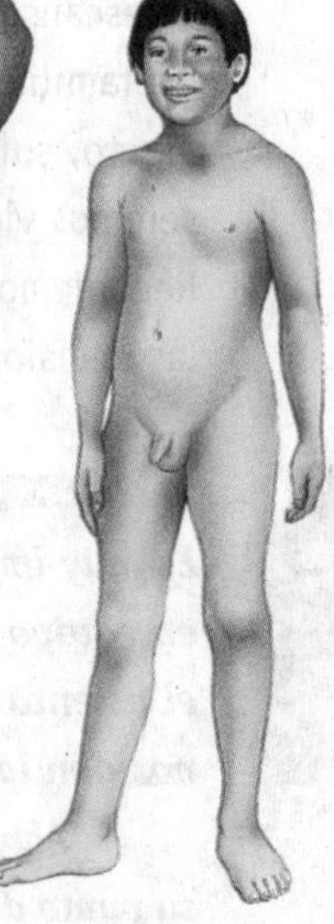

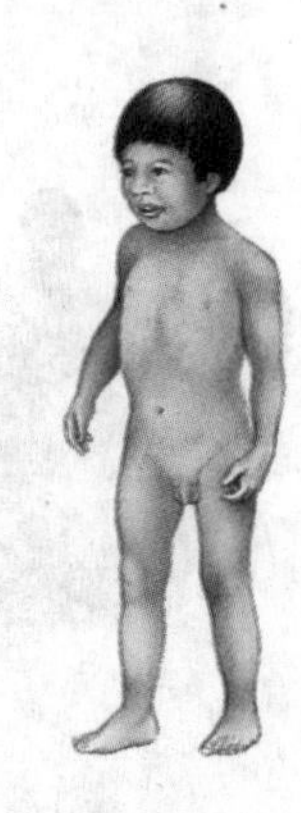

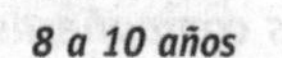

2 a 3 años — *8 a 10 años* — *12 a 14 años* — *12 a 14 años* — *8 a 10 años* — *2 a 3 años*

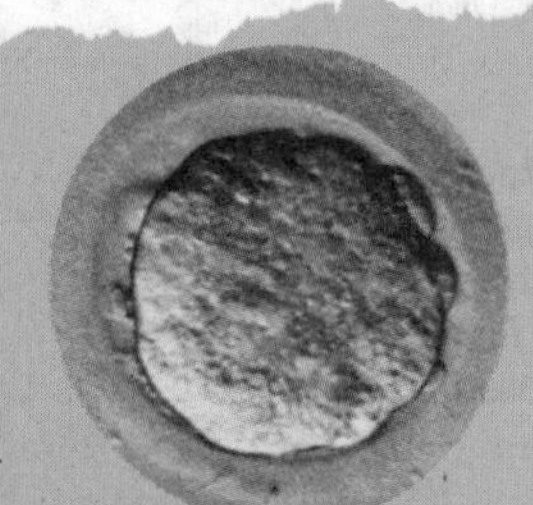

Al cuarto día de embarazo el zigoto tiene ya 16 células y todavía no es más grande que el punto de esta i.

A medida que avanza la división celular, las células se van haciendo más pequeñas y ya no son idénticas. Se van diferenciando unas de otras. Aquí vemos cómo las células se empiezan a ordenar en dos grupos que tendrán funciones distintas: unas desarrollarán el embrión y las otras la placenta.

Órganos sexuales del hombre

Vesículas seminales

Conductos deferentes

Próstata

Glándulas bulbouretrales

Uretra

Testículos

Pene

Prepucio

Cabeza del pene o glande

Meato urinario

Los cambios corporales

En tu libro de Ciencias Naturales de quinto grado estudiaste los aparatos sexuales de las mujeres y de los hombres y aprendiste sus diferencias. Recordarás que los órganos genitales de los hombres son las vesículas seminales, la próstata, los testículos y el pene. Las mujeres tienen ovarios, tuba uterina, útero, vagina, labios mayores, labios menores y clítoris. Estos órganos los tenemos desde que nacemos. En la adolescencia, con el estímulo de las hormonas sexuales producidas por los testículos y los ovarios, empiezan los grandes cambios en nuestro cuerpo.

Órganos sexuales de la mujer

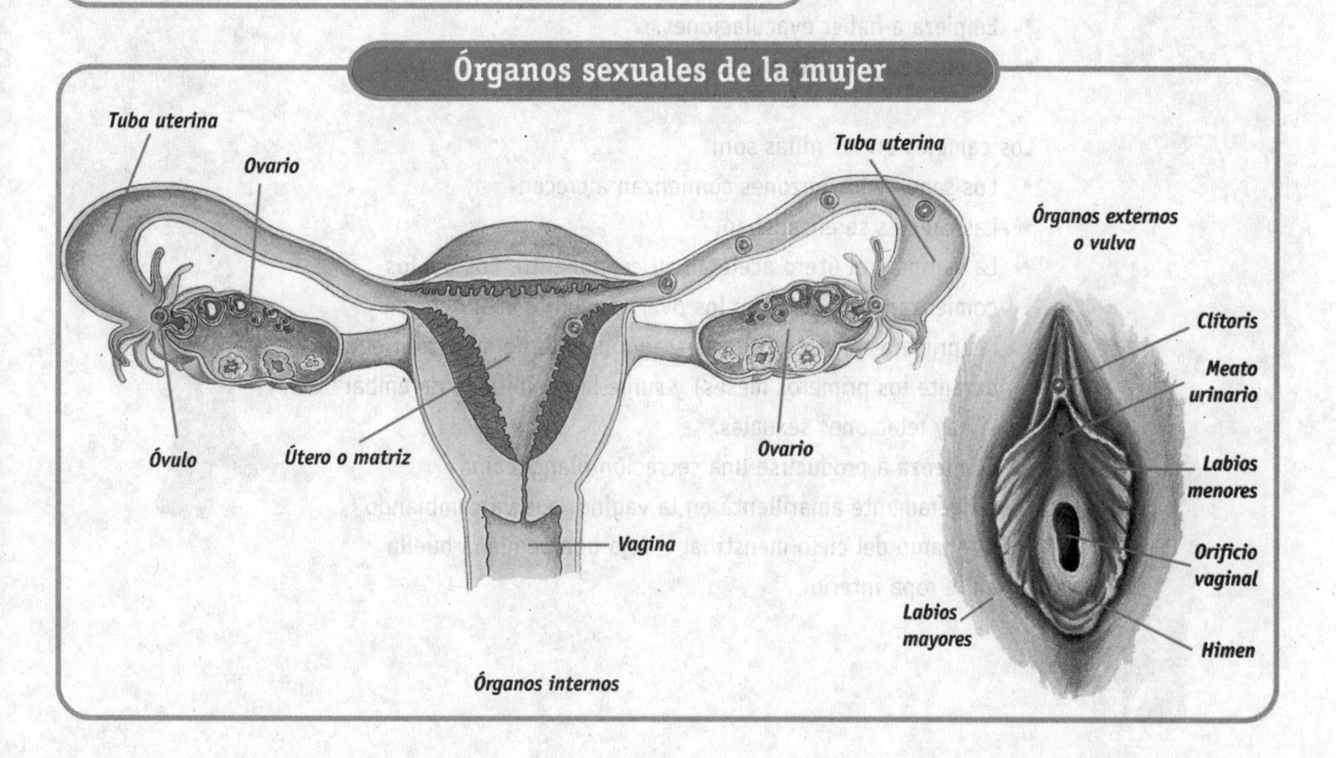

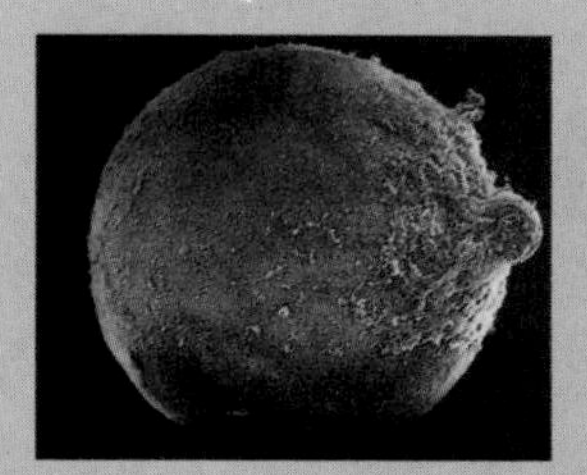

La diferenciación celular continúa y hacia el final de la primera semana de embarazo el zigoto cuenta con muchas más células y está listo para anidar. Cuando esto ocurre, un grupo de células rompe la cubierta exterior del zigoto para fijarse en el útero.

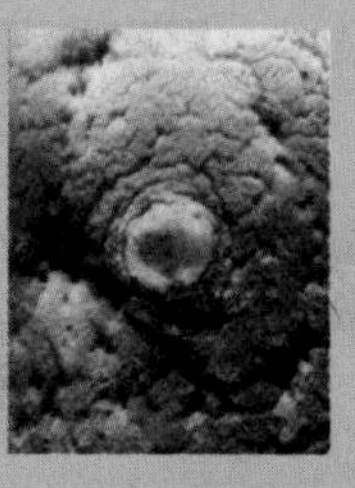

El zigoto ha anidado en el útero materno y se dispone a continuar su desarrollo. A partir de este momento se le denominará embrión.

En general, entre los 12 y los 16 años los niños y las niñas comienzan a experimentar los siguientes cambios:

- Alcanzan una estatura muy cercana a la máxima que tendrán.
- Aumentan de peso.
- Su piel se vuelve más grasosa y con frecuencia aparecen barros y espinillas en la cara, el cuello, el pecho y la espalda.
- Aparece vello en las axilas y en los genitales. El vello del resto del cuerpo tiende a engrosar.
- Aumenta la transpiración.

Los cambios en los niños son:

- El pene y los testículos aumentan de tamaño, proceso que continuará durante varios años más.
- Los músculos, principalmente los de la espalda, brazos y pecho, se desarrollan rápidamente y aumenta la fuerza muscular.
- En algunos se engruesa el pelo en el tórax, en el resto del cuerpo y les comienzan a crecer el bigote y la barba.
- Los testículos empiezan a producir espermatozoides.
- Empieza a haber eyaculaciones.
- La voz se hace más grave.

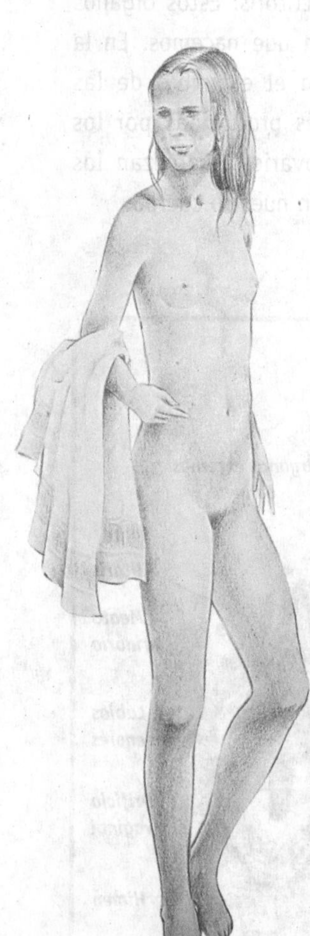

Los cambios en las niñas son:

- Los senos y los pezones comienzan a crecer.
- Las caderas se ensanchan.
- La vagina y el útero aceleran su crecimiento. Los óvulos comienzan a madurar en los ovarios, con lo cual ocurren las primeras menstruaciones (seguramente de manera irregular durante los primeros meses) y surge la posibilidad de embarazarse si hay relaciones sexuales.
- Comienza a producirse una secreción blanquecina o ligeramente amarillenta en la vagina, que va cambiando a lo largo del ciclo menstrual y deja una pequeña huella en la ropa interior.

Primer mes de embarazo

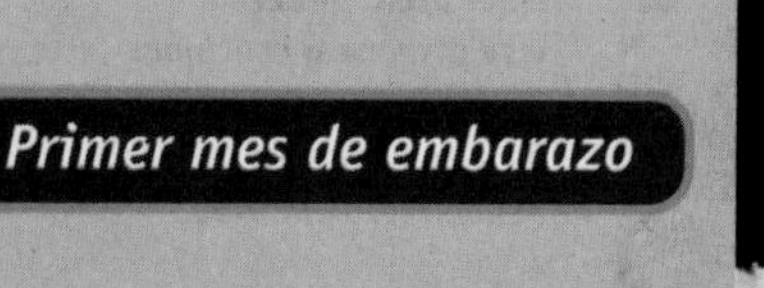

Durante este primer mes se inicia el desarrollo de algunos órganos. En la tercera semana, el embrión empieza a formar los dos lóbulos cerebrales y la espina dorsal.

Al final del primer mes, el embrión alcanza 7 mm de largo y mide más o menos lo que una semilla de manzana.

VAMOS A EXPLORAR

Mi registro personal

Ahora que ya sabes cuáles son los cambios físicos que se presentan en la adolescencia, comenta con tus compañeras y compañeros acerca de la importancia de que cada uno conozca y comprenda los cambios que su cuerpo va presentando en cada etapa de la vida.

¿Te has puesto a reflexionar acerca de tus propios cambios? Piensa en ti y elabora tu registro personal. Si acostumbras escribir un diario puedes redactar tus experiencias en él; pero si no, puedes anotarlas en hojas sueltas.

Piensa en los cambios que has observado en tu cuerpo y descríbelos. Trata de que tu descripción abarque los diferentes aspectos que revisaste en la lección y otros que a ti te interesen. Cuando termines guarda tu registro. En él podrás continuar escribiendo acerca de tus cambios cuando lo desees. Recuerda que lo que escribas es personal y sólo tú puedes decidir si quieres que otras personas lo lean.

Recordarás que en el libro de Ciencias Naturales de quinto grado se habló de la erección, momento en que se incrementa la cantidad de sangre en el pene, por lo que aumenta su tamaño y se pone duro. En la adolescencia, las erecciones se van haciendo cada vez más frecuentes, hasta que ocurre la primera eyaculación. Es muy variado cuando ocurre por primera vez. A algunos hombres les sucede entre los 12 y 13 años, mientras que a otros les pasa a los 15 o 16 años de edad. El tamaño del pene y de los testículos es distinto entre los hombres y varía a lo largo de su vida, hasta que, en la edad adulta, alcanzan su máximo crecimiento. El tamaño de los órganos sexuales de cada quien no influye en su capacidad para tener relaciones sexuales satisfactorias en la edad adulta.

La cantidad de vello es también una característica muy variable en los varones. Su abundancia se hereda, por lo que las características de la barba y el bigote de cada quien serán parecidas a las de los hombres de su familia. Algunas personas creen que si alguien tiene más vello es más viril. Como éstas, existen otras creencias falsas que asocian las características físicas de un hombre con su virilidad. No tiene caso prestarles atención.

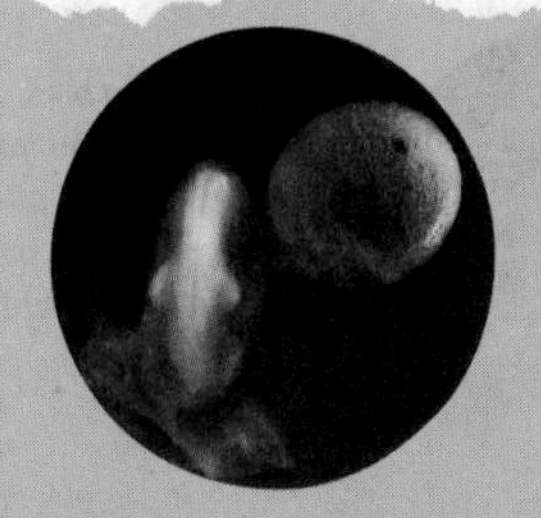

En este mes el embrión desarrolla unas protuberancias que luego serán brazos. La esfera a la que está unido es la encargada de producir la sangre que circulará por el futuro bebé y un poco más adelante se convertirá en la placenta.

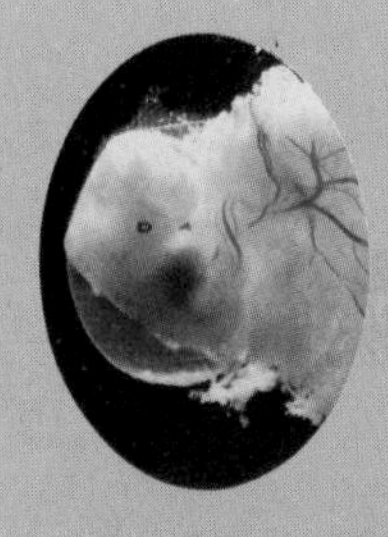

Vista lateral del embrión al final del primer mes.

Otra característica sexual secundaria de los hombres es que la voz se les hace más grave. Muchas veces en el proceso de cambio de voz, los adolescentes emiten sonidos agudos o *gallos*, que pueden apenarlos o divertirlos, dependiendo de las circunstancias. Esta situación también es normal y desaparece cuando la voz termina de madurar.

¿Sabías que... ***la principal causa de muerte entre los adolescentes son los accidentes? Esto se debe a muchas razones, pero hay una muy importante que depende del joven: la imprudencia, el no medir el peligro, la sensación de que todo es fácil y no tiene consecuencias, por lo cual muchos jóvenes tratan de mostrar su fuerza, sin entender aún que deben aprender a controlarla. Por eso es importante, como en todas las edades, cuidar la salud y, en especial, prevenir accidentes que pudieran tener consecuencias para toda la vida.***

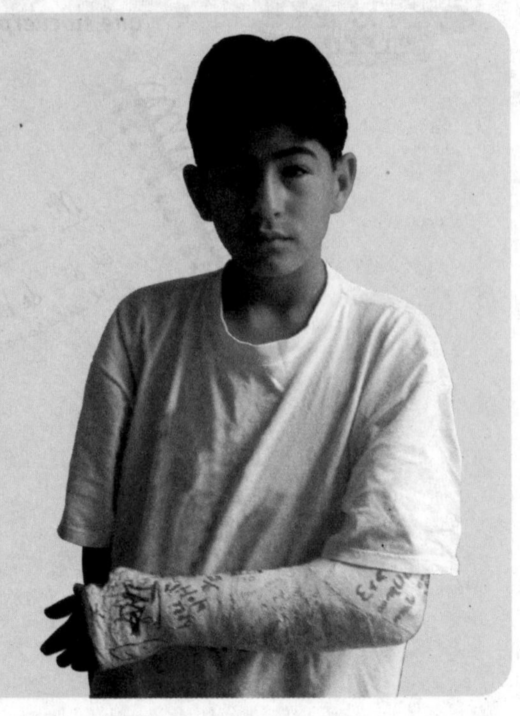

Uno de los principales cambios en las niñas es el desarrollo de los senos o mamas que, además de darle a la mujer adulta una de sus características físicas particulares, cumplen la función de producir leche para alimentar al bebé.

Primero empiezan a crecer el pezón y la areola, y se hacen más gruesos y oscuros. Después empieza a abultarse todo el seno, pues las glándulas mamarias que se encuentran debajo de la piel crecen y se acumula grasa a su alrededor.

El tamaño y la forma de los senos varían mucho y, si eres niña, seguramente tendrás curiosidad por saber cómo van a ser tus senos cuando terminen de desarrollarse.

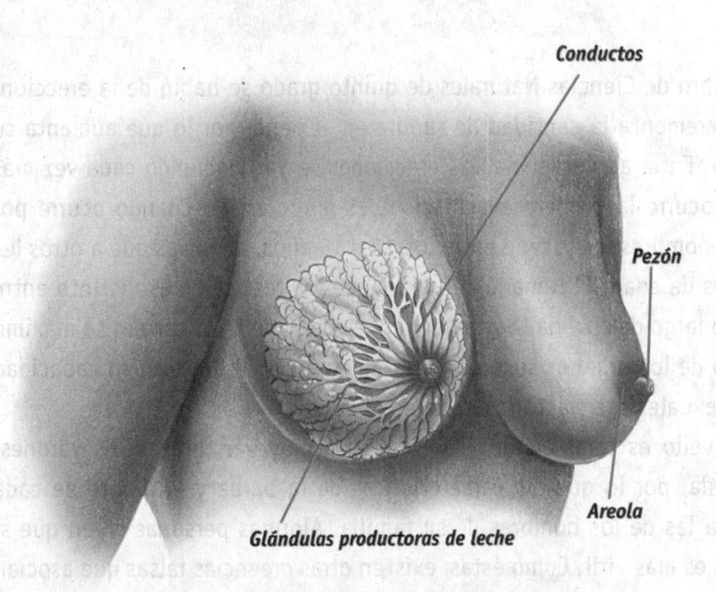

Senos y esquema interno de la glándula mamaria

Al final de este mes, el embrión medirá 2.5 cm, más o menos lo que una fresa pequeña; sin embargo ya es posible escuchar, con un aparato especial, el latido de su corazón.

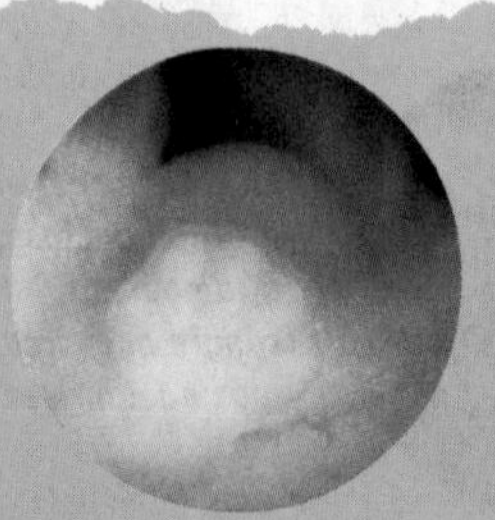

Durante este mes, las manos están ya en formación, y se puede apreciar la base de lo que, posteriormente, serán los dedos.

Lo más probable es que se parezcan a los de las mujeres de tu familia, ya sea del lado materno o del paterno, pues estas características son hereditarias. En algunas niñas, los senos comienzan a desarrollarse más pronto y pueden sentirse incómodas porque los demás se fijan en ellas. En otras, este desarrollo comienza más tarde y también se preocupan porque piensan que nunca van a tener cuerpo de mujer adulta. Es importante que sepas que el desarrollo de los senos, como el de todo tu aparato sexual, puede ocurrir entre los 10 y los 14 años de edad y, a veces, incluso un poco más tarde.

¿Sabías que... ***en las mujeres adultas uno de los problemas de salud más graves es el cáncer de mama, que puede ser mortal? Sin embargo, cuando se descubre a tiempo se puede curar. Una forma sencilla de detectarlo es explorando frecuentemente los senos para reconocer abultamientos, cambios en la piel o en los pezones, que pueden degenerar en cáncer. Ante cualquier duda se debe acudir al médico. Observa las figuras que muestran cómo explorarlos.***

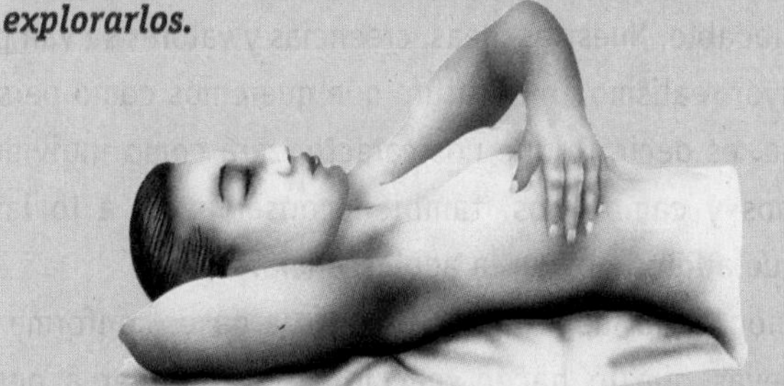

Recostada como se ve en la ilustración, la mujer explora la parte superior y la parte inferior de cada seno. Busca un abultamiento o un endurecimiento, realizando una presión suave, pero con firmeza; al mismo tiempo realiza pequeños movimientos circulares con los dedos de las manos.

Enseguida, la mujer explora el lado externo del seno subiendo poco a poco la mano por este lado. Coloca a continuación la mano en la axila y palpa esta región. Luego procede de la misma forma con el otro seno.

Otra característica sexual secundaria que suele preocupar a las niñas es la aparición o engrosamiento del vello en las piernas y, en algunos casos, de los brazos y del abdomen. En muchos países, como en gran parte de la República Mexicana, las mujeres acostumbran depilarse o rasurarse el vello de las axilas y de las piernas. Quitarlo o dejarlo es una decisión personal de acuerdo con el gusto y las costumbres de cada quien.

Recuerda que otro cambio en el desarrollo de la mujer es la menstruación. Durante los días de sangrado se pueden realizar todas las actividades, siempre y cuando las mujeres se sientan cómodas. Ahora existen toallas sanitarias muy absorbentes y delgadas, y tampones, que son cilindros de algodón comprimido que se introducen en la vagina y que facilitan realizar cualquier actividad, incluso practicar deportes, como nadar. Cualquiera que sea la elección, es importante cambiar las toallas o los tampones varias veces al día para evitar infecciones.

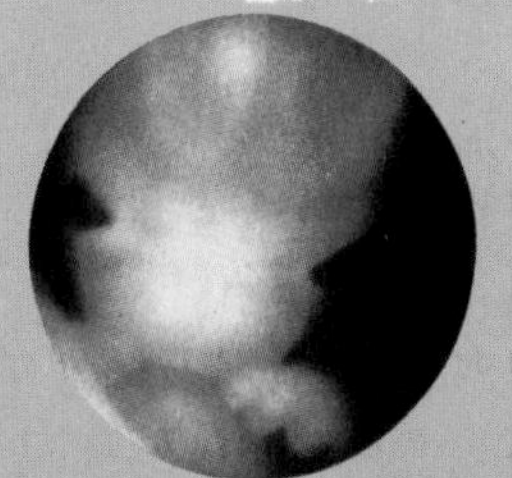

Hacia el final de la séptima semana, el embrión ha iniciado el desarrollo de todos sus órganos.

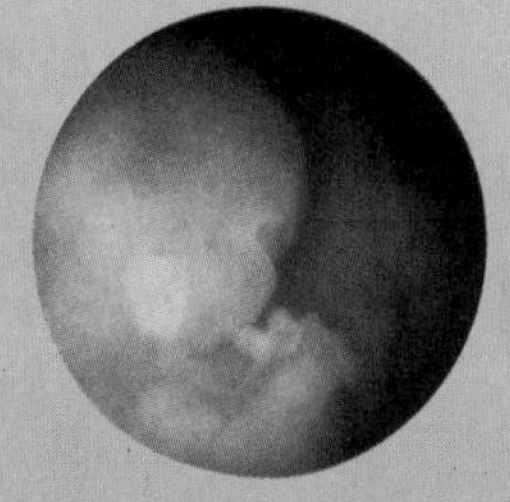

Al final de este mes se le empieza a llamar feto. Pronto estará en condiciones de moverse libremente y podrá chuparse el dedo.

LECCIÓN 19 El camino hacia la edad adulta

Como has visto, los cambios en los aparatos sexuales y en la sexualidad no son los únicos que ocurren en la adolescencia, pues al dejar atrás la niñez, se van modificando la conducta y la manera de pensar; se desarrollan nuevas formas de relación con los demás y se transforma también la imagen que cada quien tiene de sí mismo. En esta lección comentaremos algunos de esos cambios.

La identidad propia

Desde la infancia, cada uno de nosotros desarrolla rasgos de su manera de ser que lo distinguen de los demás, pero no es sino a lo largo de la adolescencia cuando esos rasgos se van definiendo con más fuerza y claridad. Gradualmente decidimos nuestras preferencias sobre lo que nos parece atractivo y valioso o bien nuestro rechazo a lo que consideramos ofensivo y desagradable. Nuestras ideas, creencias y valores se van precisando y empezamos a pensar con mayor realismo en el futuro que queremos como personas. Se está formando nuestra identidad, es decir, lo que nos caracterizará como individuos. Aunque en la edad adulta maduramos y cambiamos, también conservamos a lo largo de la vida muchas características que adquirimos en la adolescencia.

La formación de la identidad se da paso a paso, conforme cada adolescente tiene experiencias nuevas que lo hacen reaccionar y aprender a desenvolverse con mayor independencia. Esas experiencias ocurren principalmente en la escuela, en las relaciones con otros adolescentes, en el ambiente de la vida familiar y en el entorno más cercano.

En la adolescencia se definen con más fuerza y claridad los rasgos de la identidad.

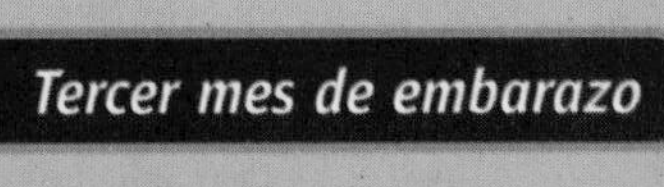

Tercer mes de embarazo

Al final del tercer mes, el feto se vuelve muy activo. Ahora mide unos 6.5 cm, pesa 18 g más o menos y apenas comienza a abultar el vientre de su madre.

Una escuela distinta

Al terminar la educación primaria, los niños y las niñas tienen el derecho de estudiar en una escuela secundaria. Como sabes, en México la educación secundaria dura tres años y está organizada de distintas maneras: secundaria general, secundaria técnica y telesecundaria. Todas ellas tienen el mismo reconocimiento oficial y, en cualquiera de ellas, se aportan conocimientos y experiencias valiosas.

La escuela secundaria abre al adolescente el panorama de lo que puede ser y hacer en su vida adulta.

A partir de 1993, con la Ley General de Educación, el nivel de secundaria es parte de la educación básica. Es obligación del Estado ofrecerla y de los padres y madres asegurar que sus hijas e hijos la cursen.

Estudiar la secundaria representa un cambio muy grande para quienes pasan por los primeros años de la adolescencia. En la escuela secundaria se trabaja con varios maestros y maestras; con cada uno se estudia una materia distinta durante la jornada escolar. Para algunos, al principio no es fácil adaptarse al cambio, pero todos lo pueden lograr con un poco de esfuerzo y constancia. Al concluir la secundaria, los adolescentes tienen mayor madurez para escoger entre diferentes estudios, algunos de los cuales los preparan para ingresar a los estudios superiores, otros los capacitan para el trabajo productivo, y otros más persiguen las dos finalidades al mismo tiempo.

La educación secundaria y la media superior abren al adolescente el panorama de lo que puede ser y hacer en su vida adulta. Ahí obtiene un conocimiento más profundo de los distintos campos de las ciencias, las técnicas, las artes, los oficios y las profesiones. Al mismo tiempo, los adolescentes se van descubriendo a sí mismos, porque ponen a prueba sus capacidades en cada terreno del conocimiento y de las actividades prácticas, y se dan cuenta de qué les interesa más, qué les resulta difícil, en qué cosas tienen mayor o menor habilidad.

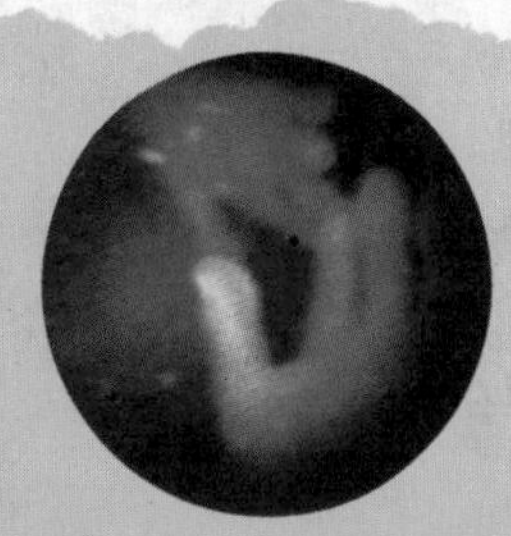

Durante este mes continúa el desarrollo de las extremidades. Las manos tienen, cada vez, dedos más definidos, que le permiten al feto abrirlas y cerrarlas constantemente.

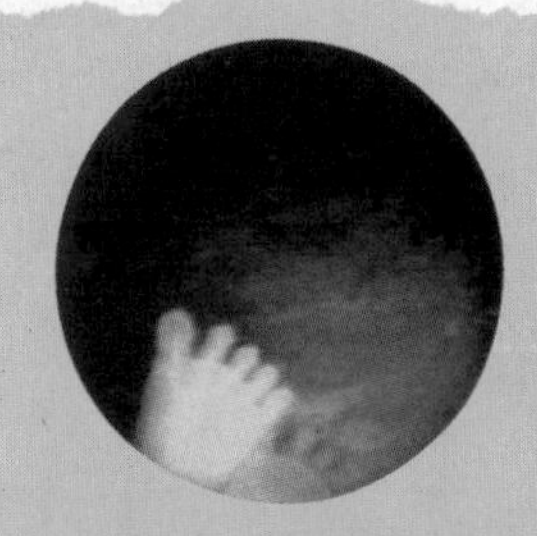

Los pies ya están muy desarrollados.

En este periodo de la educación y de la vida se tienen tantas experiencias nuevas en tan poco tiempo, que es normal que los adolescentes pasen por etapas de duda o confusión sobre su futuro, o que cambien muy rápidamente de intereses y preferencias. Lo más importante es darse cuenta de que todos tenemos capacidades valiosas, y que éstas son distintas en cada persona, pero que nadie, ni aun los que parecen más brillantes, puede desarrollar sus posibilidades sin disciplina, responsabilidad y tenacidad.

¿Sabías que... ***no siempre es fácil saber qué quiere uno hacer en la vida? El notable científico alemán Albert Einstein tuvo, durante su infancia y juventud, dificultades con sus estudios. Sin embargo, más tarde decidió estudiar física y se convirtió en el físico más importante del siglo XX, porque sus teorías revolucionaron esta ciencia. Por sus grandes contribuciones al conocimiento científico recibió el premio Nobel en 1921, a los 42 años de edad.***

La amistad

Durante los años que has pasado en la escuela primaria has tenido muchos amigos, pero en la adolescencia la amistad se vuelve más importante. Es común formar relaciones estrechas con compañeras y compañeros, en la escuela o en la zona donde se vive, porque nos gusta compartir con ellos nuestras actividades y aficiones y también nuestras dudas y problemas. Por los buenos amigos sentimos cariño, cercanía y lealtad y tenerlos es una parte valiosa de nuestra vida.

A veces en la amistad se utiliza la fidelidad para hacerte actuar en contra de los valores, de las leyes o del patrimonio del país, a lo cual nadie puede obligarte.

Sin embargo, también hay formas equivocadas de la amistad, que perjudican el desarrollo de los adolescentes. Con frecuencia se forman grupos de amigos en los cuales los más fuertes, o con más poder de convencimiento, imponen sus decisiones a los demás, aunque sean perjudiciales o contrarias a la ley. A veces esos grupos se mantienen unidos para agredir a los demás y, en ocasiones, suelen desarrollarse la drogadicción y otras formas de comportamiento dañino. Muchos miembros de esos grupos se dan cuenta de que se están haciendo daño, pero no se alejan de ellos porque se sienten presionados o porque creen que están comprometidos por la fidelidad. Es bueno recordar que cada quien es libre de escoger a sus amigos y que la amistad no significa depender de otros ni ser incapaces de tomar nuestras propias decisiones. Recuerda que, en general, pero muy especialmente en la amistad, nadie puede obligarte a hacer cosas que te dañen o te denigren, a ti, o a otras personas.

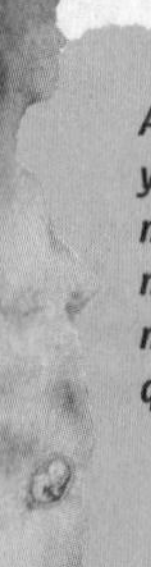

Al final del cuarto mes, el feto ya se nota en el vientre de su madre, que se ve abultado. Ahora mide unos 15 cm, pesa 135 g, más o menos, y se mueve tanto que su madre ya puede sentirlo.

La atracción entre el hombre y la mujer

En la adolescencia es común que los hombres y las mujeres empiecen a sentir un interés y una atracción muy especiales por el sexo contrario. Esta atracción se manifiesta de muchas formas: curiosidad, necesidad de llamar la atención, fantasías, admiración por la apariencia física, o sentimientos de afecto intenso por una persona en particular.

Los adolescentes, sean hombres o mujeres, suelen preocuparse mucho por su apariencia física, porque les importa ser atractivos para el otro sexo. Frecuentemente toman como ideales a figuras populares en los espectáculos o adoptan modas pasajeras en el vestido y el adorno personal, que en ocasiones obligan a los jóvenes y a sus padres a gastar un dinero que podrían destinar a un fin más útil. Algunos adolescentes llegan a angustiarse ante la idea de no ser suficientemente atractivos o de no tener dinero para adquirir lo que impone la moda.

En la adolescencia es común empezar a sentir una atracción especial por el sexo opuesto.

Cuando maduramos un poco, nos vamos dando cuenta de que el atractivo y el valor de un ser humano no dependen de que tenga determinada apariencia física. Descubrimos que hay rasgos más importantes que nos hacen desear la cercanía de una persona del sexo opuesto, como la lealtad y la franqueza, la alegría y el optimismo, la valentía para enfrentar los problemas de la vida, la capacidad de compartir proyectos y afectos, la generosidad y la tolerancia.

La atracción por el sexo opuesto es experimentada por los adolescentes de maneras distintas. En unos surge antes que en otros. Unos pasan por esta etapa con tranquilidad y sin grandes sobresaltos. Para otros, en cambio, esa atracción es más importante que cualquier otra cosa y suelen vivir momentos de gran intensidad emocional y aun de sufrimiento, porque piensan, equivocadamente, que sus sentimientos de afecto son definitivos y no se volverán a repetir.

Las modas y los ideales de belleza son pasajeros y cambian mucho de una época a otra.

El feto ha crecido tanto que necesita un sistema más eficiente para nutrirse y eliminar desechos. Por eso a partir de este mes la placenta, a través del cordón umbilical, se encarga de darle nutrientes, vitaminas, minerales, agua y oxígeno, que toma de la sangre materna.

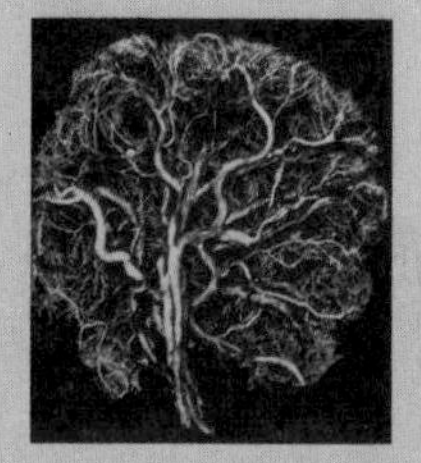

La placenta contiene una estructura de vasos sanguíneos, que se conectan con el feto a través del cordón umbilical.

Para el adolescente es muy importante entender que en esta etapa está aprendiendo a manifestar este tipo de emociones, que está dando un paso en el conocimiento de sí mismo y del sexo opuesto. Por fuertes que sean la atracción y el afecto que sienta por otra persona, el adolescente debe tener presente que todavía está lejos de la madurez necesaria para tener relaciones sexuales y para tomar decisiones que puedan dejar consecuencias que duran toda la vida.

Aprender a convivir

El adolescente convive con muchas personas distintas entre sí. Como es natural, algunas le agradan y despiertan su simpatía mientras otras le provocan hostilidad y rechazo. Lo importante es que el adolescente acepte que los seres humanos somos diferentes y aprenda que sólo podemos convivir en paz si nos tratamos unos a otros con respeto y tolerancia. Cuando no es así, se crea un ambiente de conflictos y agresividad que hace daño a todos.

Muchos de los conflictos que surgen entre los adolescentes son causados por diferencias de opinión, de gustos o actitudes, o bien por problemas en la forma del trato personal. Estos conflictos se pueden resolver si somos capaces de expresar nuestros puntos de vista, escuchar los del otro y conciliarlos a tiempo.

Otros conflictos son causados por los prejuicios, es decir, por ideas generalmente equivocadas y con una carga negativa, que hemos aprendido en el grupo social al cual pertenecemos y que aplicamos sin pensar si son verdaderas o son falsas. Los prejuicios nos llevan a rechazar a quienes no piensan como nosotros, tienen otras costumbres u otra manera de ser. Los más frecuentes son los prejuicios hacia quienes pertenecen a razas distintas; los basados en diferencias de creencias religiosas o posiciones políticas; los que tienen que ver con la cultura, la forma de hablar o de vestir. A lo largo de la historia de la humanidad, muchos conflictos destructivos y sangrientos han sido provocados por los prejuicios y la intolerancia.

Es en los años de la adolescencia cuando los rasgos que nos diferencian de los demás cobran importancia. Es un momento adecuado para entender que, por el hecho de ser diferente, nadie es superior o inferior a los demás. México es un país habitado por personas distintas por su origen racial, su cultura, su lengua, su modo de ser. Esta diversidad es parte de nuestra riqueza. Por eso entre los mexicanos es tan importante combatir los prejuicios y vivir con tolerancia y respeto.

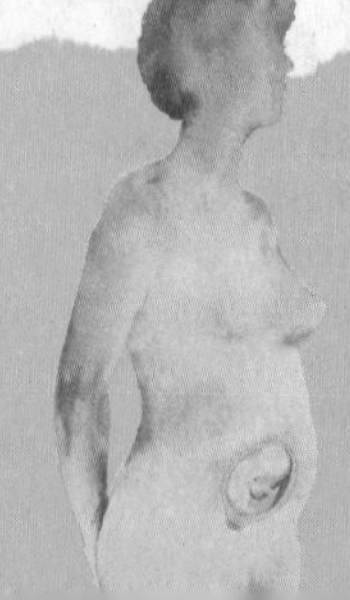

Al final del quinto mes, el feto mide unos 25 cm, pesa 340 g más o menos y ocupa mucho más espacio en el vientre de su madre.

¿Cómo presenta la televisión a las personas y, particularmente, a los adolescentes?

Los medios de comunicación, y muy especialmente la televisión, presentan imágenes o modelos de la apariencia, la forma de ser y de comportarse que frecuentemente no corresponden completamente a la realidad de las personas, lo cual puede llegar a producir lo que se llama un estereotipo.

En grupo, escoge los tres programas de televisión que más gusten a la mayoría. Ponte de acuerdo con todos tus compañeros y compañeras y véanlos, teniendo en mente las siguientes preguntas:

¿Qué estereotipos de conducta e intereses alientan? ¿Cómo son los modelos de atractivo físico que presentan? ¿Qué consumos promueven?

Después de ver los programas analiza en grupo tus observaciones y reflexiona sobre la importancia de no dejarse influir negativamente y de tener puntos de vista personales.

Agresión y violencia

La agresividad y la violencia son una amenaza para la convivencia sana entre los y las adolescentes, quienes están aprendiendo a relacionarse y con frecuencia son impacientes, impulsivos y muy sensibles a lo que los demás hacen o dicen.

La agresión puede darse en forma verbal, mediante ciertas actitudes, o utilizando la violencia física. Las burlas repetidas sobre la apariencia física o la forma de ser de un compañero, o discriminar a alguien en las actividades del grupo, lastiman la sensibilidad de quien las sufre, aunque parezca que son acciones sin importancia.

La agresión verbal lleva muchas veces a la violencia física, que se presenta cuando alguien trata de imponer su voluntad, de desahogar su ira o su resentimiento, o de sentir que por su fuerza es superior a los demás. Las formas más graves de la violencia, en las cuales se producen lesiones o se utilizan armas, pueden dejar consecuencias irreparables para el agredido y para el agresor, y son delitos que están penados por las leyes.

En este mes ya se puede apreciar el desarrollo de huesos. En la imagen se ven en detalle las costillas del feto.

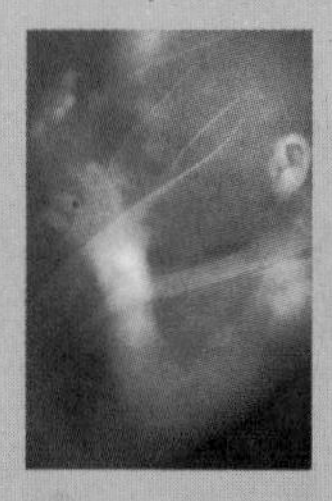

El sistema nervioso del feto está cada vez más desarrollado. Empieza a reconocer sonidos externos y a sentir y saborear su dedo cuando se lo chupa.

Cuando la agresión y la violencia se presentan en un grupo escolar, los propios compañeros deben tratar de evitarlas y conservar un clima de convivencia ordenada. Cuando los hechos se repiten o son graves, hay que denunciarlos inmediatamente a las autoridades. La experiencia en muchos lugares del mundo enseña que los actos violentos aumentan y se vuelven más graves cuando se los toleran y los responsables no reciben castigo oportuno.

¿Sabías que...

agredir físicamente a una mujer o a un hombre es un delito? La pena por delitos contra la vida y la integridad corporal es de tres meses a 10 años de cárcel, dependiendo de la gravedad de la lesión.

La equidad y el respeto entre hombres y mujeres

En las últimas décadas han cambiado mucho las relaciones entre hombres y mujeres. Hoy las mujeres participan en actividades que antes eran consideradas exclusivas de los hombres y demuestran que pueden ser igualmente capaces en actividades productivas, científicas, políticas o artísticas. Al mismo tiempo, cada vez es más común encontrar hombres que, cumpliendo con su responsabilidad, participan plenamente en las tareas domésticas, en el cuidado y en la educación de los hijos, actividades que antes se consideraban exclusivas de las mujeres. Cuando los hombres y las mujeres comparten responsabilidades en la sociedad y en la familia, ambos tienen un campo más amplio de experiencias y se pueden desarrollar más plenamente. Aprenden a respetarse, a apoyarse y a comprenderse mejor.

Al final del sexto mes, el feto mide unos 33 cm y pesa 500 g más o menos.

Cada vez hay más mujeres que estudian

La presencia de la mujer es cada vez mayor en campos donde en el pasado casi no participaba o participaba poco, como en la educación superior.

Observa la gráfica y compara el porcentaje de mujeres que estudiaban carreras universitarias en 1980 y las que estudian hoy.

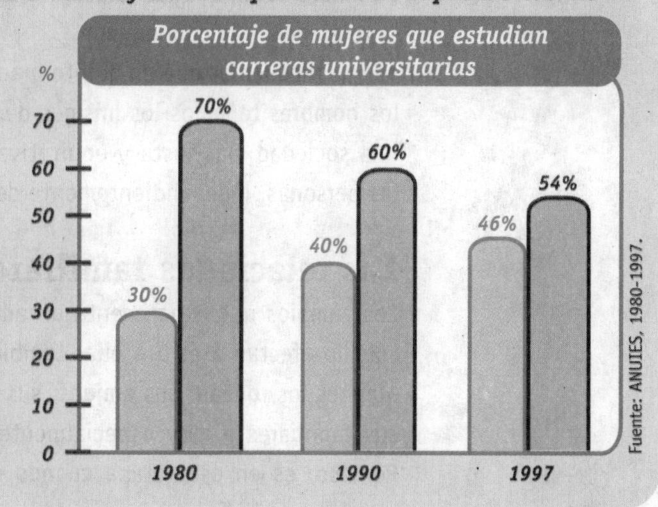

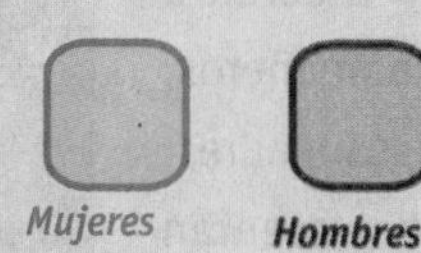

El machismo debe desaparecer, pues no sólo es contrario a la equidad sino, con frecuencia, el origen de agresión y de violencia hacia las mujeres.

A pesar de esos avances, todavía hay actitudes que se oponen a la igualdad de oportunidades para el hombre y la mujer. Una de ellas es el *machismo*, como se llama comúnmente a la creencia de que el hombre es superior a la mujer y de que ésta debe estar sometida.

El machismo es contrario a la equidad, pero también es con frecuencia el origen de agresión y de violencia hacia las mujeres. La agresión puede presentarse en el hogar, pero también en la escuela, en las calles, en el transporte y en los lugares públicos. La agresión está muchas veces relacionada con la sexualidad y se manifiesta en la burla y las expresiones y actitudes que ofenden y atemorizan. La forma más grave de violencia es obligar a una mujer a tener relaciones sexuales en contra de su voluntad y mediante la fuerza o el engaño. Esto se conoce como violación y es un acto degradante para el violador y que ofende y perjudica profundamente a la víctima. Por eso es un delito que la ley castiga con severidad.

En la convivencia entre hombres y mujeres que tiene lugar en la adolescencia deben aprender que la agresión sexual, bajo cualquier forma, es una manifestación de brutalidad y cobardía. Las adolescentes, por su parte, deben ser conscientes de que nadie tiene derecho a ofender su dignidad ni su integridad física, y aprender a evitar situaciones que las ponen en riesgo claro de ser agredidas.

En este mes el feto ya tiene uñas; después, cuando estén más crecidas, las empezará a usar, rascándose de vez en cuando.

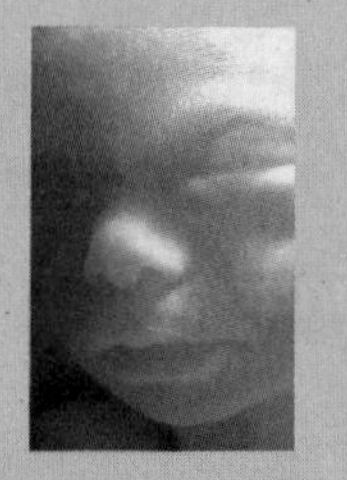

En el sexto mes le empieza a crecer el pelo y el vello que cubre el cuerpo. Pronto tendrá cejas y pestañas.

Independientemente del sexo a que se pertenezca, lo más importante es propiciar un ambiente en que las relaciones entre unos y otras se guíen por el respeto, la equidad, la tolerancia y la cooperación.

¿Recuerdas que en quinto grado estudiaste que en las leyes mexicanas las mujeres y los hombres tenemos los mismos derechos y obligaciones? Por eso, y para que tengamos una sociedad más justa y equitativa, todos debemos procurar un trato igualitario entre las personas, independientemente de su sexo.

Las relaciones familiares

Los cambios que experimenta un adolescente no sólo lo afectan a él o a ella, también afectan a quienes los rodean: sus amigos, sus compañeros, sus familiares y muy especialmente sus padres. Por eso, es en esta etapa cuando se presentan mayores transformaciones en las relaciones familiares.

La adolescencia es la etapa en la que se empieza a aprender a ser independiente. Esta independencia no se da de un día para otro y cuesta trabajo entenderla, tanto al adolescente como a los adultos con quienes convive.

A menudo los adolescentes exigen ser tratados como adultos, sin darse cuenta de que a veces todavía se comportan como niños. Por su parte, los padres, en ocasiones, no se acostumbran a reconocer que sus hijos ya han crecido, y continúan tratándolos como niños. Es difícil para unos y otros asumir los cambios que la adolescencia trae consigo.

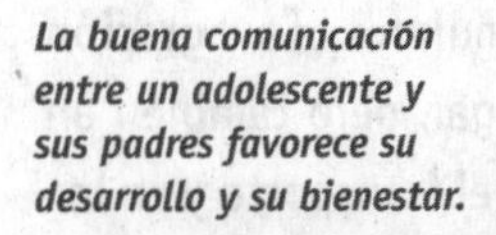

La buena comunicación entre un adolescente y sus padres favorece su desarrollo y su bienestar.

Todo esto es parte del proceso normal de crecer y desarrollarse, y requiere que padres e hijos encuentren juntos nuevas formas de convivencia y diálogo, producto del afecto que se tienen y de la confianza y el respeto que deben mostrarse.

Los adolescentes necesitan saber que sus padres los quieren, están preocupados por su bienestar, por los riesgos a que están expuestos y que tienen más experiencia que ellos. Asimismo, deben apreciar que, aunque ahora requieran pasar más tiempo solos o con sus amigos, los lazos con su familia son muy importantes para su desarrollo.

Séptimo mes de embarazo

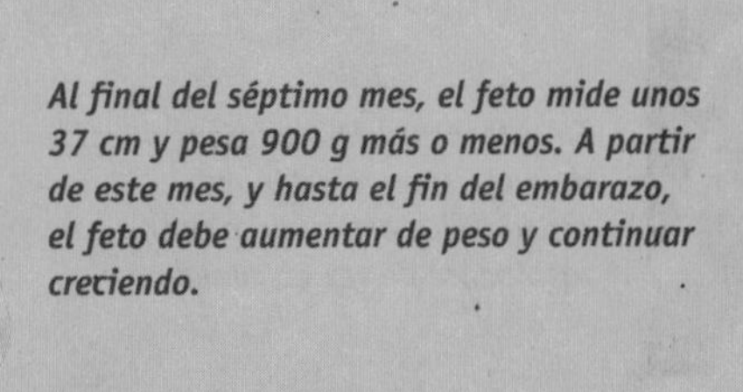

Al final del séptimo mes, el feto mide unos 37 cm y pesa 900 g más o menos. A partir de este mes, y hasta el fin del embarazo, el feto debe aumentar de peso y continuar creciendo.

VAMOS A EXPLORAR

Mi registro personal

En la lección anterior realizaste un ejercicio de reflexión personal sobre tus cambios corporales. Después de lo estudiado en esta lección, te sugerimos continúes con él, pero ahora con respecto a tus cambios emocionales e intelectuales.

Registra en tu diario, en un cuaderno personal o en hojas sueltas los cambios que has empezado a sentir debido a tu desarrollo. Puedes tomar como ejemplo frases como las siguientes:

- ***Lo que más me hace enojar es cuando me tratan...***
- ***La forma en que más me gusta que me traten es...***
- ***Lo que más me interesa de la amistad es...***
- ***Lo que me da más miedo es...***
- ***Me gustaría que mis padres...***
- ***Lo que me hace sentir mayor seguridad es...***
- ***Últimamente he sentido mayor gusto por...***
- ***Me gustaría que en la escuela mis maestros...***
- ***A diferencia de hace unos meses, ahora me interesa...***
- ***Creo que puedo desarrollar nuevas actividades intelectuales como...***
- ***Me gustaría pensar en un mundo mejor donde...***

Recuerda que sólo tú decides si quieres mostrar tus reflexiones a otras personas.

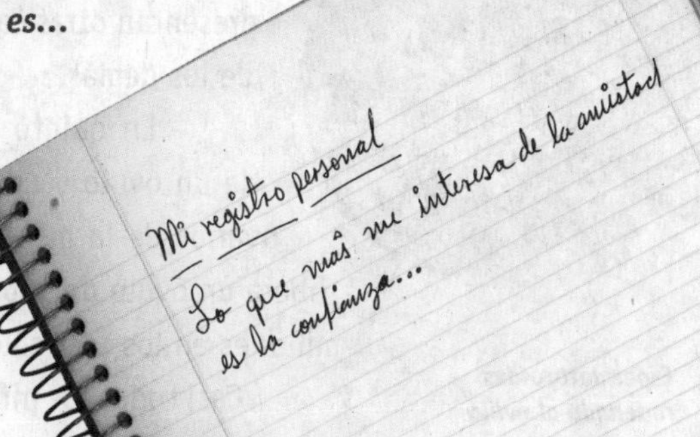

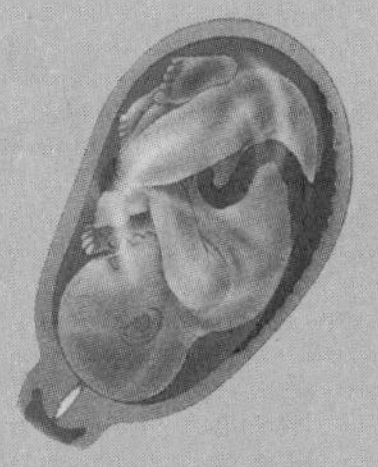

El feto de siete meses casi duplicó su peso, respecto del mes anterior.

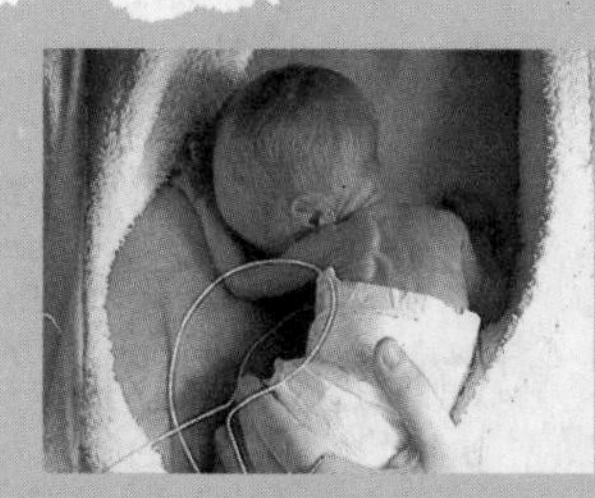

A partir de este mes, algunos bebés pueden nacer prematuramente. Con cuidados especiales, la mayoría de ellos podrá sobrevivir y desarrollarse normalmente.

LECCIÓN 20 La reproducción humana

Como has visto ya en tus libros de Ciencias Naturales, una de las funciones más importantes de todos los seres vivos es la reproducción, pues por medio de ella se da vida a un nuevo ser y así se preservan las especies. Al nacer los nuevos individuos comparten características generales que permiten reconocerlos como miembros de una especie y presentan otras características particulares que los hacen singulares y los distinguen de los demás.

Espermatozoides rodeando al óvulo

En quinto grado estudiaste que la reproducción humana requiere la unión de un óvulo y un espermatozoide. Como recordarás, los óvulos se producen en los ovarios de la mujer, después de que se inician sus ciclos menstruales. Cada mes se libera un óvulo de uno de los ovarios, mientras que los espermatozoides se producen por millones en los testículos del hombre, una vez que su aparato sexual ha madurado.

Casi todos los niños y las niñas tienen la curiosidad de saber cómo se hacen y nacen los bebés. Aunque a algunas personas les incomoda hablar de este tema, la explicación es muy sencilla y debemos tomarla con naturalidad.

La respuesta es que cuando sus padres tuvieron relaciones sexuales, el padre depositó millones de espermatozoides en la vagina de la madre, uno de los cuales fecundó un óvulo maduro.

Relaciones sexuales

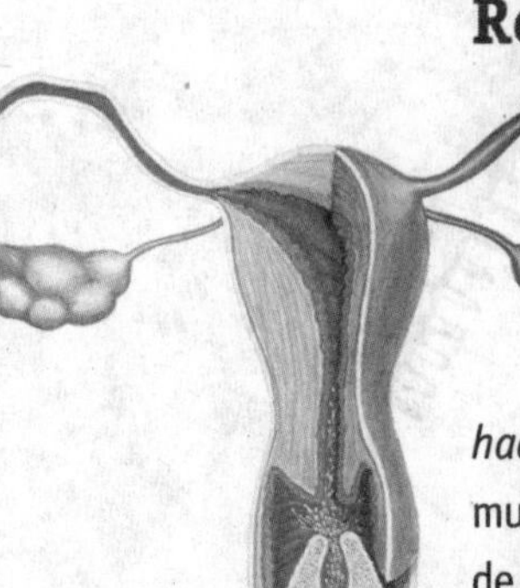

Esquema que muestra los espermatozoides iniciando su recorrido por la vagina.

Las relaciones sexuales abarcan diversos aspectos del ser humano adulto, en especial el emocional y el corporal, pero a menudo tienen también repercusiones sociales. En esta lección se tratarán temas referidos a las relaciones sexuales y a algunas de sus consecuencias.

Hay muchas formas de llamar al acto sexual o coito; algunas son *tener relaciones* y *hacer el amor*. El acto sexual es una relación íntima, muy especial, en la cual la pareja muestra y comparte sus sentimientos amorosos y al hacerlo involucra las partes más privadas de su cuerpo. Cuando dos personas adultas deciden hacer el amor, la atracción y la cercanía entre ellas hace que el cuerpo de cada una se disponga para el acto sexual. En el hombre, la excitación sexual produce la erección del pene y en la mujer, la dilatación y humedecimiento de la vagina. El coito, visto como función fisiológica, consiste en introducir el pene del hombre en la vagina de la mujer. Tanto hombres como mujeres pueden alcanzar un punto de máxima excitación, llamado orgasmo, en el que ocurre una serie de emociones y cambios físicos que se acompañan de una sensación placentera. En el caso del hombre, el orgasmo coincide con la eyaculación, que es la salida del semen por el pene.

Octavo mes de embarazo

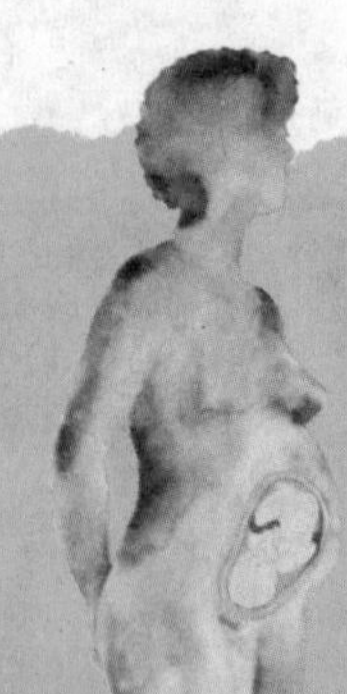

Al final del octavo mes, el feto mide unos 45 cm y pesa alrededor de 2 kg. En cuatro semanas volvió a duplicar su peso y continúa creciendo.

Es importante que las relaciones sexuales estén basadas en el respeto a uno mismo y a los demás, así como en una actitud amorosa, respetuosa y solidaria para con la pareja. Como muchos actos humanos, tienen consecuencias para los individuos, para las parejas y para quienes los rodean. Toda relación sexual, pero especialmente la primera, es un acontecimiento muy importante para cada persona y es algo que se recuerda siempre. Por eso, en tanto la pareja tenga mayor madurez, así como mejores condiciones de comunicación y metas compartidas, mejor será su experiencia y mayores sus posibilidades de desarrollar una vida sexual sana y plena. Dada la importancia que tiene esta decisión, se debe posponer la primera relación sexual hasta la etapa adulta, cuando se está más preparado, física y emocionalmente, y se tiene la capacidad para afrontar las consecuencias con responsabilidad. Por ello, no hay ninguna necesidad de apresurarse.

La decisión de tener relaciones sexuales hay que tomarla de manera personal, libre, informada y responsable. Ninguna persona, por ningún motivo, debe forzar a otra a tener relaciones sexuales.

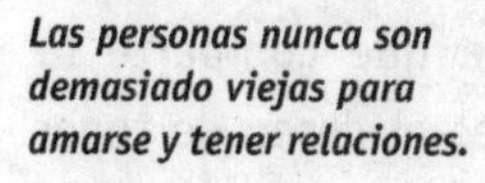

Las personas nunca son demasiado viejas para amarse y tener relaciones.

La familia

A menudo, cuando un hombre y una mujer se entienden y se quieren, deciden compartir su vida y formar una familia. En todas las sociedades se ha dado una gran importancia a la decisión que toma una pareja de formar una familia. En México, como en muchos otros países, las leyes le dan formalidad a esa unión mediante el matrimonio y establecen los derechos y las obligaciones de los miembros de la pareja, entre sí y hacia sus hijos, cuando los hay. También las religiones han establecido ceremonias especiales para que los creyentes celebren su unión.

Una familia recién formada tiene grandes retos: lograr seguridad económica, conocerse a fondo y establecer reglas particulares de convivencia. Además, es necesario que la pareja organice, de común acuerdo, el tiempo que dedicará al trabajo, a las tareas domésticas y al esparcimiento. Tanto hombres como mujeres necesitan espacio y tiempo para seguir desarrollando sus intereses y sus capacidades a lo largo de su vida. Por eso, desde el inicio de su vida juntos, los miembros de la pareja deben establecer los acuerdos que les permitan hacer una vida en común, con equidad en el reparto de las tareas y de las responsabilidades familiares.

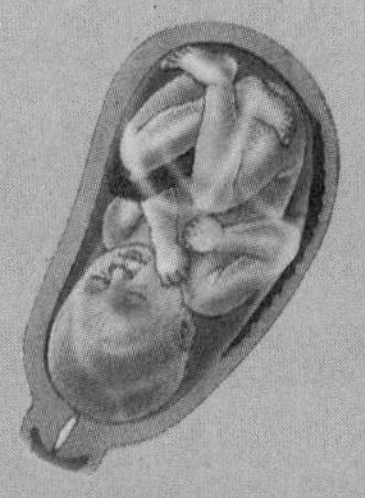

El feto de ocho meses, por lo general, se ubica con la cabeza hacia abajo dentro del útero materno.

El feto en este momento del embarazo está completamente formado, pero todavía debe aumentar de peso y seguir creciendo, antes de nacer.

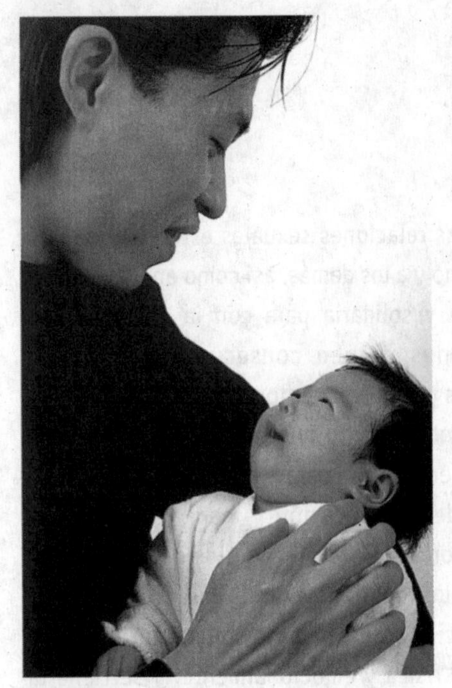

Con el tiempo, cada familia se va formando por diferentes miembros que están relacionados entre sí de maneras distintas. En nuestro país, es común que padres, hermanos, abuelos, tíos, primos, e incluso otras personas con los que no hay una relación sanguínea, formen una familia y convivan bajo el mismo techo. A veces las familias tienen muchos miembros y otras, unos pocos, como en el caso de padres o madres que viven solos con sus hijos, ya sea porque enviudaron, se separaron, fueron abandonados o simplemente porque así lo decidieron. Lo fundamental de una familia no es cuántos o cuáles miembros tiene, sino las relaciones de afecto, respeto, comunicación y solidaridad que se establecen entre sus integrantes.

Aunque con el paso del tiempo las familias cambien, generalmente los lazos emocionales que se establecen entre sus miembros perduran y, si bien las formas de relacionarse pueden variar mucho de una familia a otra, estos lazos brindan apoyo durante toda la vida. A pesar de sus diferencias, muchas familias comparten proyectos, logros y problemas y, en ocasiones, también afrontan conflictos y enojos que pueden ser pasajeros o más serios. Todos los miembros de una familia deben saber convivir con los demás, para lo cual han de aprender cómo comunicarse y cómo resolver sus diferencias sin lastimarse. Sin embargo, esto desgraciadamente no siempre es así, ya que en algunas familias el abuso y la violencia se presentan cotidianamente, generando distanciamiento y sufrimiento que impiden el desarrollo de la comunicación, de los lazos de afecto y de la solidaridad.

Hay familias en las que la madre o el padre viven solos con sus hijos.

Una característica que comparte la mayoría de las familias es el deseo de tener hijos, ya sea biológicos o por adopción. La adopción se da cuando una pareja decide querer, cuidar y educar a una niña o un niño que no fue concebido por esa misma pareja. En México, existen leyes y procedimientos de adopción que protegen a los niños y a las niñas.

Cada pareja debe ser consciente de la responsabilidad que implica tener, o en su caso adoptar, un hijo o una hija, y está obligada moral y legalmente a crear las condiciones necesarias para mantenerlos, educarlos y propiciar su desarrollo integral. Por eso, tener hijos es un asunto muy serio que debe meditarse y planearse muy bien.

Algunas familias tienen muchos miembros de edades y relaciones de parentesco muy variadas.

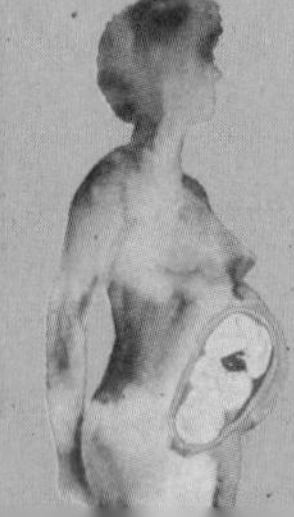

Al final del noveno mes, el feto alcanza su máxima talla en el vientre materno: mide unos 50 cm y pesa 3 kg más o menos.

¿Sabías que... *la Constitución Mexicana, en su artículo cuarto, entre otras cosas, dice: "Toda persona tiene derecho a decidir de manera libre, responsable e informada sobre el número y el espaciamiento de sus hijos"? También que "es deber de los padres preservar el derecho de los menores a la satisfacción de sus necesidades y a la salud física y mental".*

El embarazo

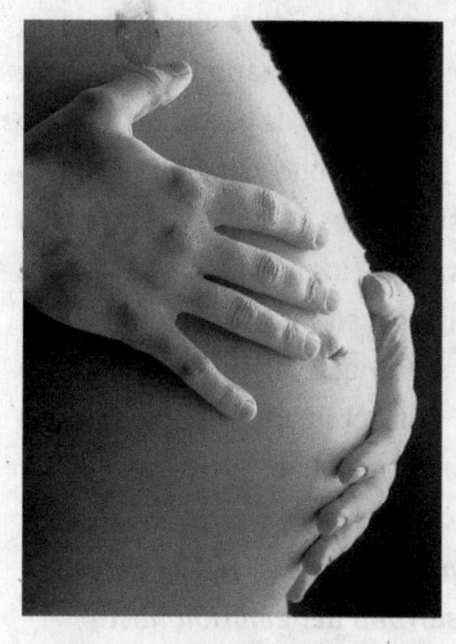

Las relaciones sexuales entre un hombre y una mujer, aunque sucedan una sola vez, pueden provocar un embarazo. Para que esto ocurra es necesario que los espermatozoides depositados en la vagina avancen, primero hacia el útero y después hasta las tubas uterinas. Si al llegar ahí hay un óvulo maduro, los espermatozoides lo rodean y uno de ellos puede penetrarlo.

Cuando se unen un espermatozoide y un óvulo se forma una nueva célula llamada huevo o zigoto. Esta unión se conoce como fecundación. El huevo empieza a dividirse para formar dos células, luego cuatro, luego ocho, 16, 32 y así sucesivamente hasta llegar a los millones de células que van a formar el corazón, los pulmones, el intestino y todos los aparatos y sistemas del nuevo ser humano. Para que el embarazo llegue a completarse, el huevo tiene que anidar, es decir, fijarse a las paredes del útero, lo cual sucede aproximadamente una semana después de la fecundación.

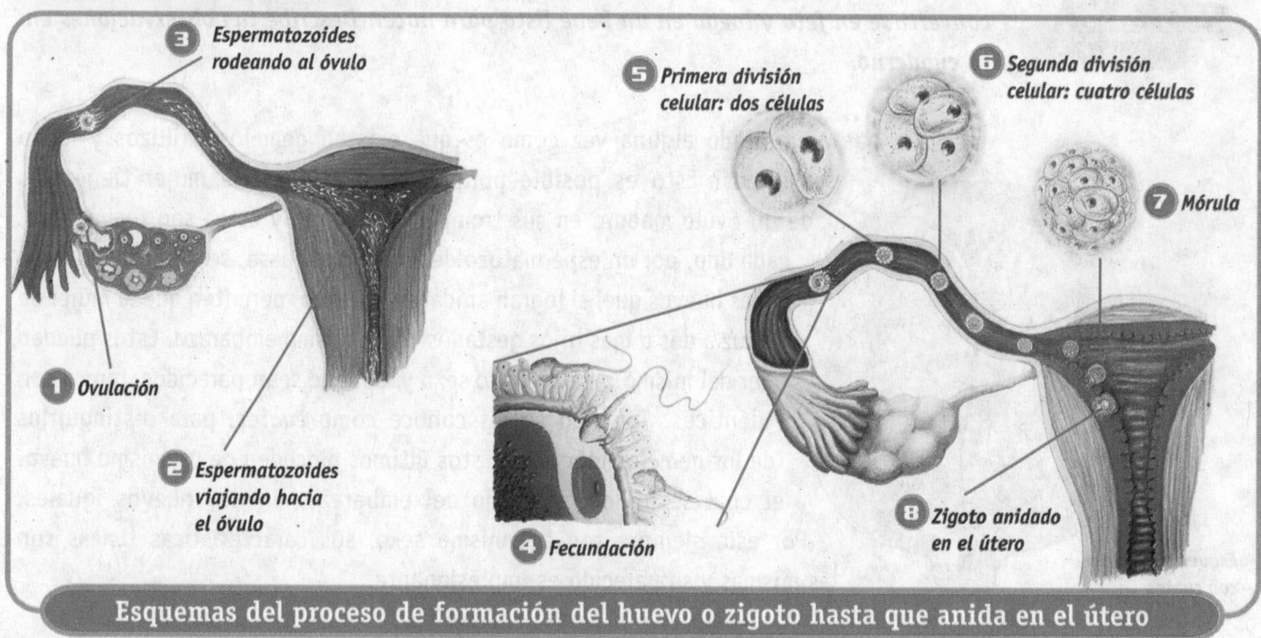

Esquemas del proceso de formación del huevo o zigoto hasta que anida en el útero

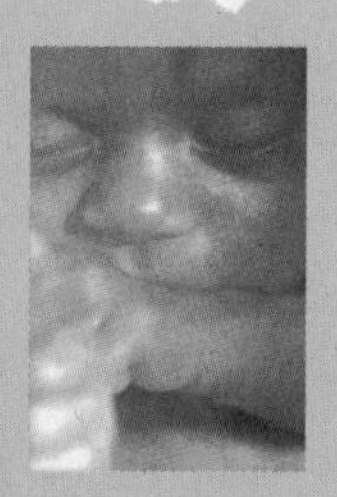

Durante este mes, el feto sigue aumentando de peso. Aproximadamente, un kilo más. Todo su cuerpo se ve más rellenito por la grasa que se ha acumulado bajo su piel durante los últimos tres meses.

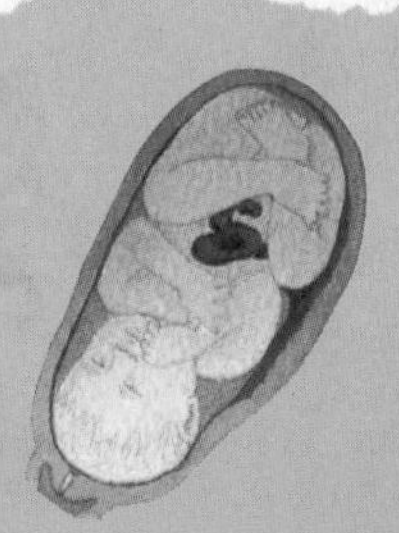

Después de nueve meses, el bebé está listo para nacer. Está colocado con la cabeza hacia abajo, en posición de parto.

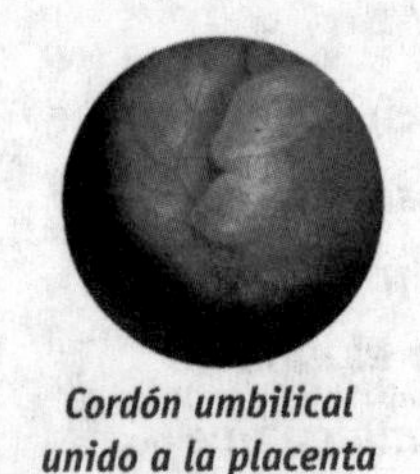
Cordón umbilical unido a la placenta

Una vez que el zigoto anida en las paredes del útero, el embrión comienza a desarrollarse y se empieza a formar la placenta. A partir del cuarto mes de embarazo, la placenta está completamente formada y comienza a desempeñar su función, que consiste en pasar el oxígeno y el alimento de la sangre de la madre al feto, que es como se denomina al nuevo ser, a partir del tercer mes. Por la placenta regresan también las sustancias de desecho para que la madre las elimine. Este intercambio ocurre a través del cordón umbilical, en el cual se encuentran una arteria y una vena. Durante el embarazo, el feto se desarrolla en una bolsa llena de un líquido, llamado amniótico, que lo protege de los golpes y lo mantiene en las condiciones ideales para su desarrollo.

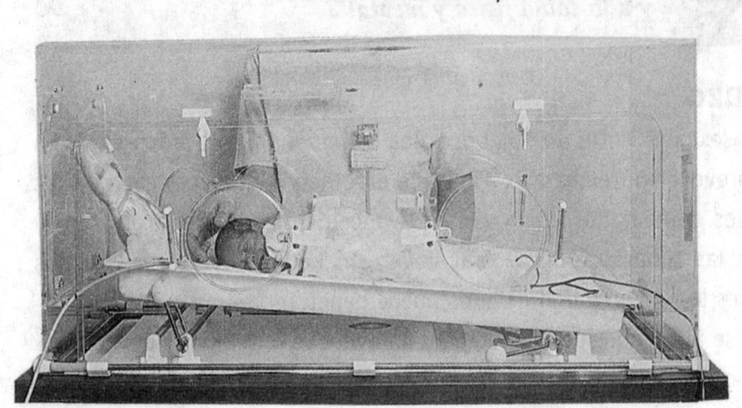
Bebé prematuro en incubadora, nacido a los siete meses de gestación.

Un nuevo ser humano requiere de nueve meses para formarse en el útero materno, que es lo que, en general, dura un embarazo. Algunos bebés nacen prematuramente, entre los siete y los ocho meses de gestación. Cuando esto ocurre, su desarrollo, su talla y por lo tanto sus posibilidades de supervivencia, son menores, pero con los cuidados adecuados puede normalizarse en poco tiempo.

Es necesario que la mujer embarazada se alimente correctamente, pues de esto depende su bienestar y el crecimiento y desarrollo adecuados del bebé.

ABRE BIEN LOS OJOS

Observa en el cintillo inferior, que corre a lo largo de las páginas 107 a 133 de este bloque, las fotografías y esquemas que muestran el desarrollo del embrión hasta convertirse en feto y luego en un bebé listo para nacer. Describe tus observaciones en tu cuaderno.

¿Te has preguntado alguna vez cómo es que existen gemelos, trillizos y hasta sextillizos? Esto es posible porque, en ocasiones, la mujer tiene más de un óvulo maduro en sus trompas de Falopio y éstos son fecundados, cada uno, por un espermatozoide. Cuando así pasa, se desarrollan dos o más huevos que, si logran anidar en el útero, permiten que la mujer dé a luz a dos o más hijos gestados en un mismo embarazo. Éstos pueden ser del mismo o de distinto sexo y, aunque sean parecidos, nunca son idénticos. También se les conoce como *cuates*, para distinguirlos de los gemelos idénticos. Estos últimos proceden de un mismo huevo, el cual se divide, al inicio del embarazo, en dos huevos iguales. Por eso, siempre son del mismo sexo, sus características físicas son las mismas y su parecido es impresionante.

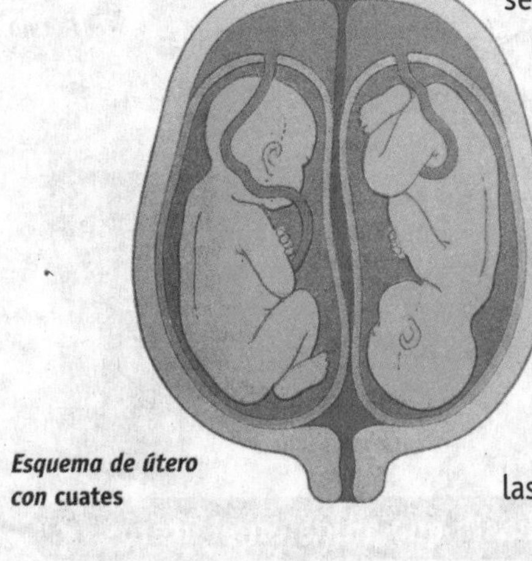
Esquema de útero con cuates

Parto

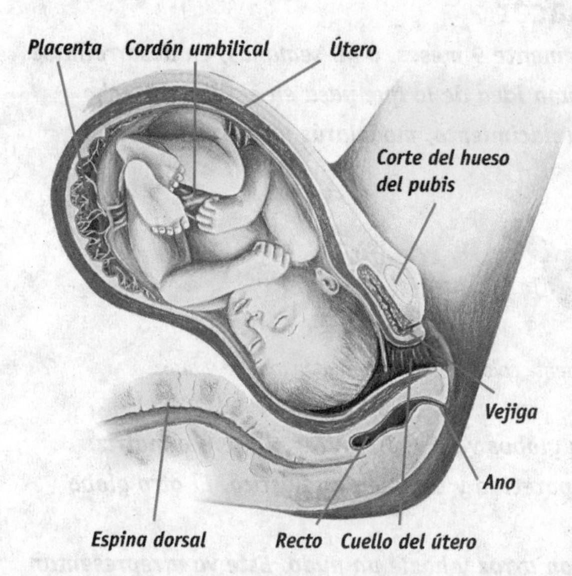

Después de nueve meses el bebé está listo para nacer.

El parto

Una vez cumplidos los nueve meses de embarazo el nuevo ser está listo para nacer, es decir, para el parto, pero ¿qué es lo que hace que se inicie el parto? En el curso pasado viste que el sistema glandular, por medio de las hormonas, se encarga de que ocurran en el cuerpo las cosas en el momento preciso. Para que el parto se inicie, intervienen las hormonas de los ovarios y una de las hormonas de la hipófisis.

El trabajo de parto empieza cuando el útero se contrae, cada vez con mayor frecuencia. Al contraerse va reduciendo su tamaño, obligando así a que el bebé salga. Al principio el útero se contrae cada media hora o más. Conforme transcurre el tiempo, hay cada vez más contracciones, hasta que suceden cada tres minutos. El cuello del útero se va abriendo y llega un momento en el que la bolsa que envuelve al bebé se rompe y sale el líquido amniótico. A esto se le llama la *ruptura de la fuente*, por el líquido que sale por la vagina. A las contracciones se les llama *dolores de parto*, pues al irse abriendo el cuello del útero hay dolor. Al final, además de las contracciones del útero, la madre siente la necesidad de pujar, de manera que se suman otras contracciones voluntarias de los músculos abdominales, lo cual hace que el bebé finalmente salga. La placenta y las membranas que envolvían al bebé se expulsan al final del parto. Este es un momento delicado, pues la madre puede sufrir algunas complicaciones cuando no salen completas.

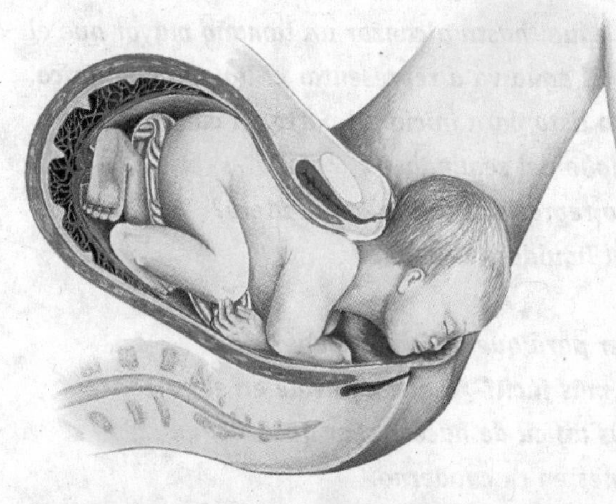
Momento de expulsión, en el que el cuello del útero está completamente dilatado.

En algunos casos el niño o la niña no pueden nacer por la vagina. Cuando así ocurre es, generalmente, porque su cabeza no cabe por el canal del parto, pero también puede deberse, entre otras razones, a que el niño esté mal acomodado dentro del útero, o bien a que el cordón umbilical esté enredado alrededor de su cuello. En esos casos es necesario practicar una operación llamada cesárea, que consiste en abrir el abdomen de la madre para sacar al bebé del útero.

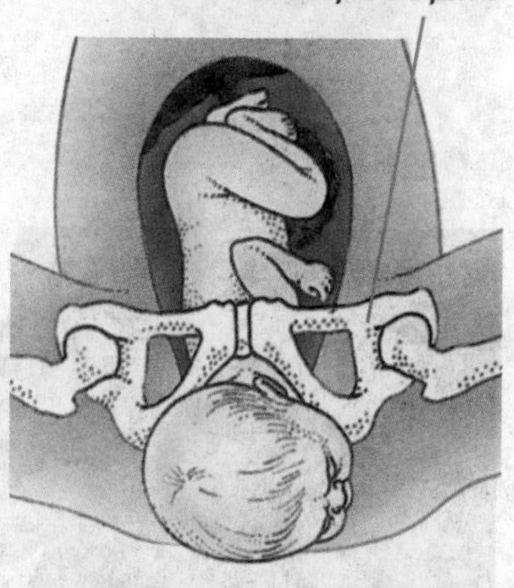

Esquema del canal del parto, formado por el hueso del pubis, el cuello del útero, la vagina y la vulva, en el momento del nacimiento.

El recorrido del bebé al nacer

Como sabes, el bebé tarda aproximadamente 9 meses, o 40 semanas, en desarrollarse en el útero materno. Para que te des una idea de lo que pasa en el último trecho que el bebé tiene que recorrer para su nacimiento, modelarás un parto.

Necesitas:

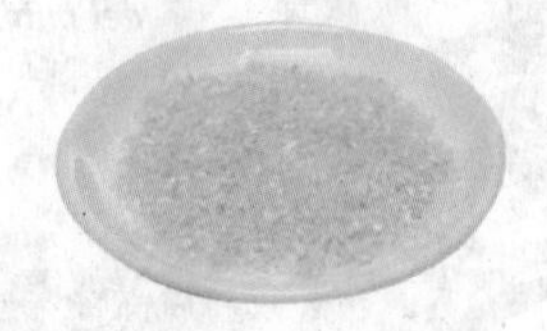

dos globos de diferente color y tamaño, agua de la llave y arroz

En este modelo, uno de los globos va a representar el útero o matriz. De hecho tiene una forma parecida y también es elástico. El otro globo va a representar al bebé.

1. ***Llena el primer globo con arroz y hazle un nudo. Éste va a representar al bebé.***
2. ***Introduce este globo en el segundo, el cual va a representar el útero, como se observa en la figura.***
3. ***Ahora vas a llenarlo con agua, hasta alcanzar un tamaño mayor que el globo cuando está vacío. El agua va a representar el líquido amniótico.***
4. ***Ahora tienes ya el modelo listo para iniciar el parto, el cual consiste en que salga el primer globo del segundo.***

¿Qué parte del modelo representa el cuello del útero?
¿Por dónde salieron el líquido y el bebé?
¿Qué salió primero?
¿Qué tuviste que hacer para que saliera el bebé?
¿Qué fue lo que salió más fácil? ¿A qué equivale en el parto?
¿Cuál fue la parte más difícil de hacer? ¿Por qué?

Anota tus observaciones en tu cuaderno.

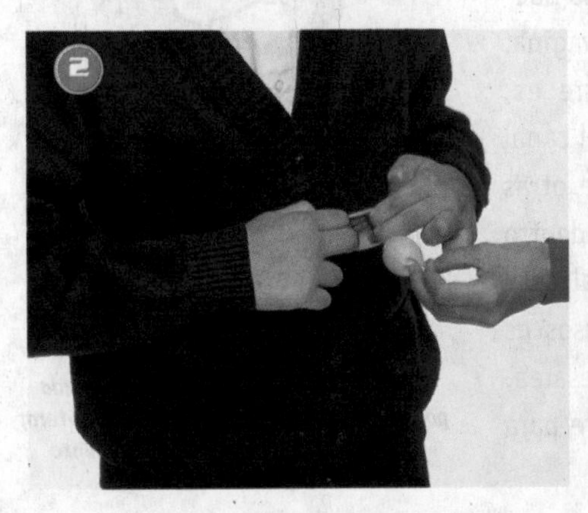

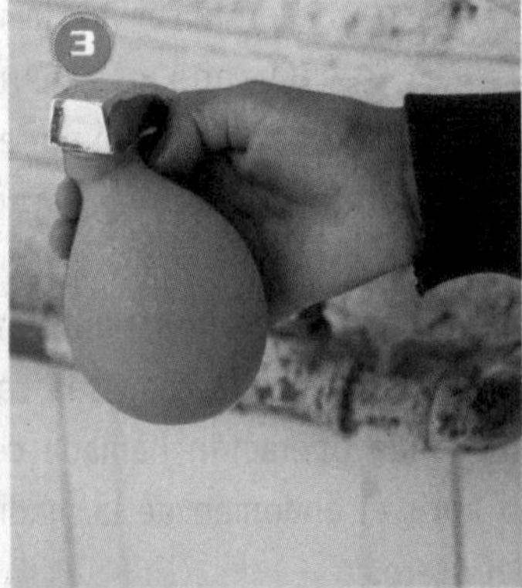

Primeros cuidados del recién nacido y lactancia

Después del nacimiento es necesario pinzar o anudar de inmediato el cordón umbilical y cortarlo con la mayor higiene posible. El bebé debe respirar de inmediato, lo cual se acompaña de una especie de llanto o grito. Para ayudarlo, es necesario limpiarle perfectamente la nariz y la boca que están llenos de líquido amniótico en el momento de su nacimiento. Es importante que el médico o la partera le hagan un reconocimiento médico que consiste, entre otras cosas, en pesarlo, medir su estatura y la circunferencia de la cabeza, oír su corazón y sus pulmones y revisar sus órganos externos e internos.

Los cinco sentidos del bebé, gusto, tacto, audición, vista y olfato, están funcionando desde antes de su nacimiento, pero el sentido del tacto es especialmente importante en los primeros momentos de su vida. El esfuerzo del parto es tan duro para la madre como para el hijo y, por ello, es fundamental que ambos sean confortados y abrazados, tan pronto nazca el bebé. El contacto físico entre la madre, el padre y el hijo o hija es, sin duda, fundamental para el buen desarrollo del recién nacido, pero sobre todo para que la pareja y su hijo o hija inicien los lazos afectivos que continuarán desarrollándose a lo largo de sus vidas. En el pasado, los padres no asistían al nacimiento de sus hijos, pero cada vez es más común que estén presentes en el parto y que se les permita participar en él. Compartir los cuidados del embarazo, del parto y del recién nacido fortalece a la pareja y le facilita el proceso de adaptación que implica la llegada de un nuevo miembro a la familia.

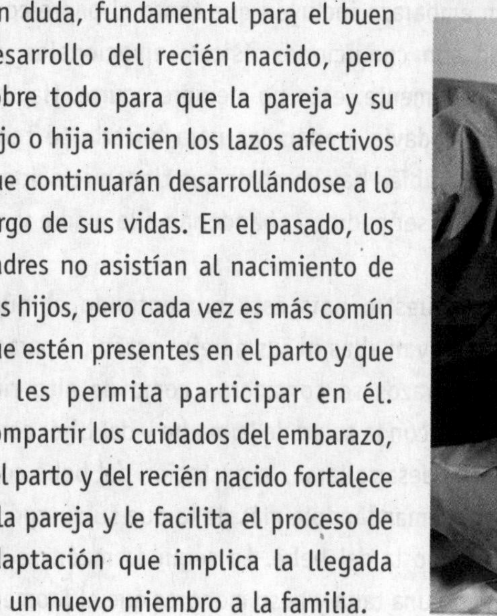

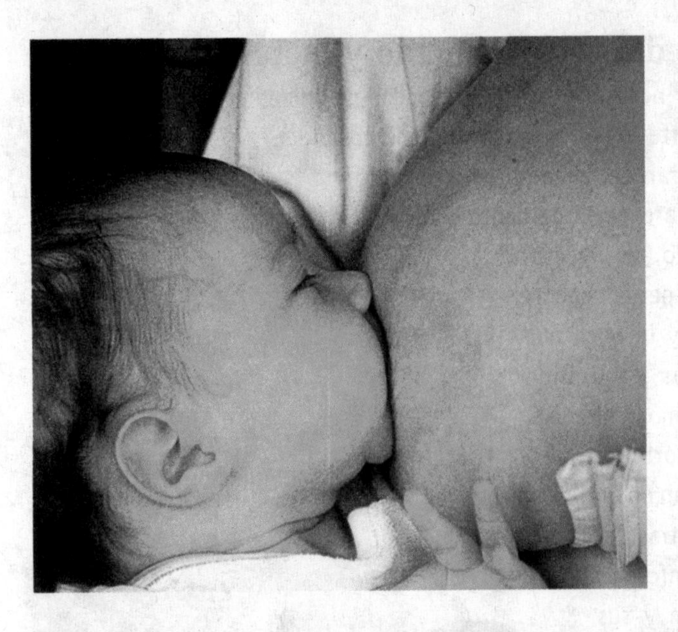

No hay mejor alimento para un recién nacido que la leche materna.

Durante el embarazo, los senos de la madre se preparan para la lactancia, y así, poco después del parto, la madre estará lista para amamantar. No hay mejor alimento para un recién nacido que la leche de su madre. Ésta tiene la composición exacta que el bebé necesita para nutrirse, la cual va cambiando para adaptarse a las necesidades de su crecimiento. Mediante la leche materna, el bebé obtiene, además de alimento, anticuerpos de la madre que lo protegen contra infecciones durante sus primeros meses de vida, mientras su sistema inmunológico madura. Otra ventaja de amamantar es la relación tan estrecha que se establece entre la madre y el hijo o la hija, la cual puede contribuir también a su comunicación futura. Algunas madres tienen dificultades para amamantar y recurren a fórmulas especialmente elaboradas para este fin, que si bien permiten que el bebé se alimente, no tienen las mismas ventajas de la leche materna. Siempre que sea posible, es preferible que la madre amamante a su hijo.

Condiciones óptimas para el embarazo

El embarazo implica una gran responsabilidad y, por ello, debe realizarse en condiciones óptimas. Para criar a un ser humano es necesario dedicarle tiempo y cariño, así como asegurarle una buena alimentación, vestido y educación. Por eso, las condiciones ideales para un embarazo incluyen que tanto el padre como la madre deseen tener al bebé y que cuenten con condiciones físicas, emocionales y económicas adecuadas para cuidarlo. Desgraciadamente, esto no siempre ocurre. Hay mujeres que se embarazan sin desearlo, sin estar todavía preparadas para hacerlo, o teniendo ya más hijos de los que pueden atender. También hay hombres que tienen relaciones sexuales sin asumir la responsabilidad que implica ser padre, y abandonan a la madre y a su hijo sin hacerse cargo de su cuidado y crianza.

En nuestro país está aumentando el número de mujeres adolescentes que se embarazan, y ni ellas ni sus parejas están preparadas física, emocional o económicamente. Estos embarazos se consideran como de alto riesgo por tres razones. La primera está relacionada con la salud de la madre y del hijo: como el cuerpo de la joven no ha terminado de crecer y desarrollarse, la gestación del bebé compite con el crecimiento y desarrollo de la madre, demandándole más de lo que su cuerpo puede dar y arriesgando con ello no sólo su salud sino la del bebé. La segunda razón se basa en que es frecuente que los bebés nazcan con una talla y peso menores que el promedio y con menos probabilidades de lograr

un desarrollo sano. La tercera razón se refiere a las difíciles consecuencias para la superación personal de una pareja demasiado joven o, a menudo, de una jovencita sin pareja. Al tener que hacerse cargo de un hijo a una edad prematura, sus posibilidades de estudio y desarrollo futuros se ven muy limitadas y, en general, se acompañan de grandes frustraciones. Una situación así afecta a la madre y al padre, cuyas vidas cambian radicalmente, pero también afecta a la sociedad y, sobre todo, al hijo o hija, quienes tendrán que superar condiciones más difíciles en su desarrollo.

Como muestra la siguiente gráfica, las mujeres que continúan estudiando y alcanzan mayor escolaridad, por lo general tienen su primer embarazo más tarde que las que abandonan la escuela a temprana edad.

Observa la gráfica y compara los porcentajes de mujeres que, en cada país, asistieron menos de siete años a la escuela y que se embarazaron antes de los 18 años. En el caso de México, analiza la diferencia de porcentajes entre las mujeres con mayor y menor escolaridad y comenta con tu grupo las ventajas de continuar estudiando.

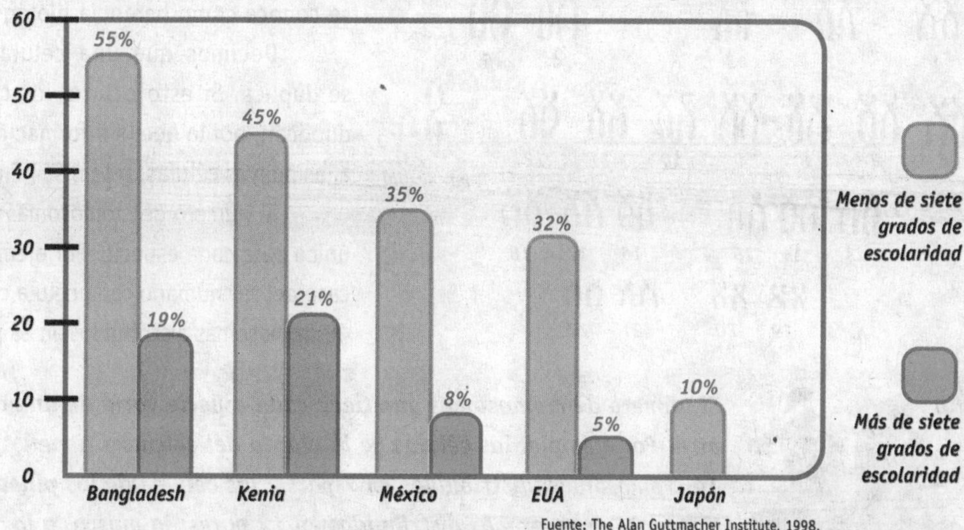

Fuente: The Alan Guttmacher Institute, 1998.

Como ya se dijo, las relaciones sexuales constituyen una parte fundamental de las vivencias afectivas de los seres humanos adultos y contribuyen a tener una vida saludable y plena, tanto desde el punto de vista biológico como afectivo, y siempre se debe estar preparado para afrontar sus posibles consecuencias con responsabilidad.

Quienes aún no desean tener hijos, o quienes quieren espaciar el nacimiento entre un hijo y otro, cuentan con distintos métodos, llamados anticonceptivos, que evitan que el embarazo ocurra. Estos métodos están disponibles en nuestro país en los centros de salud, clínicas y hospitales, de manera gratuita, pero cada quien debe decidir si quiere o no recurrir a ellos y saber cuál es el que más le conviene, pues todos tienen ventajas y desventajas.

LECCIÓN 21 La herencia biológica

En tu curso de Ciencias Naturales de quinto grado

estudiaste que todos los seres vivos estamos formados de células. Las células animales y las células vegetales tienen núcleo y citoplasma, los cuales están rodeados por una membrana.

En el núcleo de cada célula está la información genética.

Dentro del núcleo se localiza la información necesaria para que la célula lleve a cabo todas sus funciones vitales, como son alimentarse, crecer y reproducirse. Esta información recibe el nombre de información genética.

La información que se encuentra dentro del núcleo se organiza en estructuras que parecen bastones, llamadas cromosomas.

El número de cromosomas de los seres humanos es 46, distribuidos en 23 pares. Al par 23 se le llama par sexual.

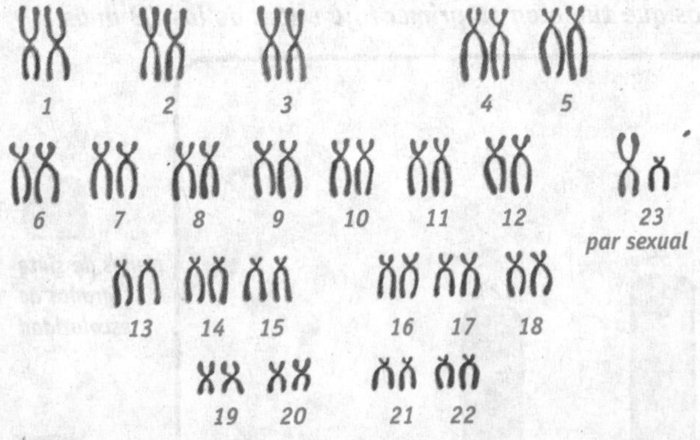

En la reproducción de los seres vivos se transmite la información genética que contienen los cromosomas de una generación a otra, esto es lo que se conoce como herencia biológica.

Decimos que una célula se reproduce cuando se duplica. Si esto ocurre, los cromosomas también se duplican, por lo que la información genética se transmite a las nuevas células, o sea, se hereda de la célula original.

El número de cromosomas que tiene cada célula es único para cada especie. Por ejemplo, en el caso del ser humano cada célula contiene 46 cromosomas distribuidos en 23 pares.

COMPARA

El número de cromosomas que tiene cada especie varía de una a otra. Por ejemplo, las células de la planta del chícharo tienen 14 cromosomas, distribuidos en 7 pares; las células de los pinos tienen 24 cromosomas distribuidos en 12 pares; la mosca, a la cual seguramente has visto rondando la fruta de tu casa, tiene 8 cromosomas distribuidos en 4 pares. Entre los seres vivos que cuentan con mayor número de cromosomas están el perro y el pollo, con 78 cromosomas distribuidos en 39 pares cada uno, y el pavo, con 82 cromosomas distribuidos en 41 pares.

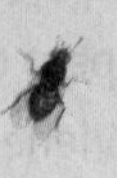

Como sabes, los animales y el ser humano tienen células especiales para la reproducción, llamadas óvulo y espermatozoide, las cuales, al unirse, forman un huevo o zigoto del cual se origina un nuevo ser. Las células de la reproducción de las plantas con flores son el óvulo y el polen que al unirse forman una semilla, y ésta, al germinar, da lugar a una nueva planta.

Polen

Estambre

Pistilo

Ovario

Una de las características de las células de la reproducción de los seres humanos es que cada una contiene sólo 23 cromosomas, es decir, la mitad de la información genética que tienen el resto de las células del mismo organismo. Al unirse el óvulo de la madre y el espermatozoide del padre, el resultado es una célula con la información hereditaria completa, esto es, 46 cromosomas organizados en 23 pares.

La nueva célula, llamada zigoto, al dividirse dará lugar a un nuevo ser humano. En el cintillo de la página 111 puedes observar la fotografía de un zigoto, aumentado millones de veces, donde se aprecian los núcleos de las células sexuales. Cada núcleo tiene 23 cromosomas.

El espermatozoide contiene 23 cromosomas.

El óvulo contiene 23 cromosomas.

La mitad de la información genética está en el espermatozoide y la otra mitad en el óvulo. Cuando se juntan en el zigoto se completa la información genética necesaria para formar al nuevo ser humano.

El zigoto contiene 46 cromosomas.

¿Cómo se determina el sexo?

En el ser humano la determinación del sexo, es decir, que el nuevo ser sea hombre o mujer, está controlado por el modo en el que los cromosomas sexuales se heredan de padres a hijos. Uno de los 23 pares de cromosomas de la nueva célula o zigoto, llamado par sexual o par 23, es el encargado de determinar el sexo del nuevo ser. En la figura de la página 140 puedes observar una imagen de este par de cromosomas, aumentados millones de veces. El par sexual de las mujeres es distinto al de los hombres. Al par sexual de los hombres lo podemos identificar con las letras X y Y (XY), y al de las mujeres, con las letras X y X (XX). El par sexual de la ilustración de la página anterior corresponde a un hombre. Si observas atentamente, notarás que el par está formado por dos cromosomas distintos, uno claramente más grande que el otro. El cromosoma X es el de la izquierda, el cromosoma Y está ubicado a la derecha y es más pequeño que el X.

Todos los óvulos de la mujer tienen el cromosoma sexual X. Podemos representar este proceso de la siguiente forma:

La mitad de los espermatozoides del hombre tienen un cromosoma X y la otra mitad un cromosoma Y. Este proceso se puede representar de igual forma:

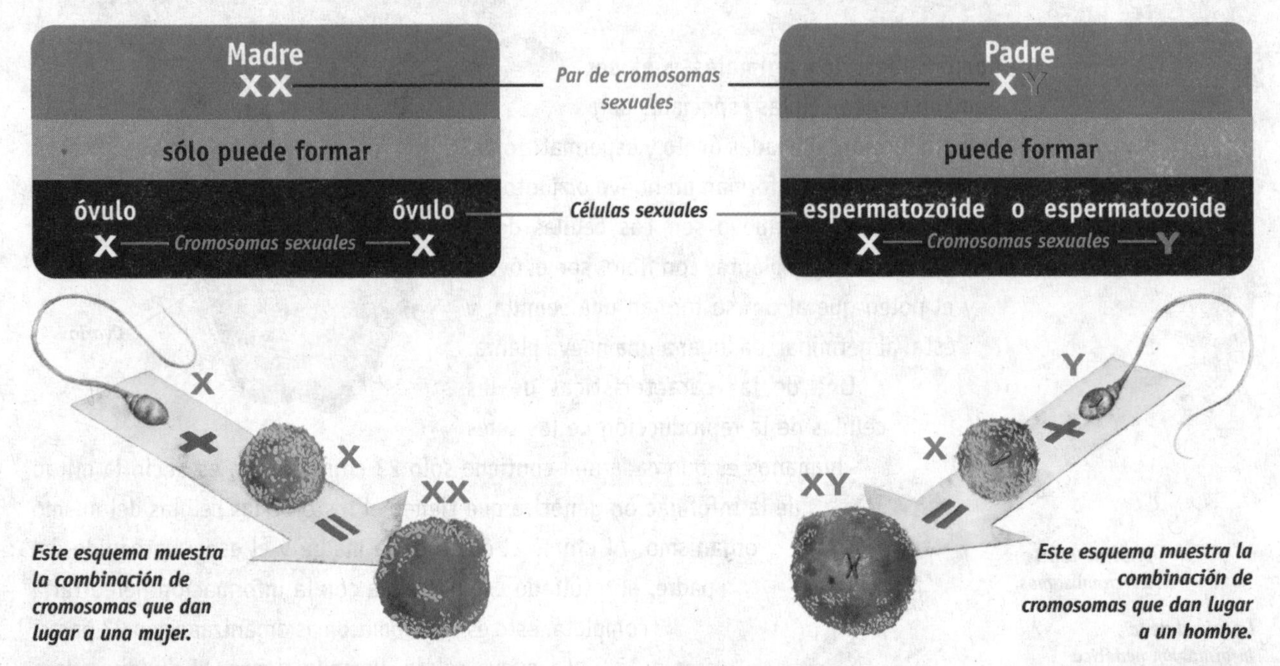

Este esquema muestra la combinación de cromosomas que dan lugar a una mujer.

Este esquema muestra la combinación de cromosomas que dan lugar a un hombre.

Mujer: XX

Como puedes observar, las mujeres sólo forman óvulos con cromosomas sexuales X, mientras que los hombres pueden formar espermatozoides ya sea con un cromosoma X o un cromosoma Y. Se afirma que el sexo del bebé lo determina el padre, ya que es la información genética contenida en el cromosoma sexual de su espermatozoide la que determina que nazca un niño o una niña.

Hombre: XY

Ahora que sabes cómo se determina genéticamente el sexo de un ser humano, ¿qué crees más probable, que nazcan niñas o niños?

Para representar lo que ocurre en el momento de la fecundación, cuando se unen un óvulo y un espermatozoide, podemos usar el esquema siguiente:

	Espermatozoide X	Espermatozoide Y
Óvulo X	XX niña	XY niño
Óvulo X	XX niña	XY niño

Vemos aquí que por cada dos niños hay dos niñas. Cada vez que dos seres humanos se reproducen, la probabilidad de que el bebé sea niño o niña es exactamente la misma.

¿Niña o niño?

Cuando va a nacer un bebé, sus padres y otros parientes se preguntan qué sexo tendrá. Como acabamos de ver, la probabilidad de que sea una niña o un niño es la misma. Para comprobarlo, lleva a cabo la siguiente actividad. Organízate en pareja.

Necesitas por pareja:

75 frijoles negros o de color oscuro, 25 frijoles bayos o de color claro, dos bolsas de papel o de plástico no transparente, un marcador, una hoja cuadriculada tamaño carta

1. ***Copia en la hoja una tabla como la siguiente. Es necesario que tenga 20 renglones.***

Núm. nacimientos	Cromosoma X	Cromosoma Y	Niña	Niño
1				
2				
20				
		Total		

2. ***Anota en una bolsa: "Óvulos (cromosoma X)" y en la otra "Espermatozoides (cromosoma X y cromosoma Y)".***
3. ***Mete 50 frijoles negros en la bolsa que corresponde a los óvulos que, como sabes, tiene cada uno un cromosoma X.***
4. ***Ahora pon en la otra bolsa 25 frijoles negros que representan a los espermatozoides con cromosoma X y 25 bayos que representan a los espermatozoides con cromosoma Y. Revuélvelos muy bien.***
5. ***Toma, sin ver, un frijol de cada bolsa. Cada par de frijoles representa un nacimiento. Observa de qué color son y registra en tu tabla con una palomita el cromosoma que representa cada frijol y si fue niña o niño de acuerdo con la combinación.***

Si salen dos frijoles negros ¿es niña o niño? Si sale un frijol negro y un bayo ¿es niña o niño? ¿Pueden salir dos frijoles bayos? Explica en cada caso tu respuesta.

6. ***Regresa, cada vez, los frijoles a sus bolsas, sin equivocarte de bolsa, y repite 20 veces los pasos 5 y 6.***

Al finalizar cuenta el total de niñas y de niños que hay en las columnas de tu tabla. Cada pareja dicte sus resultados al grupo. Suma el total de nacimientos de niñas y de niños para obtener el resultado del grupo y elabora una gráfica de barras.

Compara los resultados obtenidos y contesta en tu cuaderno las siguientes preguntas: ¿Cuál fue el total de niñas y niños que resultaron en tu tabla? ¿Cuál fue el total de niñas y niños que resultaron en el grupo? ¿Por qué crees que se obtuvieron esos resultados?

1 

2 

3 

4 

5 

6 

¿Qué pasa cuando se alteran los cromosomas?

Además del sexo, otras características humanas son heredadas en los cromosomas sexuales X y Y. Un ejemplo es la alteración visual llamada daltonismo. Como viste en tu libro de Ciencias Naturales de cuarto grado, las personas que presentan esta condición no pueden distinguir claramente los colores verde y rojo. Esta característica se localiza únicamente en el cromosoma X. Un hombre cuyo cromosoma X, heredado de su madre, contenga la alteración, sufrirá de daltonismo. En cambio, las mujeres que heredan un cromosoma X defectuoso de su madre, si heredan un cromosoma X normal de su padre, no serán daltónicas.

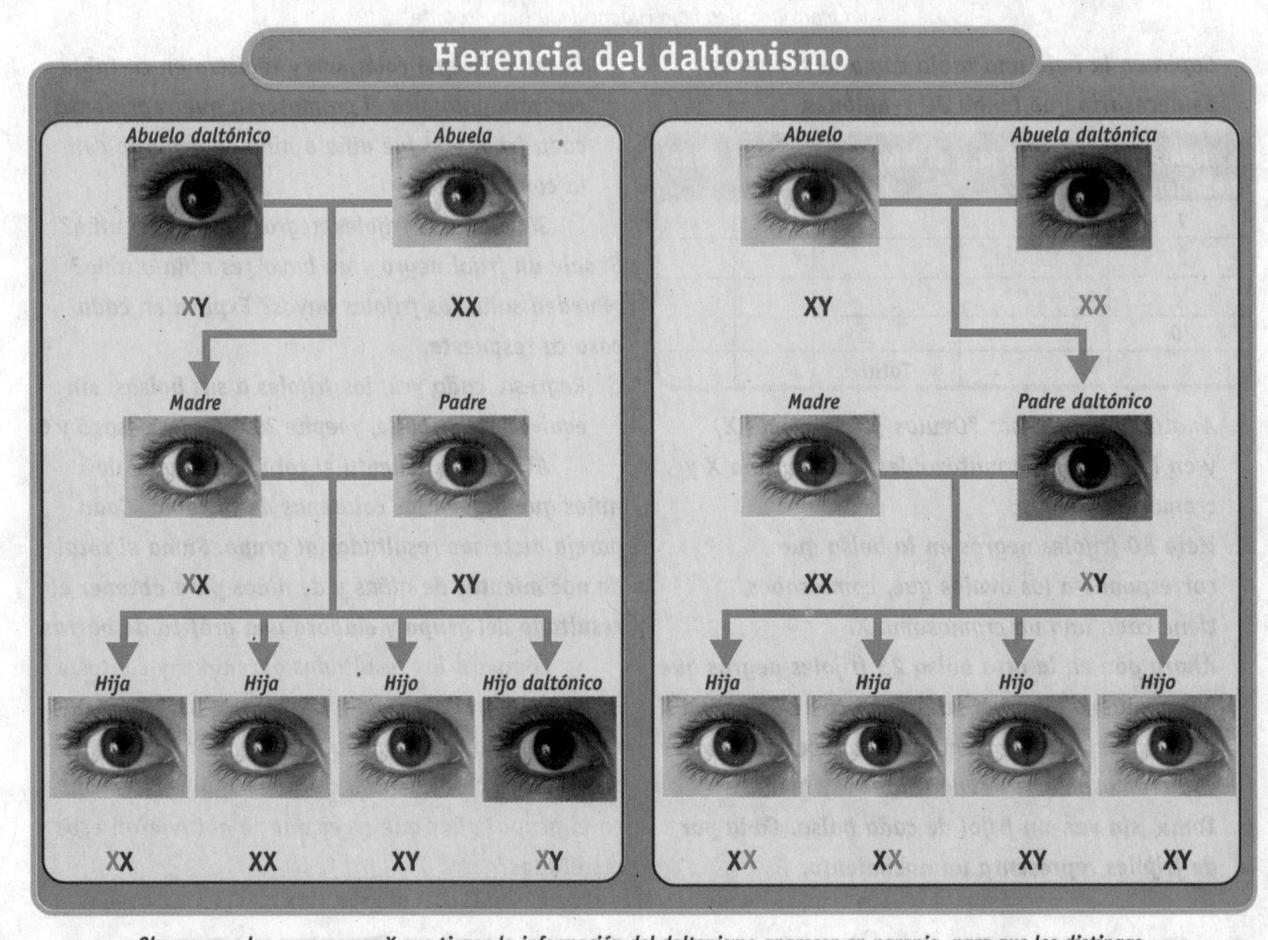

Observa que los cromosomas X que tienen la información del daltonismo aparecen en naranja, para que los distingas. Puedes observar también que se ha utilizado una pantalla de color morado para identificar el daltonismo. Sin embargo, es importante que sepas que no podemos ver el daltonismo en el color de los ojos de una persona.

Algunas enfermedades y condiciones que presentan los seres humanos son causadas por alteraciones cromosómicas. Tal es el caso del llamado síndrome de Down. Las personas con esta condición tienen algún grado de deficiencia mental. Esto se debe a la presencia de un cromosoma extra en el par 21, en cada una de las células del individuo. Así, en lugar de tener 46 cromosomas, las células de las personas con síndrome de Down tienen 47.

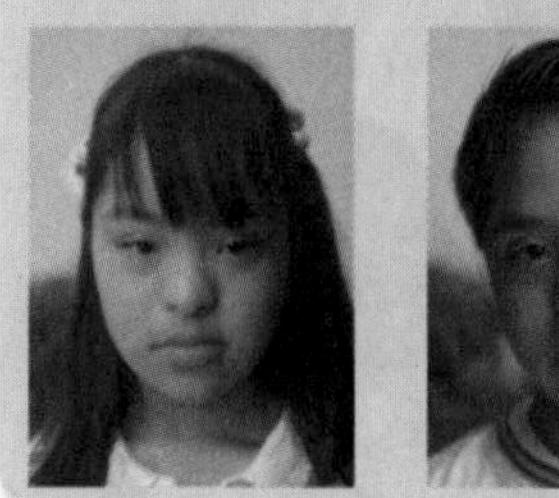

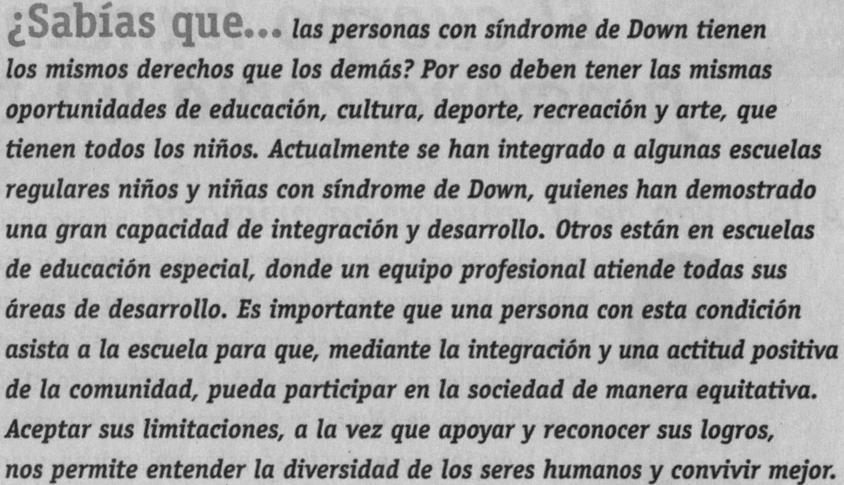

***¿Sabías que...** las personas con síndrome de Down tienen los mismos derechos que los demás? Por eso deben tener las mismas oportunidades de educación, cultura, deporte, recreación y arte, que tienen todos los niños. Actualmente se han integrado a algunas escuelas regulares niños y niñas con síndrome de Down, quienes han demostrado una gran capacidad de integración y desarrollo. Otros están en escuelas de educación especial, donde un equipo profesional atiende todas sus áreas de desarrollo. Es importante que una persona con esta condición asista a la escuela para que, mediante la integración y una actitud positiva de la comunidad, pueda participar en la sociedad de manera equitativa. Aceptar sus limitaciones, a la vez que apoyar y reconocer sus logros, nos permite entender la diversidad de los seres humanos y convivir mejor.*

La genética es la ciencia que estudia, entre otras cosas, cómo se heredan los cromosomas de padres e hijos. Los genetistas construyen esquemas familiares a los cuales denominan árboles genealógicos, con el propósito de tener una guía o método para investigar las probabilidades de que un niño o una niña puedan nacer con alguna enfermedad hereditaria, así como también otras características tales como su estatura, el color de sus ojos o el de su cabello.

Construye tu propio esquema genealógico

Puedes hacer tu propio esquema genealógico mostrando una característica, como el color de ojos, del cabello o la estatura. En el siguiente ejemplo, observa el color de ojos de los integrantes de una familia. ¿De quién heredó la niña el color de sus ojos?

¿Te gustaría saber de quién heredaste alguna de tus características? Selecciona alguna y construye en tu cuaderno tu propio esquema genealógico. ¿Qué encontraste? ¿De quién heredaste esa característica? ¿Alguno de tus hermanos también la heredó?

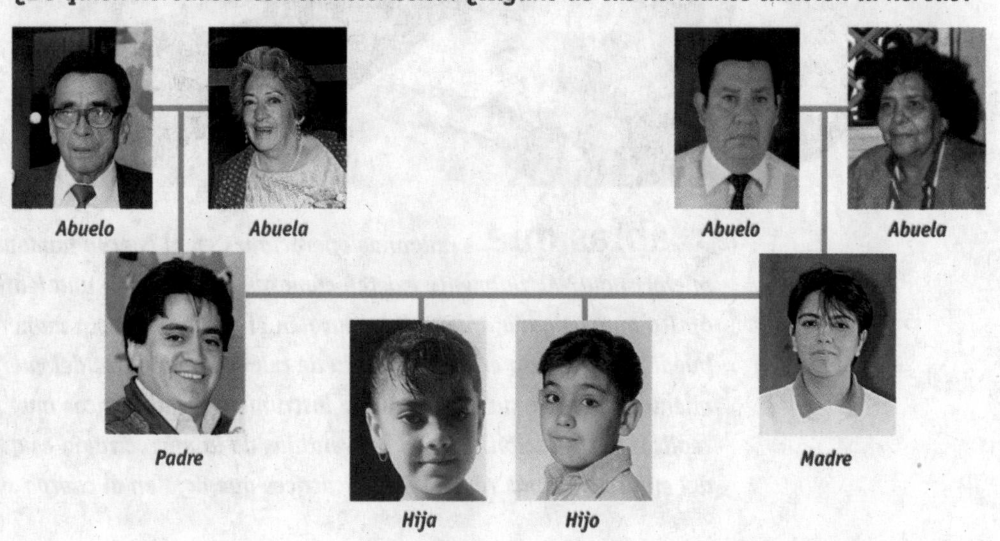

LECCIÓN 22 El cuerpo humano funciona como un todo

A lo largo de tu educación primaria has ido conociendo tu cuerpo. Ahora sabes que tienes diversos aparatos y sistemas, formados por docenas de órganos, cada uno de los cuales tiene una o varias funciones que cumplir. A su vez, los órganos están formados por cientos de tejidos distintos, constituidos por billones de células que realizan miles de tareas. Todos los órganos y estructuras están relacionadas entre sí, de manera que todo el cuerpo funcione coordinadamente. Sin embargo, pocas veces pensamos en lo que tenemos dentro del cuerpo ni podemos verlo, pues está envuelto por la piel.

Si pensáramos en el cuerpo humano como una máquina, difícilmente podríamos encontrar una más perfecta y maravillosa, pues además de todas las funciones que cumple, crece y se desarrolla de manera organizada.

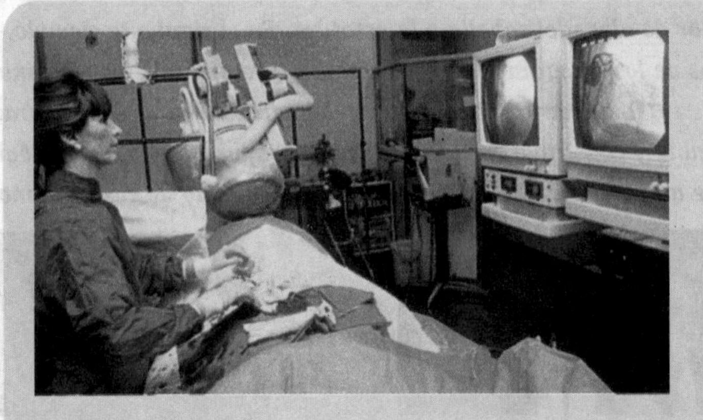

¿Sabías que... *alguna operaciones en el cuerpo humano se realizan con microcirugía? Actualmente existen cámaras de video con una lente hecha de fibra óptica muy delgada, que se introduce en el cuerpo. De esta manera el médico cirujano puede estar viendo en una pantalla de televisión la parte del cuerpo afectada, mientras que con sus manos dirige instrumentos quirúrgicos muy pequeños para realizar la operación. Una de las ventajas de la microcirugía es que la recuperación del enfermo es más rápida y las cicatrices que deja en el cuerpo son muy pequeñas.*

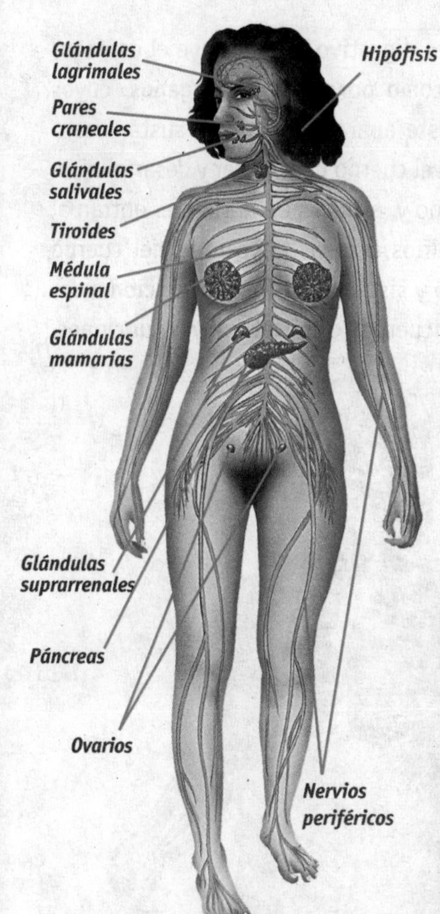

Sistema nervioso y sistema glandular

Recuerda que en nuestro cuerpo existen tres sistemas de comunicación: el nervioso, el glandular y el inmunológico. Por medio de ellos, cada célula recibe señales que le informan lo que ocurre en otros lugares del cuerpo. También a nivel celular se intercambian nutrientes y oxígeno, a través de los aparatos digestivo y respiratorio, así como del sistema circulatorio.

El sistema nervioso, por medio de los órganos de los sentidos, nos permite saber lo que ocurre a nuestro alrededor y nos previene contra situaciones de riesgo. Las neuronas que forman la sustancia gris del cerebro nos hacen capaces de pensar, de sentir y de recordar. El sistema nervioso recibe y envía señales eléctricas a los tejidos, por medio de las cuales percibimos dolor, calor, frío y presión, de manera que si, por ejemplo, sufrimos alguna lesión, rápidamente nos damos cuenta.

El sistema glandular produce hormonas que viajan a través de la sangre, encargándose de comunicar a todas las células del organismo cuándo se deben dividir, cuándo deben producir ciertas sustancias y en qué cantidad o cuándo dejar de producirlas. Así, crecemos y nos desarrollamos de manera armoniosa y coordinada.

El sistema inmunológico está formado por células encargadas de defender y proteger el cuerpo en contra de los microbios, produciendo anticuerpos capaces de eliminar una mayoría de ellos y de reconocerlos si vuelven a entrar al cuerpo. Las células de este sistema están distribuidas en todo el organismo y son también las encargadas de eliminar a aquellas células que se van haciendo viejas o mueren, o bien a aquéllas cuyos cambios las convierten en células cancerosas. Algunas células del organismo tienen este tipo de alteraciones desde el nacimiento, pero el sistema inmunológico puede detectarlas y eliminarlas. El cáncer es una enfermedad en la cual las células pierden el control para dividirse, por lo que lo hacen más rápido y sin cesar, formando abultamientos que se denominan tumores malignos.

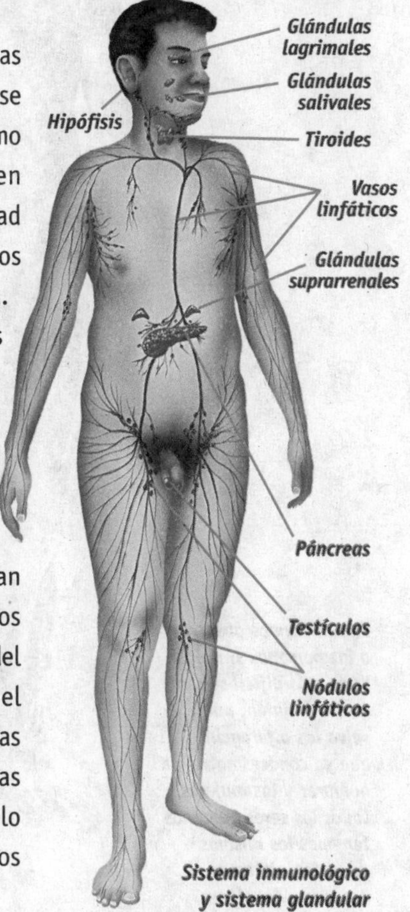

Sistema inmunológico y sistema glandular

El aparato digestivo está formado por la boca, el tracto digestivo, que incluye el esófago, el estómago y los intestinos delgado y grueso, así como por otros dos órganos, cuyos tejidos son muy distintos: el hígado y el páncreas. Este aparato separa las sustancias o nutrimentos que contienen los alimentos y que necesita el cuerpo para crecer y desarrollarse. Los nutrimentos son absorbidos por el intestino delgado y, a través de la sangre, entran al sistema circulatorio, que es el encargado de distribuirlos a todas las células del cuerpo humano. Estas sustancias sirven a cada tejido, aparato y sistema para seguir funcionando, reproducir más células y por lo tanto crecer, crear anticuerpos o iniciar nuevas funciones.

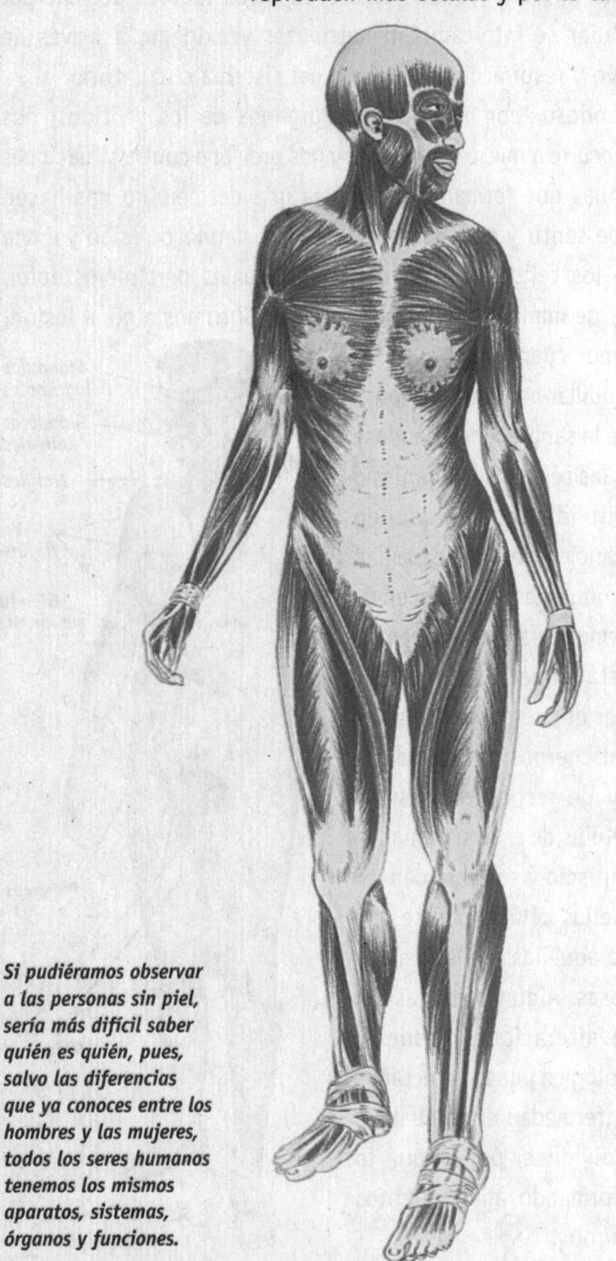

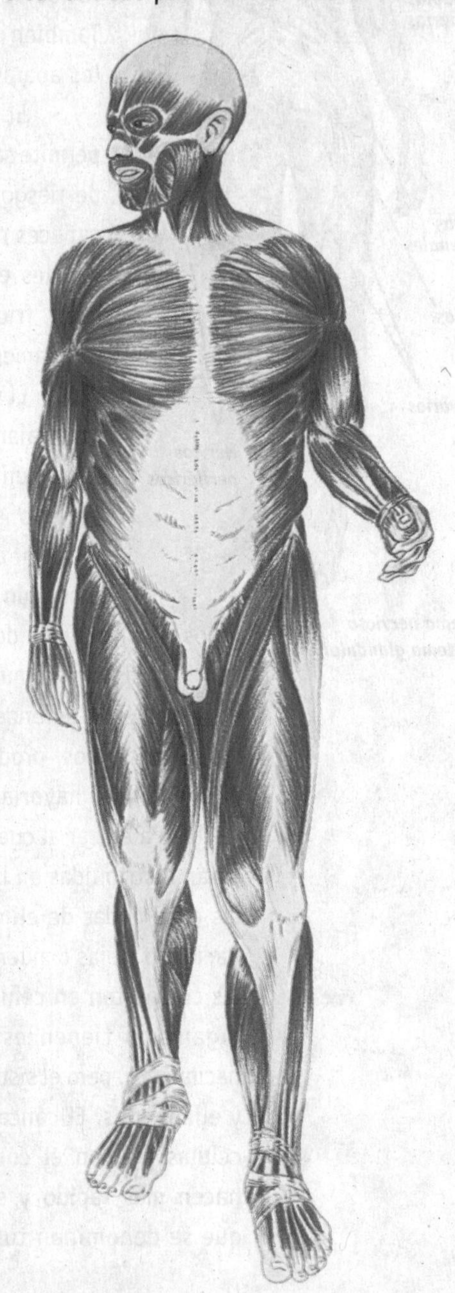

Si pudiéramos observar a las personas sin piel, sería más difícil saber quién es quién, pues, salvo las diferencias que ya conoces entre los hombres y las mujeres, todos los seres humanos tenemos los mismos aparatos, sistemas, órganos y funciones.

El sistema circulatorio, además de distribuir los nutrimentos en todo el cuerpo humano, también reparte el oxígeno que las células necesitan para realizar los procesos antes descritos. Como recordarás de tus libros de Ciencias Naturales de años anteriores, mediante la respiración el ser humano obtiene el oxígeno y elimina el dióxido de carbono, producto de la combustión celular. El oxígeno se introduce por el torrente sanguíneo en los alvéolos pulmonares.

Todas y cada una de las partes del cuerpo son muy importantes y están relacionadas unas con otras, aunque no nos demos cuenta. Por ejemplo: ¿has pensado que el aparato locomotor, formado por los músculos y los huesos del cuerpo, es necesario, entre otras cosas, para dormir? Imagínate qué pasaría si no pudieras cerrar los ojos con los músculos que tienen los párpados. ¿Podrías dormir o ver igual que ahora?

La salud y la enfermedad

VAMOS A EXPLORAR

Estar sano significa tener un estado de bienestar físico y psicológico. Cuando alguien está enfermo, casi siempre pensamos en lo que le sucede a su cuerpo, pero pocas veces sabemos que hay otros aspectos que también se afectan. La siguiente actividad te va a permitir reflexionar al respecto.

Elabora un cuestionario para conocer las molestias físicas y las repercusiones de algunas enfermedades. Entrevista a cinco familiares o vecinos. Puedes hacer preguntas como:

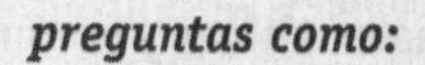

- ***¿De qué se ha enfermado recientemente?***
- ***¿Qué molestias físicas tuvo?***
- ***¿Cómo supo que estaba enfermo?***
- ***¿Qué actividades de las que regularmente realiza tuvo que suspender?***
- ***¿Qué otros problemas le ocasionó la enfermedad?***
- ***¿Qué cambios tuvo en su estado de ánimo?***

Copia en tu cuaderno una tabla como la siguiente y organiza en ella la información que obtuviste.

Enfermedad	*Molestias físicas*	*Repercusiones en sus actividades*	*Repercusiones en su estado de ánimo*

Analiza tu tabla y comenta tus observaciones con tus compañeras y compañeros.

LECCIÓN 23 La cultura de la prevención

Existe un viejo refrán que dice: "Más vale prevenir que lamentar". Esto es muy cierto, sobre todo cuando se trata de nuestra salud física y emocional.

El descubrimiento de Louis Pasteur de que los microbios causan enfermedades significó un gran avance para la medicina y la preservación de los alimentos.

Trata de imaginar qué hubiera pasado con la especie humana si, desde su origen y a lo largo de la historia, los hombres y las mujeres no recordaran las acciones que innecesariamente pusieron en peligro sus vidas. Lo más probable es que no hubieran sobrevivido. Sin embargo, el registro de estas experiencias fue, poco a poco, permitiendo a la humanidad repetir las conductas que la benefician y evitar las que tienen consecuencias indeseables. A esta manera de actuar la llamamos prevención.

El avance de la ciencia ha contribuido a mejorar la prevención, al reunir la información necesaria para identificar situaciones de riesgo. Tal es el caso, por ejemplo, de las enfermedades infecciosas. Desde hace miles de años, los seres humanos intentaron remediar las enfermedades que los aquejaban una vez que éstas se manifestaban. No tenían manera de prevenirlas, porque sabían muy poco sobre el cuerpo humano y, con frecuencia, achacaban los males a seres y fenómenos sobrenaturales. A lo largo de la historia de la humanidad, en las distintas regiones y culturas del mundo, los médicos experimentaron con distintos métodos, sustancias o productos naturales para tratar de curar las enfermedades, pero no fue sino hasta mediados del siglo XIX cuando se descubrió que muchas enfermedades son producidas por microbios y que es posible evitarlas. A estas enfermedades, como la gripe, la amibiasis, la poliomielitis o el sarampión, se les denomina infecciosas. Ahora sabemos que algunas enfermedades no infecciosas como la anemia o las adicciones también pueden prevenirse con una vida sana: mediante una alimentación adecuada, durmiendo bien, evitando consumir sustancias nocivas y haciendo ejercicio.

En el siglo XIX se sabía que por medio del agua se podían transmitir enfermedades e imaginaban a los microbios con formas fantásticas, como puedes apreciar en este cartel de esa época.

El caso de la poliomielitis

La poliomielitis es una enfermedad que, a fines del siglo pasado, se extendió muy rápidamente en América atacando a muchas personas. En México, las primeras epidemias se registraron hace más de 50 años y causaron muchas víctimas, ya que no fue sino a principios de los años sesenta cuando se empezó a utilizar la vacuna antipoliomielítica oral.

El último caso de poliomielitis registrado en México sucedió en 1990. En la actualidad, ya no hay poliomielitis en América. En nuestro país, este logro se debe, fundamentalmente, a la realización de los "Días Nacionales de Vacunación Antipoliomielítica", que se iniciaron en 1986, con el fin de vacunar a toda la población infantil.

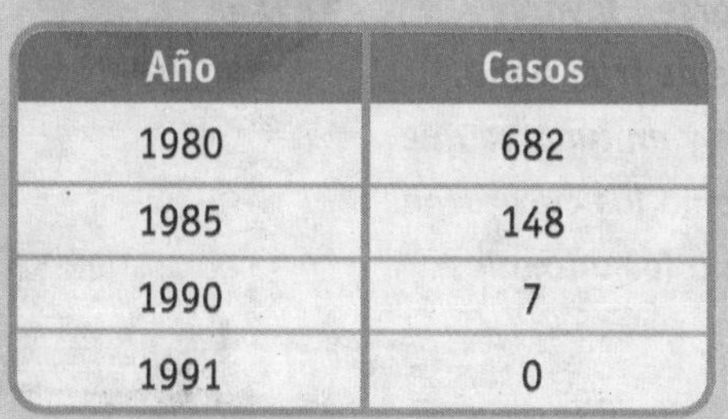

Año	Casos
1980	682
1985	148
1990	7
1991	0

Compara las cifras de la tabla y observa cómo, a lo largo de una década, fue descendiendo el número de casos de poliomielitis en México.

¿Cómo adquirir una cultura de la prevención?

Somos capaces de prevenir cuando tenemos información suficiente acerca de lo que es peligroso o de lo que por diversas razones hemos de evitar o procurar; asimismo, la reflexión sobre estos asuntos nos permite entender por qué y para qué hay que prevenirnos. Por ejemplo, las sustancias peligrosas que usamos en el hogar suelen llevar una advertencia, y si alguien nos explica o pensamos en las consecuencias que puede tener manejarlas sin cuidado, es más probable que las manipulemos con precaución.

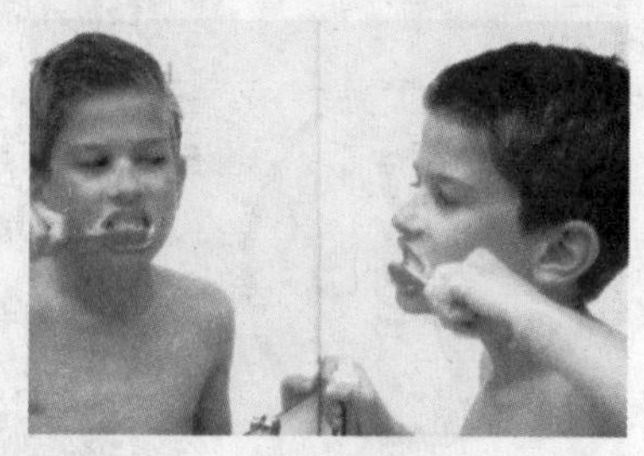

Es necesario tomar en cuenta que tener información y reflexionar sobre ella puede no ser suficiente si este conocimiento no se ve reflejado en nuestros hábitos, es decir, en esa gran cantidad de medidas sencillas de prevención básica que realizamos cotidianamente, y que se forman después de repetirlas una y otra vez, como lavarnos los dientes, no tirar la basura al aire libre o fijarnos antes de cruzar una calle.

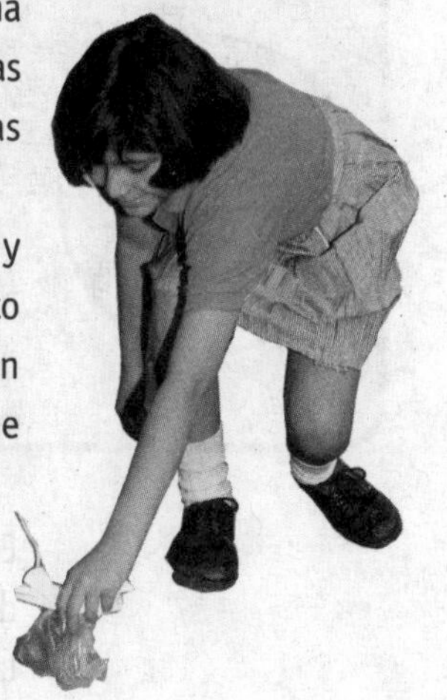

Para adquirir una verdadera cultura de la prevención hay que tener buenos hábitos y saber cuán necesario es pensar antes de actuar. Sin embargo, a veces no es fácil que las personas se convenzan y adopten estos hábitos. Si en México todos contribuimos a fomentar una cultura de la prevención que tienda a lograr mejores condiciones de salud de la población, muy pronto veremos grandes cambios. Por eso es fundamental que las personas de todas las edades conozcan y apliquen medidas como las siguientes:

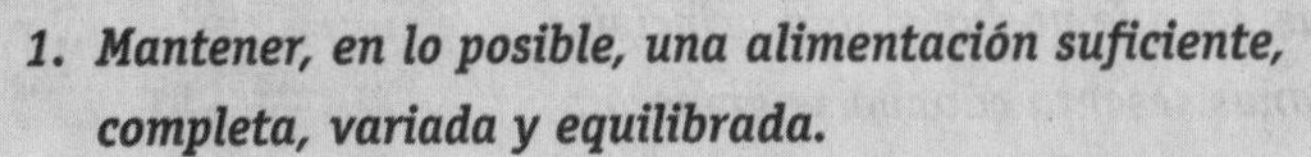

1. ***Mantener, en lo posible, una alimentación suficiente, completa, variada y equilibrada.***

2. *Vacunar a las niñas y los niños.*

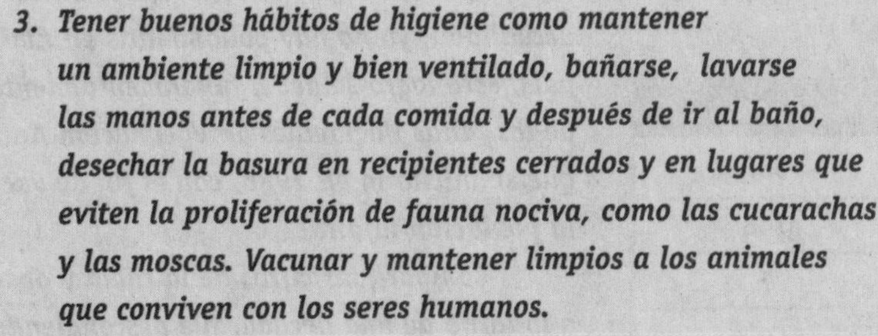

3. ***Tener buenos hábitos de higiene como mantener un ambiente limpio y bien ventilado, bañarse, lavarse las manos antes de cada comida y después de ir al baño, desechar la basura en recipientes cerrados y en lugares que eviten la proliferación de fauna nociva, como las cucarachas y las moscas. Vacunar y mantener limpios a los animales que conviven con los seres humanos.***

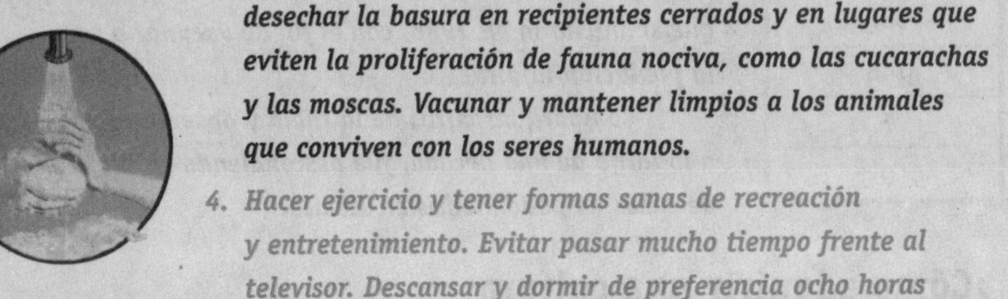

4. *Hacer ejercicio y tener formas sanas de recreación y entretenimiento. Evitar pasar mucho tiempo frente al televisor. Descansar y dormir de preferencia ocho horas al día.*

5. ***No consumir drogas u otras sustancias que pueden crear adicción.***

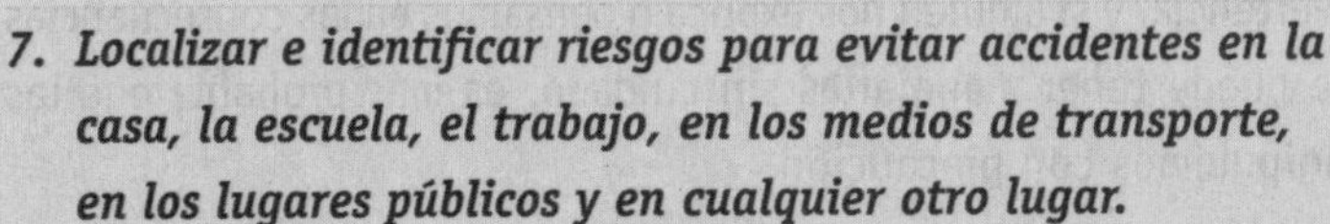

6. *Posponer el inicio de las relaciones sexuales hasta la edad adulta, cuando se está preparado física y emocionalmente para ello, y, en su momento, tenerlas con responsabilidad y protección.*

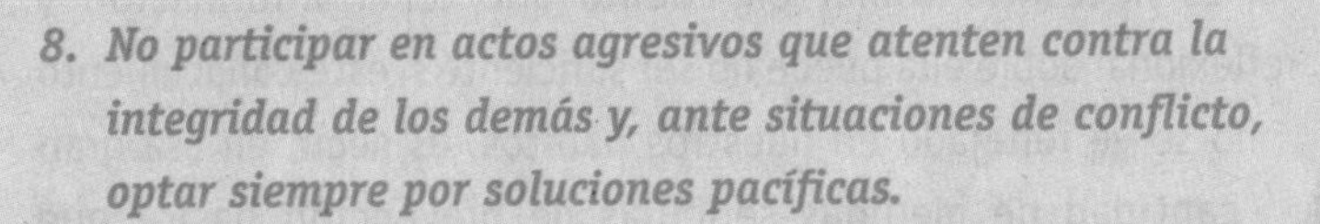

7. ***Localizar e identificar riesgos para evitar accidentes en la casa, la escuela, el trabajo, en los medios de transporte, en los lugares públicos y en cualquier otro lugar.***
8. *No participar en actos agresivos que atenten contra la integridad de los demás y, ante situaciones de conflicto, optar siempre por soluciones pacíficas.*

En tus cursos anteriores de Ciencias Naturales estudiaste temas relacionados con la mayoría de estas medidas, analizaste su importancia. En esta lección se ampliará especialmente la información sobre los temas que corresponden al sexto grado.

Prevenir las adicciones

Como estudiaste en la lección 12 de este libro, hay adicciones a sustancias nocivas muy diversas y con consecuencias muy graves. Por ello la prevención es clave. Si una persona conoce sus riesgos es más probable que evite la adicción, que si no los conoce.

Los testimonios de adictos en rehabilitación confirman que si hubieran conocido los riesgos de probar las drogas no lo hubieran hecho. Tú debes saber que, además de conocer los riesgos, es importante aprender a rechazar cualquier ofrecimiento de algo que te cause daño.

Evitemos las adicciones

La diversidad de consecuencias graves que el consumo de drogas tiene tanto para los adictos como para la comunidad, ha hecho necesario que instituciones muy variadas desarrollen programas y campañas para informar acerca de los problemas que ocasiona el consumo de estos productos, así como para combatir que se produzcan y distribuyan. Averigua si en tu comunidad existen tales medidas. Para esto puedes revisar los mensajes en periódicos, revistas, radio, televisión o buscar folletos y carteles en oficinas públicas y en las unidades de salud. También puedes preguntar a una persona mayor. En cada caso, reúne la información que encuentres y organízala.

Anota en tu cuaderno algunas características, por ejemplo: el contenido de la información que se transmite, cómo se ilustra y por qué y en dónde se difunde. Reúne tu información con la de tus compañeros y comenta con ellos si consideras que la información que se da a la comunidad es suficiente para contribuir a la prevención de las adicciones.

Organiza con tu maestra una exposición en la escuela a la que inviten a los padres y a otros miembros de tu comunidad, para que conozcan esta información y la importancia que tiene evitar las adicciones.

Cómo prevenir la farmacodependencia entre los jóvenes

Secretaría de Salud

Consejo Nacional contra las Adicciones

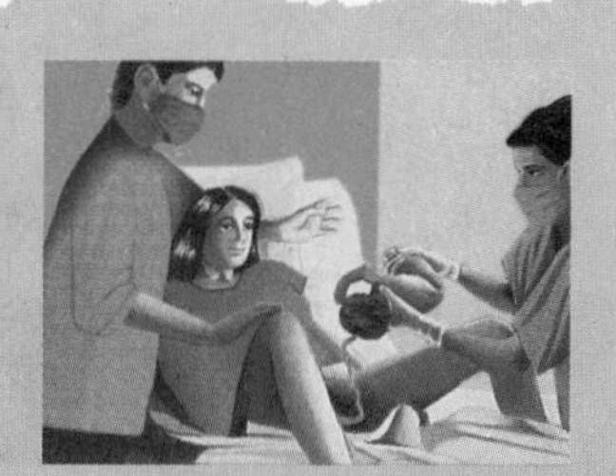

Las enfermedades de transmisión sexual

Ahora que hemos visto cómo funciona el aparato sexual de los seres humanos, es importante hablar de las enfermedades que se pueden transmitir de una persona a otra durante las relaciones sexuales. La mayoría de estas enfermedades son muy antiguas. La sífilis y la gonorrea son dos de las enfermedades de transmisión sexual más antiguas de la humanidad y más comunes en nuestro país.

Hay una nueva enfermedad de transmisión sexual y, sin duda, la más grave, llamada sida, de la que probablemente has oído hablar. El sida (síndrome de inmunodeficiencia adquirida) se descubrió en 1981. Es una enfermedad provocada por un virus: el VIH (virus de la inmunodeficiencia humana), que destruye las células del sistema inmunológico.

El VIH se encuentra principalmente en la sangre y en los líquidos o secreciones que producen los órganos sexuales de las personas infectadas o enfermas: el semen, los fluidos vaginales y el sangrado menstrual. El sida es una enfermedad mortal para la que, hasta hoy, no existe ninguna cura.

El VIH infecta las células del sistema inmunológico encargadas de proteger al organismo contra las enfermedades infecciosas, por lo que las defensas de un enfermo de sida bajan y lo hacen susceptible a infecciones causadas por microbios que normalmente no le harían un daño mortal.

El sida solamente se puede contagiar de tres maneras:

- Por contacto con sangre de una persona infectada, por ejemplo, en una transfusión, o por una herida, al usar jeringas infectadas, o por lesiones de instrumentos no esterilizados. Para evitar contagios es necesario usar siempre jeringas y agujas desechables nuevas. En caso de una transfusión, la sangre utilizada debe llevar la etiqueta de "sangre segura".
- Cuando una mujer infectada se embaraza puede transmitirle el virus a su bebé durante el embarazo, el parto o al amamantarlo.
- El sida se contagia al tener relaciones sexuales con una persona infectada por el VIH, razón por la cual las personas adultas que están en edad de tener relaciones sexuales deben ser responsables en el ejercicio de su sexualidad.

Para prevenir el sida es importante usar jeringas desechables nuevas. Cuando una enfermera o un médico te vaya a inyectar, debe mostrarte que está utilizando una jeringa y una aguja nuevas.

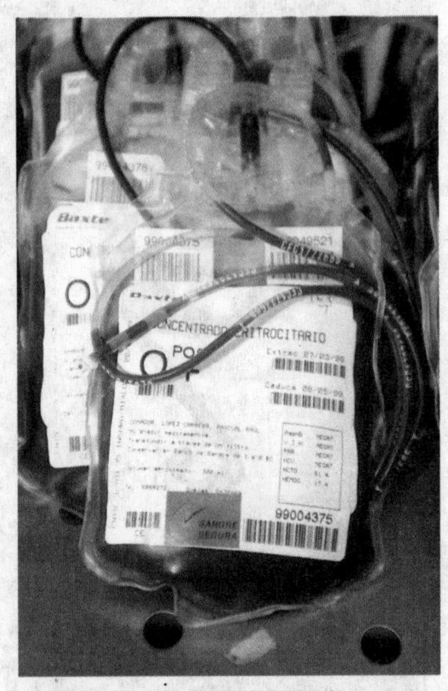

Esta etiqueta garantiza que la sangre no está infectada.

La mejor manera de combatir las enfermedades de transmisión sexual es mediante la prevención. En el caso del sida esto es aún más importante pues, como ya se dijo, hasta ahora no existe ningún tratamiento que lo cure. Para evitar el contagio por vía sexual, cada persona deberá decidir entre una o varias de las siguientes recomendaciones:

- Sólo tener contacto sexual con una pareja sana, quien, a su vez, no tenga relaciones sexuales con otras personas.
- Usar preservativo o condón durante la relación sexual para impedir el contacto entre los líquidos y secreciones que producen los órganos sexuales.
- No tener relaciones sexuales.

Hay personas que piensan que el sida se puede contagiar al convivir con una persona infectada. Eso es falso. El sida no se puede contagiar por la saliva, ni por las lágrimas, la orina, el excremento, el sudor o los estornudos. Por eso no hay riesgo en tratar con una persona infectada en la misma escuela, en el trabajo o en la casa. Las personas enfermas necesitan la compañía de su familia y amigos y el apoyo de la sociedad.

En caso de alguna duda, es importante consultar, de manera abierta y franca, a los padres o a un adulto al que se le tenga confianza, así como consultar a un médico para recibir orientación e información más precisas.

Así no se transmite el VIH.

Prevención de accidentes

En México, los accidentes son causa de muchas muertes y lesiones que frecuentemente dejan a los niños, los jóvenes y los adultos con algún grado de discapacidad. La mayoría de estos accidentes se puede prevenir. En grados anteriores aprendiste que al jugar con explosivos, trepar por lugares peligrosos o jugar en calles y carreteras por donde transitan automóviles se corren riesgos innecesarios que te pueden causar serios daños e incluso la muerte. También estudiaste cómo prevenir accidentes en la calle, en la escuela y en la casa, sobre todo en la cocina y el baño, así como los primeros auxilios que se le pueden brindar a una persona que sufre un accidente. A continuación analizarás en qué consisten las quemaduras y los envenenamientos y cómo prevenirlos.

Mantener lejos del alcance de los niños objetos calientes como una plancha, una parrilla, o una olla con agua caliente es una medida para prevenir quemaduras.

Las quemaduras de la piel son lesiones producidas por la acción del calor sobre los tejidos del cuerpo, las cuales pueden ocurrir por contacto con agua caliente o vapor, fuego directo, corriente eléctrica, objetos calientes, así como por la ingestión de productos como sosa cáustica, destapador de caños, ácido muriático, limpiador de hornos, líquido de acumuladores, tíner o aguarrás, entre otros. Todas las quemaduras producen un intenso dolor y las más graves hacen que el cuerpo pierda grandes cantidades de agua y de proteínas hasta causar un estado crítico. La piel quemada pierde la capacidad de proteger al organismo y, si se infecta y no se atiende oportunamente, puede producir complicaciones mortales. Este tipo de lesiones afecta tanto física como emocionalmente a la persona quemada, pues dejan una huella imborrable en su cuerpo.

No se debe jugar con los cables de alta tensión, ni tampoco con cohetes, ya que el riesgo de quemarse es muy alto y pueden causar daños y lesiones muy graves.

Las personas que sufren quemaduras severas deben recibir atención médica, psicológica y rehabilitación física. La atención médica oportuna de la quemadura es vital para evitar complicaciones, así como para lograr su restablecimiento en condiciones óptimas.

Para evitar los envenenamientos y las quemaduras internas no se deben guardar en envases de refresco productos que contengan sustancias cáusticas o tóxicas, como tíner, aguarrás, veneno para ratas o insecticida.

Los envenenamientos se producen por la ingestión de sustancias tóxicas. Los síntomas y su tratamiento dependen de cada sustancia. No obstante, suelen ser comunes la irritación de la boca, de la garganta y del estómago, así como la náusea y el vómito. Algunos primeros auxilios para quien ingiere sustancias tóxicas son aflojarle la ropa, mantenerla en reposo sin que se duerma, no darle de comer y, lo más importante, acudir al médico e informarle con precisión el tipo de sustancia ingerida.

Para evitar que ocurran accidentes debemos prevenirlos, identificando las situaciones de riesgo que pueden ocasionarlos y tomando las medidas necesarias en cada caso.

¡Cuidado con algunos productos!

Los accidentes por quemadura y envenenamiento son muy comunes en nuestro país, pero en su mayoría pueden ser prevenidos.

Identifica cinco productos que se utilizan en tu casa, como detergentes, solventes, desinfectantes, insecticidas, pintura, jabones líquidos y de pasta, así como algunos de los que utilizas en la escuela: pegamentos, marcadores y pinturas.

Anota en tu cuaderno qué tipo de envases los contienen y el lugar donde se guardan. Revisa la etiqueta y la información del envase de cada producto.

Contesta las siguientes preguntas: ¿qué información proporcionan las etiquetas? ¿Qué medidas de seguridad se recomiendan para su uso? ¿Qué advertencias se dan en cada producto, en caso de usarlo inadecuadamente? ¿Qué consecuencias puede tener inflamar, ingerir o inhalar estos productos? ¿Qué precauciones se tienen en tu casa para guardar y usar estos productos?

Comenta tus respuestas en equipo y elabora un cartel o un folleto en el que informes a la comunidad sobre el uso riesgoso de estos productos y sobre algunas medidas necesarias para evitar que provoquen quemaduras o envenenamientos.

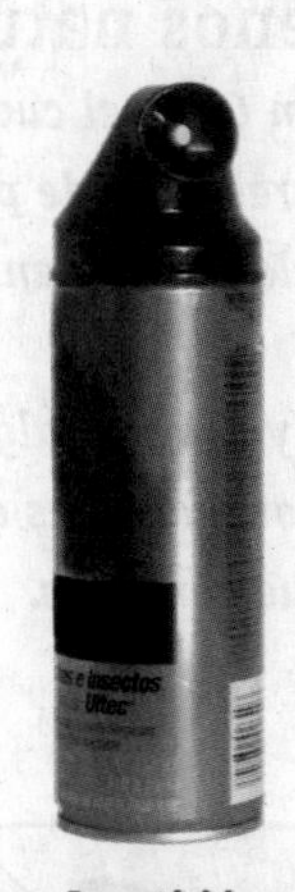

Insecticida

Jabón

Desinfectante

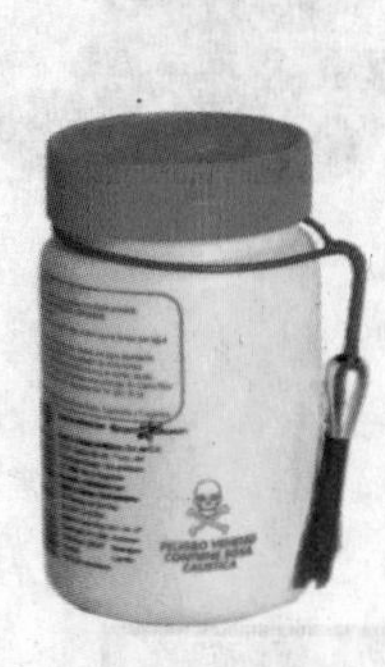

Sosa cáustica

Además de evitar los accidentes por envenenamiento o quemadura, también es importante que se prevengan las picaduras de animales ponzoñosos o venenosos como el alacrán y las mordeduras de víboras como la de cascabel o la nauyaca, entre otros.

Si visitas o vives en un lugar donde puedas encontrar animales venenosos, es conveniente que sepas cuáles son y tomes en cuenta algunas medidas para evitar que te piquen o muerdan. Por ejemplo, impide que se acumulen escombros, desperdicios o basura; mantén limpios los roperos y gabinetes; revisa con cuidado ropa, botas y zapatos; sacude bien las sábanas y toallas antes de usarlas; procura que las paredes, escaleras y patas de muebles sean de material liso para evitar que los animales trepen por ahí.

¿Qué animales ponzoñosos hay en tu localidad?

Tú puedes prevenir las picaduras de animales venenosos. Identifica en tu localidad los posibles lugares en donde se pueden esconder alacranes u otros animales venenosos. ¿Por qué crees que se encuentran ahí? ¿Qué podrías hacer para evitar que estén en esos lugares? Coméntalo con tus compañeros y anota en tu cuaderno algunas medidas para evitar que te pique alguno de ellos.

Una forma de evitar que los alacranes suban a la cama es poner las patas en recipientes con agua.

Además de prevenir accidentes debemos estar preparados y saber qué hacer en caso de que ocurra algún desastre natural, como los que estudiaste en la lección 4 de este libro.

Desastres provocados por fenómenos naturales

En México existe el Sistema Nacional de Protección Civil, el cual emplea unos símbolos particulares para alertar a la población respecto de posibles riesgos. Es importante que conozcas y atiendas estos señalamientos en el lugar en que vives o visites.

Observa con cuidado las señales siguientes y fíjate si alguno de esos riesgos existe en tu comunidad. Escribe en tu cuaderno por qué crees que existen esos riesgos. Dibuja otros señalamientos semejantes que conozcas.

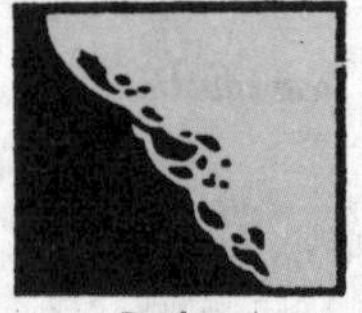
Deslave

Envenenamiento

Flujo de lodo

Huracán

Incendio forestal

Volcán

Radiaciones

Sequía

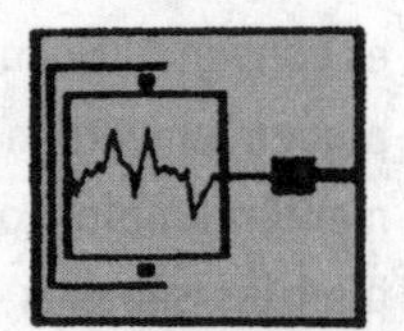
Sismo

Tormentas eléctricas

Salud integral

Para que una cultura de la prevención sea efectiva, debe tomarse en cuenta el bienestar o la salud integral de las personas, es decir, tanto sus aspectos físicos como emocionales.

Una cultura efectiva de la prevención

Lee con cuidado las siguientes preguntas y reflexiona:

1. ***¿Qué puedes hacer tú para cuidarte física y emocionalmente?***
2. ***¿Qué puedes hacer tú si alguna persona quiere inducirte a prácticas que te dañan?***
3. ***¿Cómo puedes cuidar tu integridad física y evitar que alguien abuse de ti?***
4. ***¿Cómo pueden los amigos cuidarse unos a otros?***
5. ***¿Qué puede hacer cada miembro de la familia para evitar la violencia familiar?***
6. ***¿Por qué se debe tener un manejo cuidadoso y responsable de la sexualidad?***
7. ***¿Qué atención requieren las personas de la tercera edad y qué puedes hacer tú para brindársela?***

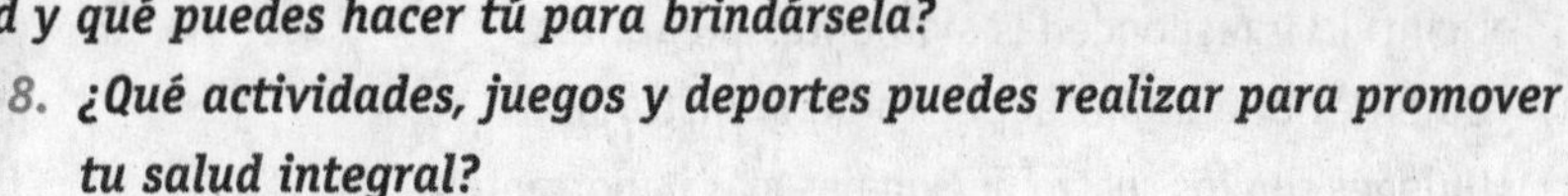

8. ***¿Qué actividades, juegos y deportes puedes realizar para promover tu salud integral?***

Anota tus reflexiones en tu cuaderno y responde:

- ***¿Para cuáles de las situaciones descritas en las preguntas de arriba te sientes preparado?***
- ***¿Para cuáles no? ¿Hay algo que puedas hacer para prepararte?***
- ***¿Qué otros aspectos te parecen importantes para garantizar una salud integral?***

Comenta tus respuestas con tus compañeras y compañeros y analiza con ellos algunas formas de difundir, en tu escuela y en tu comunidad, una cultura integral de la prevención.

Es necesario que sepas que por desgracia hay algunas personas que agreden y lastiman sexualmente a los niños y a las niñas. Si estás en una situación en la cual alguien te falta al respeto, te hace sentir incómodo o te avergüenza, acude con un adulto a quien le tengas confianza y te escuche, para que te ayude. Recuerda que nadie debe dañarte, maltratarte o hacerte sentir mal. Como ser humano mereces el mayor respeto y como menor de edad el mayor cuidado.

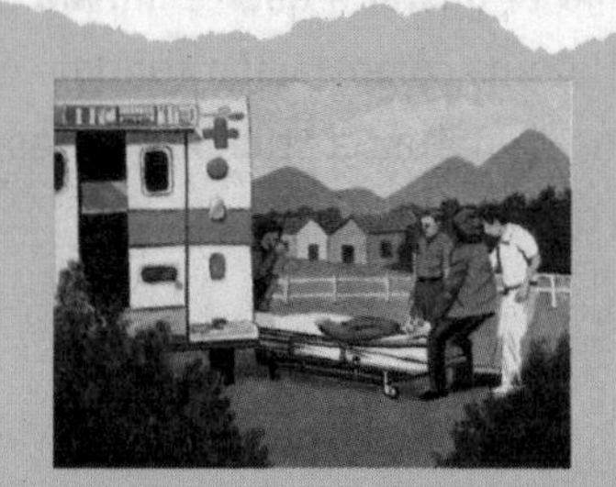

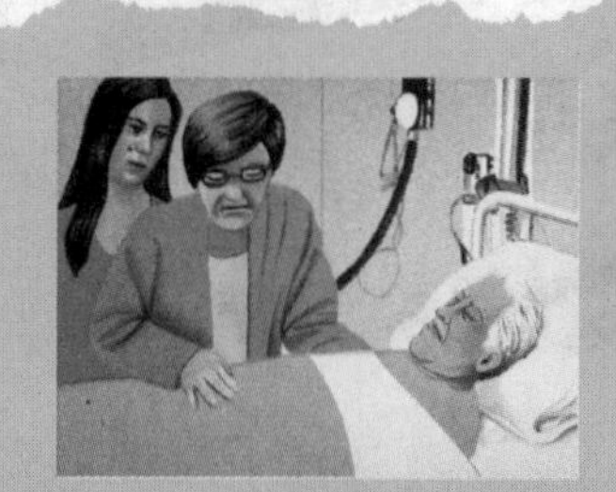

LECCIÓN 24 Historia de una vida

A lo largo del cintillo de este bloque has podido observar la historia de la vida de una niña desde que fue concebida. Si observas con cuidado las imágenes, podrás darte cuenta de cómo es ella y cómo son las personas que la rodean.

En el curso de esta historia es posible integrar muchos de los conocimientos que has adquirido a lo largo de tu educación primaria, pues en las escenas se representan aspectos relacionados con el cuerpo y la salud de los personajes; con sus hábitos y costumbres, y con el papel que desempeñan los hombres y las mujeres que allí aparecen, en distintas etapas de su crecimiento y desarrollo.

1. En el salón de clase, observa cuidadosamente el cintillo y responde las siguientes preguntas:

a) ¿Quién es el o la protagonista de la historia?
b) ¿Quiénes son los cuatro personajes más importantes?
c) ¿Estos personajes se parecen a ti, a tu familia o a personas que tú conozcas?
d) ¿En qué se parecen y en qué son diferentes?

2. Echa a volar tu imaginación. Escribe una historia, basada en tus observaciones sobre el cintillo, para responder la pregunta central de este bloque: ¿Cómo somos? Ponle nombres a los personajes, a los lugares y precisa detalles.

No olvides incluir en tu historia los siguientes aspectos:

a) ¿Cómo son su padre y su madre?
b) ¿Cómo y dónde viven a lo largo de su vida?
c) ¿Cómo son sus hábitos de alimentación y los de sus familiares?
d) ¿Qué aspectos cuidan y cuáles descuidan sobre su salud?
e) ¿Cómo son las relaciones y las actividades de los hombres y las mujeres en los dos lugares donde vive?
f) ¿Cómo te gustaría que terminara esta historia?

Haz una comparación contigo, es decir, cómo eres tú, cómo son tus costumbres y las de las personas con las que vives.

3. Escojan varias historias para leer en voz alta (asegúrense de que sean tanto de niños como de niñas) y comenten las diferencias que encuentren entre esas historias, así como entre la tuya y la de tus compañeros.

   Responde ahora las siguientes preguntas:

   a) ¿Por qué crees que son distintas las historias, si están basadas en las mismas imágenes?
   b) ¿Qué historia se parece más a la tuya?
   c) ¿Por qué?

4. Como viste en este bloque, la amistad es algo muy significativo en la vida de las personas. Por ello es importante que reflexiones acerca de ella. Escribe en tu cuaderno las características que consideras debe reunir una persona para ser una amiga o un amigo.

   Comenta tu texto con tus compañeras y compañeros de equipo.

   Ahora busca un refrán, pensamiento, poema o canción que hable de la amistad y cópialo en tu cuaderno. Lee tu trabajo a tus compañeras y compañeros de equipo y comenta con ellos qué significa la amistad para el autor del texto que seleccionaste.

   ¿Qué semejanzas y diferencias encuentras entre lo que tú escribiste y lo que han expresado otros autores?

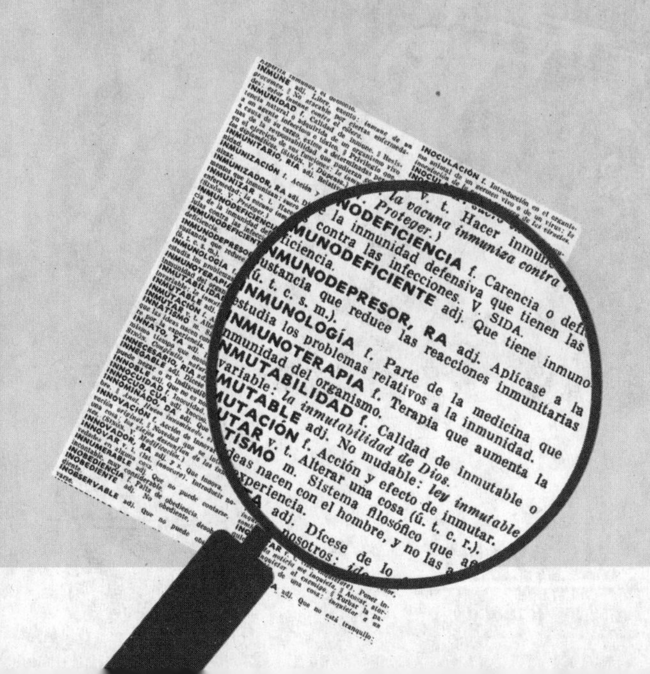

Busca en el diccionario las palabras nuevas que encontraste en este bloque e incluye su definición, expresada con tus propias palabras, en tu diccionario científico. Construye con ellas un mapa conceptual.

A lo largo de este bloque descubrirás los beneficios que la humanidad ha logrado con el avance de la ciencia y la tecnología. Desde sus orígenes, los seres humanos han utilizado su inteligencia y su creatividad para tratar de explicar el mundo que los rodea y para inventar numerosos artículos y productos que, con el paso del tiempo, han cambiado su forma de vida. Las primeras organizaciones humanas aprovecharon los recursos naturales para elaborar herramientas con las cuales cazar animales, trabajar la tierra, construir viviendas, entre otros muchos logros. Desde entonces se ha recorrido un gran camino y es importante reflexionar sobre todo aquello en que hemos avanzado como sociedad.

El ser humano ha llegado a la Luna, ha observado con detalle lugares muy distantes del Universo y ha enviado naves espaciales a planetas cercanos. En el futuro llegaremos aún más lejos, porque los esfuerzos de las mujeres y los hombres que se dedican a la ciencia, están encaminados a saber más sobre lo que nos rodea.

¿A DÓNDE VAMOS?

BLOQUE 4

LECCIÓN 25 Ciencia, tecnología y calidad de vida

A lo largo de tus cursos de Ciencias Naturales has podido conocer el avance de la ciencia y la tecnología en muchas áreas del saber humano. En esta lección revisaremos cómo hemos acumulado y perfeccionado conocimientos y herramientas que han transformado completamente nuestra forma de vida respecto a la de generaciones anteriores.

En este fresco pompeyano, el héroe Eneas es atendido por un médico, mientras Venus, su madre, lo asiste con una hierba medicinal (200 a 100 a.C.).

Por ejemplo, en la lección 22 revisaste de manera integral los sistemas y aparatos del cuerpo humano. Esos conocimientos se han logrado con investigaciones, procedimientos técnicos y el uso de materiales y aparatos de diversos tipos. Esos materiales o aparatos son también producto del desarrollo científico y tecnológico y aportan, a su vez, nuevas pruebas o datos que enriquecen otras áreas del saber, como las de la salud.

Canon ***o libro de la medicina, del médico persa Avicena, del año 1000.***

Desde la antigüedad, los seres humanos han realizado observaciones y estudios sobre la estructura y el funcionamiento del cuerpo. Pintura flamenca de 1482.

Hoy día los científicos realizan estudios para conocer y comprender mejor el funcionamiento del cuerpo humano; así, se apoya la labor médica en la identificación, tratamiento y prevención de enfermedades. Por ejemplo, con el descubrimiento y elaboración de las vacunas, se puede controlar y hasta erradicar algunas enfermedades que antes arrasaban poblaciones enteras. Otras aportaciones importantes de los resultados que se obtienen por medio de la ciencia son una variedad de productos y prácticas para mejorar la higiene, y una mayor información sobre los riesgos de adicciones como el alcoholismo, el tabaquismo y la drogadicción.

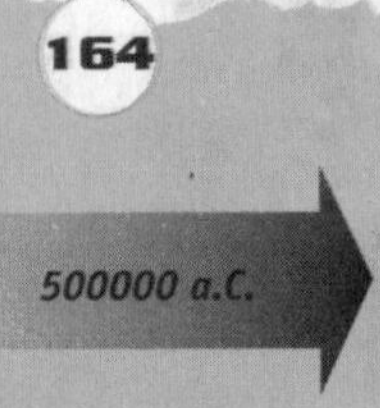

El tallado de piedras se inicia aproximadamente hace 500 000 años.

Puntas de flecha y lanza elaboradas en piedra hace 400 000 años.

Desde hace 400 000 años, el ser humano controla el fuego.

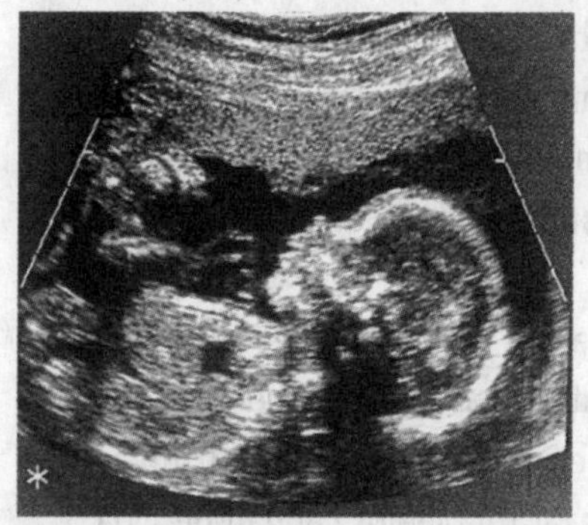
Feto visto con ultrasonido

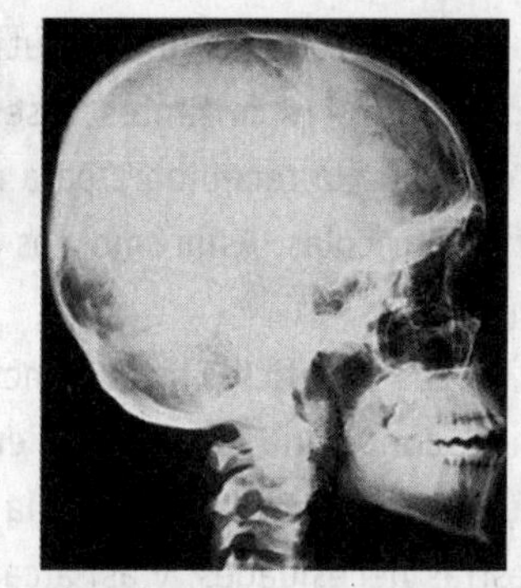
Placa de rayos X

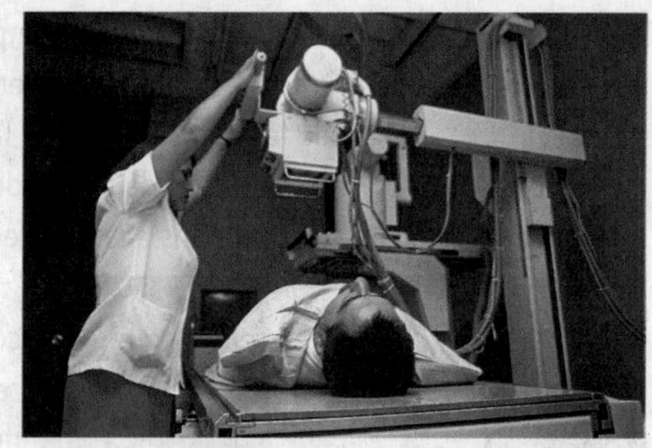
Aparato de rayos X

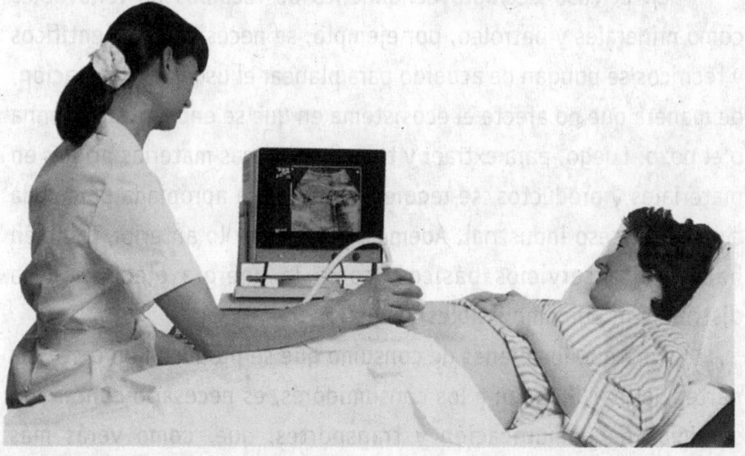
Estudio de ultrasonido para ver al feto en el útero

La tecnología ha hecho posible detectar y combatir enfermedades mediante la aplicación de tratamientos, y contribuye a conocer el desarrollo de algunos procesos biológicos. Por ejemplo, durante el embarazo el ultrasonido permite saber cómo está creciendo el feto y la posición del bebé antes de nacer.

Al igual que en el área de la salud, los conocimientos y las explicaciones que nos proporciona la ciencia, así como las aplicaciones tecnológicas que se derivan directa o indirectamente de ella, también han cambiado muchos aspectos de otras áreas de la sociedad. A lo largo de un día hay actividades que hacemos y cosas que utilizamos de un modo tan común y familiar que parece que siempre fueron así. Por ejemplo, al encender la luz, al abrir la llave del agua, al hablar por teléfono, al comer y al transportarnos en camión o bicicleta, utilizamos diversos productos derivados del desarrollo científico y tecnológico de los últimos siglos, sobre todo del siglo XX. Los beneficios de tales productos están por todas partes. Observa las figuras de abajo y podrás reconocer algunos. Si piensas en algunos de los aparatos o servicios que usas diariamente, podrás identificar más.

Las placas de rayos X, así como los aparatos de ultrasonido, son de gran ayuda para conocer qué ocurre en el interior del cuerpo.

Ejemplos cotidianos de avances tecnológicos y científicos

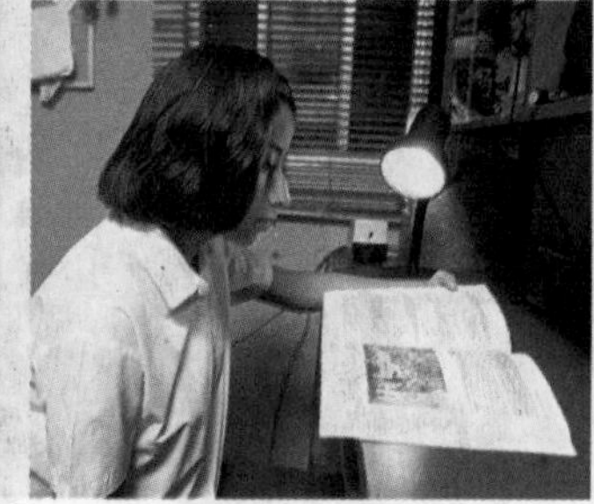

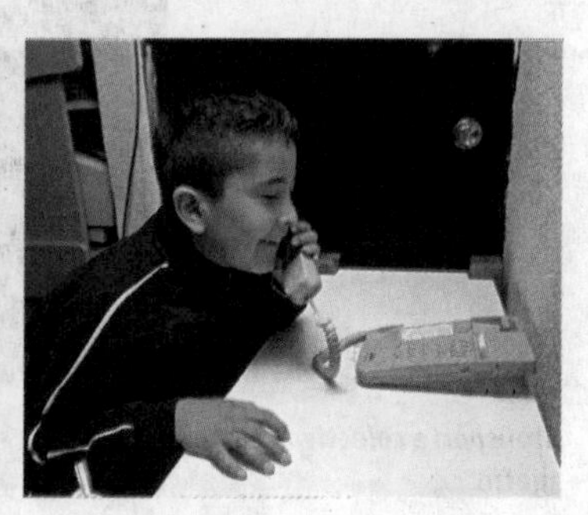

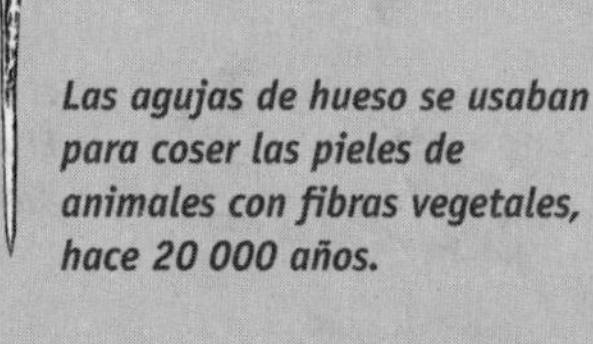

Las agujas de hueso se usaban para coser las pieles de animales con fibras vegetales, hace 20 000 años.

Las primeras balsas se construyeron con troncos unidos por enredaderas, hace aproximadamente 17 000 años.

15000 a.C.

Por ejemplo, en el campo, los agricultores pueden utilizar sistemas artificiales de riego, tractores, trilladoras, empacadoras, fertilizantes o semillas mejoradas, que son algunas de las aportaciones de la ciencia y la tecnología para mejorar la siembra, la recolección y distribución de los productos agrícolas. Asimismo, los alimentos se conservan más tiempo gracias a los avances tecnológicos.

Refrigerador

Los beneficios de la ciencia y la tecnología deben combinarse con el conocimiento del ambiente para hacer un buen uso de los recursos y aplicar la tecnología en forma adecuada, en función de nuestras necesidades, y así alcanzar una mejor calidad de vida.

En el caso del aprovechamiento de recursos no renovables como minerales y petróleo, por ejemplo, se necesita que científicos y técnicos se pongan de acuerdo para planear el uso y la explotación, de manera que no afecte el ecosistema en que se encuentran la mina o el pozo. Luego, para extraer y transformar esas materias primas en materiales y productos, se requiere maquinaria apropiada para cada tipo de proceso industrial. Además, para lograr lo anterior, también hacen falta servicios básicos, como la energía eléctrica y la distribución de combustibles y agua.

Para que los bienes de consumo que se producen en distintas partes del país lleguen a los consumidores, es necesario contar con servicios de comunicación y transportes, que, como verás más adelante, han tenido un avance importante con las aportaciones de la ciencia y la tecnología de los últimos dos siglos.

El desarrollo tecnológico ha permitido mejorar los servicios como el transporte o hacer más duraderos bienes de consumo como los alimentos.

Transporte colectivo metro

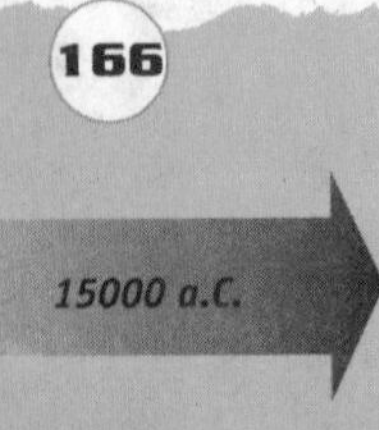

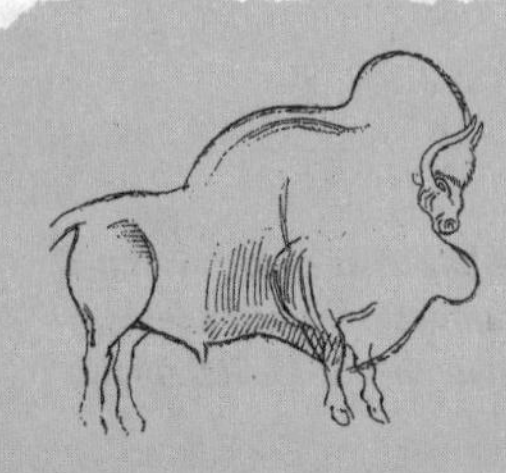

Las pinturas rupestres a menudo representaban actividades relacionadas con la caza que incluían figuras de animales. Las más antiguas datan de hace 12 000 años.

El uso de metales comenzó en Europa con el cobre y el oro. El primero se fundía para producir herramientas y armas (5500 a.C.).

Antena de transmisión de radio

Instrumentos empleados en la minería

Las mejoras en la calidad de vida que se han alcanzado en aspectos cotidianos deben llegar a todo el país y conservarse para el futuro. No sería justo que los beneficios actuales sólo cubrieran las necesidades de unas cuantas generaciones, por lo cual es importante considerar la idea de un desarrollo sustentable. Como ya has estudiado anteriormente, este desarrollo se puede lograr al utilizar lo necesario de los recursos con que contamos, sin caer en abusos o desperdicios que pongan en riesgo su disponibilidad en el futuro y respetando los ciclos de regeneración de la naturaleza.

La gasolina se produce en una refinería de petróleo.

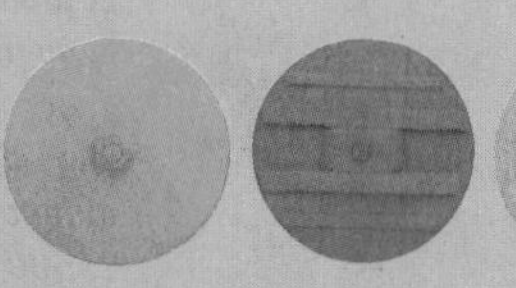
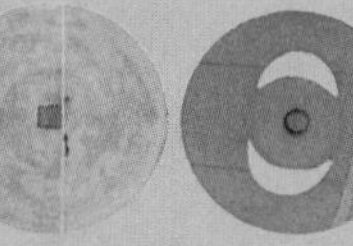

La rueda se utilizó por primera vez en Mesopotamia (5000 a.C.).

5000 a.C.

Mediante un aprovechamiento racional de los recursos naturales, un desarrollo agrícola y ganadero adecuado y una producción planeada de bienes y servicios, los mexicanos podemos asegurar una buena calidad de vida para nuestros descendientes. Por eso es importante que conozcas cuáles son y dónde están los recursos naturales con los que contamos, para que en el futuro puedas ayudar en el aprovechamiento y el procesamiento de materias primas de manera más eficiente, más económica y menos contaminante.

¿Sabías que... *en 1992 se establecieron las bases del desarrollo sustentable? En ese año se llevó a cabo una reunión en Río de Janeiro, con los representantes de varios países, entre ellos México, para firmar tratados y convenios acerca de los nueve sectores más importantes de la actividad humana: energía, transporte, agricultura, productos químicos tóxicos, cambio climático, energía nuclear, urbanización, tecnología a partir de bacterias o biotecnología, y educación. Estos nueve sectores representan en conjunto los principales elementos del desarrollo económico y social de los países. El compromiso de la sociedad y de los gobiernos es hacer que se respeten todos los convenios firmados en la reunión, sin que esto frene el desarrollo tecnológico y científico de cada país.*

La industria de la transformación

Las industrias que convierten recursos naturales en materias primas para elaborar productos de consumo se conocen como industrias de la transformación.

En este tipo de industrias interviene una gran diversidad de maquinaria y métodos productivos que logran abastecer a la sociedad de los productos que se utilizan y consumen diariamente. ¿Sabes cuáles son en México las principales industrias de transformación? ¿Sabes qué producen? ¿Conoces los recursos o las materias primas con las que fabrican los diferentes productos? En las fotografías de la página siguiente se presentan siete tipos de industrias, siete tipos de materias primas y siete tipos de productos. Por medio de líneas relaciona las columnas laterales con la columna central.

Comenta con tu maestra o maestro y con tus compañeras y compañeros cuáles de estas industrias existen en la región donde vives, qué se fabrica en ellas y si alguien de tu familia trabaja en alguna de estas industrias.

Elabora una lista de las industrias que se mencionaron. Si habitas en una comunidad rural, piensa en los tipos de industria que pueden transformar las materias primas que se obtienen de los recursos naturales de tu comunidad.

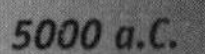
5000 a.C.

Barco de vela (4000 a.C.).

El arado se enganchaba a bueyes mediante un yugo de madera y lo guiaba el labrador (3500 a.C.).

Materias primas	Industrias de transformación	Productos

Fábrica de calzado

Fábrica petroquímica

Fábrica de textiles

Desalinizadora

Fundidora

Fábrica de muebles

Fábrica de alimentos enlatados

El papiro se cultivaba para obtener láminas donde escribir (3000 a.C.).

Escritura en papiro

3000 a.C.

LECCIÓN 26

Las máquinas de todos los días

La invención de las máquinas es una de las múltiples maneras en que la sociedad ha superado sus dificultades para transformar la naturaleza, mejorar la producción y evitar riesgos. Los antiguos pobladores del planeta construyeron máquinas que les ayudaron entre otras cosas a cultivar la tierra, moldear materiales, obtener agua, moler granos e hilar fibras para fabricar telas. Las primeras máquinas resultaron muy útiles, ya que facilitaron tareas como desplazar, levantar o deformar objetos y materiales aumentando la rapidez de la acción y disminuyendo el esfuerzo. Eso permitió tener más tiempo para otras actividades sociales y culturales.

Es necesario aplicar fuerzas para mover la caja, para que se desplace más rápido, para frenarla o para hacerla girar.

Fuerza aplicada al empujar una caja.

Como ya estudiaste en tu libro de Ciencias Naturales de quinto grado, en ocasiones se necesita hacer trabajo mecánico para mover un objeto. Recuerda que para que un objeto comience a moverse, se mueva más despacio o más rápido o para hacer que gire o se detenga, necesitamos aplicar fuerzas.

La fuerza que aplican los niños se suma al jalar la caja.

También hay que aplicar fuerzas para que algunos materiales cambien su forma; esto ocurre, por ejemplo, cuando haces una figura de plastilina moldeándola con las manos o con algún utensilio, o bien cuando exprimes un limón.

También hay que aplicar fuerzas para hacer girar la caja.

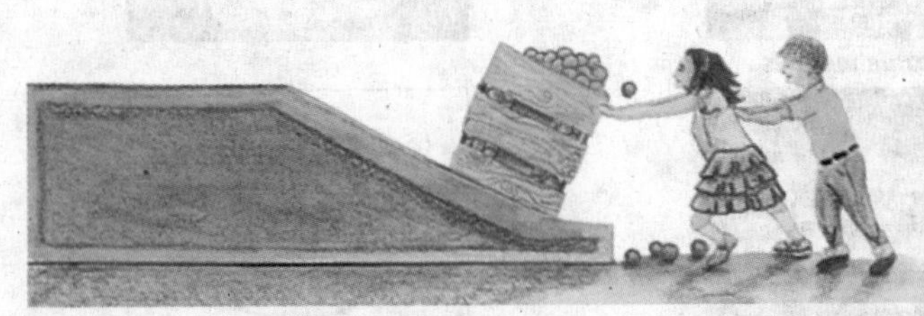

Fuerza aplicada para frenar la caja

3000 a.C.

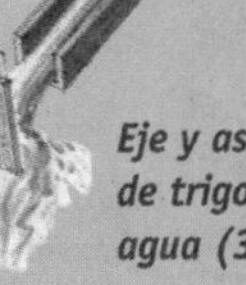

Eje y aspas de un molino de trigo impulsado con agua (3000 a.C.).

Los cristaleros egipcios utilizaban hornos de carbón vegetal hacia el año 3000 a.C.

Ejemplos de aplicaciones de máquinas simples a distintas situaciones cotidianas.

Desde hace muchos siglos las personas descubrieron que con las máquinas podían llevar a cabo las mismas labores pero con menos esfuerzo y en menos tiempo. Entre las primeras que se inventaron, y que constituyen la base de muchas otras máquinas posteriores, están la palanca, el plano inclinado, el sistema de eje con ruedas y la polea. Estos dispositivos reciben el nombre de máquinas simples y son útiles ya que reducen la fuerza que hay que aplicar para hacer cierto trabajo mecánico.

A la fuerza que se aplica en una máquina para que funcione se le llama esfuerzo. Por ejemplo, la fuerza que aplicas sobre unas tijeras para cortar papel es el esfuerzo. La fuerza que se opone al esfuerzo es la carga o fuerza de resistencia y hace que las cosas sean más o menos difíciles de mover o cambiar de dirección. En el ejemplo de las tijeras, el papel representaría dicha resistencia. La función de una máquina es que el esfuerzo sea mayor que la resistencia.

A continuación vamos a estudiar cómo funcionan las palancas y el plano inclinado; en la próxima lección aprenderás cómo trabajan las poleas.

Punto de esfuerzo

Según la herramienta, el punto de esfuerzo puede estar en distintos lugares.

Para exprimir el limón, la niña aplica una fuerza en el punto de esfuerzo.

Punto de esfuerzo

Palancas

Las palancas son las máquinas más sencillas que existen. Hay varios tipos y generalmente se usan para levantar objetos y desplazarlos. ¿Has visto cómo algunas personas abren una lata de pintura? Se usa una barra rígida cuya punta se coloca debajo de la tapa, se apoya en el borde de la lata y después se empuja hacia abajo. Esta es una palanca típica. Pero también un sube y baja, un exprimidor y una pala son ejemplos de palancas con distintas formas y usos.

Las palancas nos pueden ayudar a levantar, deformar o mover objetos.

Punto de esfuerzo

Una palanca es una barra que se mueve libremente sobre un punto fijo o de apoyo. Hay otras dos partes de la palanca que se llaman punto de resistencia y punto de esfuerzo. Para hacerla funcionar se aplica el esfuerzo, la barra gira alrededor del punto de apoyo y entonces se desplaza la carga. Observa la figura de la izquierda.

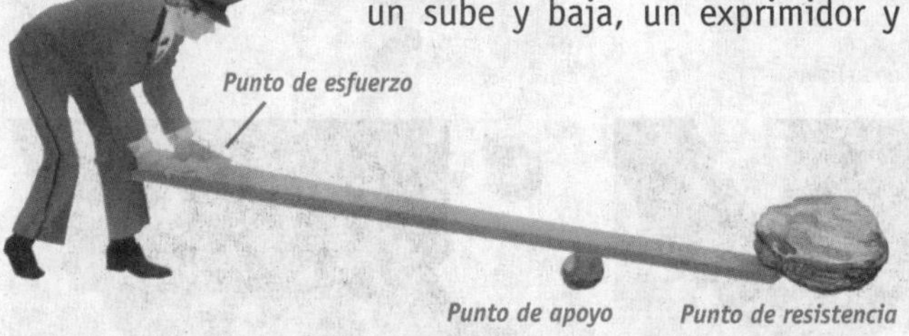

En una palanca siempre se pueden ubicar tres puntos esenciales: el punto de apoyo, el punto de resistencia o donde está la carga que hay que desplazar, levantar o deformar y el punto donde se ejerce el esfuerzo.

Las primeras máquinas para taladrar incluían un arco, una cuerda y una flecha (2500 a.C.).

Los carros de guerra fueron útiles para el transporte en las batallas (2000 a.C.).

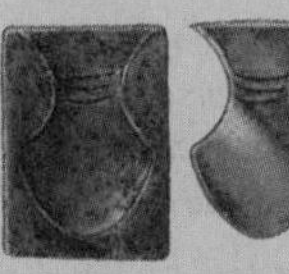

El bronce alcanzó un amplio uso en Europa alrededor del año 2000 a.C. Era más duro que el cobre.

1500 a.C.

Para levantar un objeto, ¡la palanca!

Para levantar objetos podemos ayudarnos con las palancas. El esfuerzo que hay que aplicar para lograrlo depende del lugar donde se localiza el punto de apoyo. ¿Qué tal si lo investigas?

Necesitas:

una regla de 30 cm y una barra de plastilina

1. ***Toma una cuarta parte de la plastilina, divídela en tres partes iguales y forma tres bolas.***
2. ***Utiliza el resto de la plastilina para formar un cubo. Colócalo en el extremo de la regla, es decir, donde indica 30 cm. Presiónalo un poco para que se adhiera a la regla y no se caiga.***
3. ***Levanta la regla y apóyala suavemente sobre una de las bolas de plastilina que colocarás en la marca de los 15 cm.***
4. ***Trata de levantar el cubo de plastilina apoyando el dedo sobre el otro extremo de la regla.***
5. ***Repite los pasos 3 y 4 con la segunda y tercera bolas. Deberás colocarlas en las marcas de los 5 cm y 20 cm, respectivamente.***
6. ***Observa y compara las bolas de plastilina que utilizaste. Comenta con tus compañeros las siguientes preguntas:***

¿Cuál tuvo mayores cambios?

¿En qué caso tuviste que aplicar un esfuerzo menor para levantar tu carga? ¿Por qué?

Elabora en tu cuaderno un dibujo en el que indiques dónde se ubican, en cada caso, el punto de apoyo, la carga o resistencia y el punto de esfuerzo.

Compara y comenta tus respuestas con las de tus compañeras y compañeros.

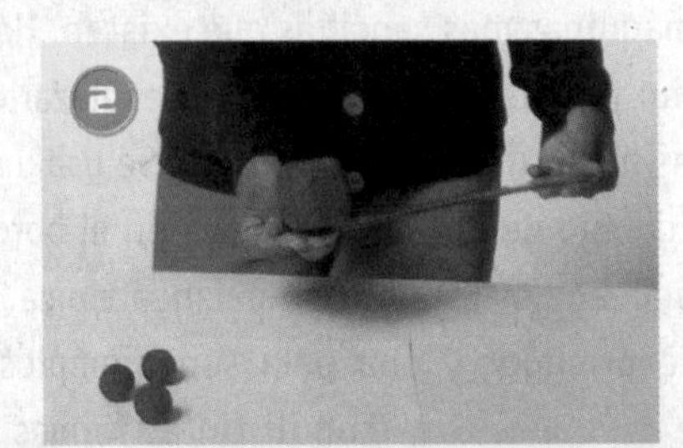

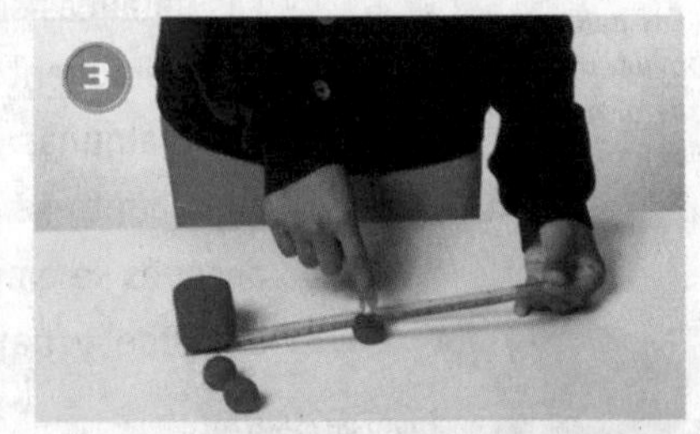

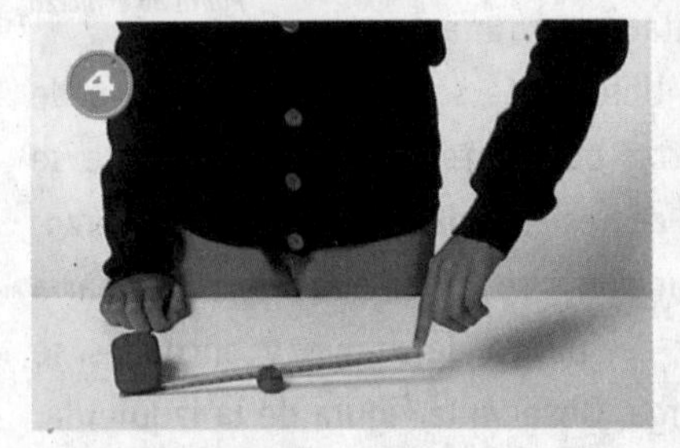

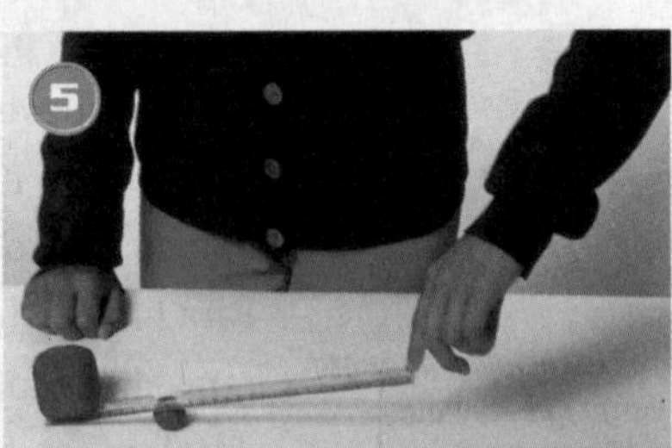

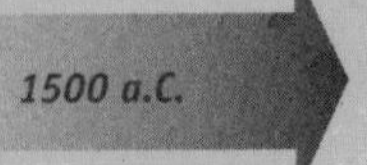

1500 a.C.

El hierro comenzó a utilizarse en la India; los trabajos con este metal pronto sustituyeron a los de cobre y bronce (1200 a.C.).

La lana se convirtió en una fibra útil para la elaboración de ropa, alrededor del año 1200 a.C.

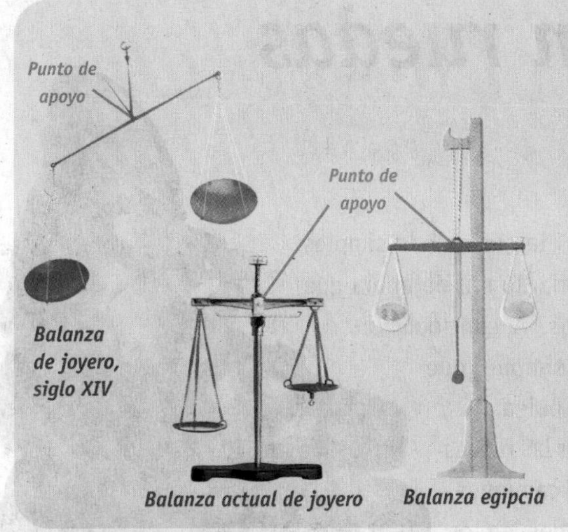

¿Sabías que... *una balanza de platillos funciona con el principio de la palanca? Las balanzas se conocen desde la antigüedad. Los egipcios ya las utilizaban y las elaboraban de madera. La balanza es una palanca en la que el punto de apoyo está ubicado exactamente en el punto medio, entre los dos extremos de una barra, de manera que sólo se equilibra cuando en los dos lados hay objetos con el mismo peso. Su uso hizo que los tratos comerciales en la venta de mercancía agrícola y ganadera fueran más justos, que se pudieran repetir recetas de cocina y experimentos sin errores y que las personas conocieran el peso de su cuerpo, entre otras aplicaciones.*

La resbaladilla es un plano inclinado.

El plano inclinado

Hace miles de años los seres humanos descubrieron que al utilizar un plano inclinado se requería hacer menos esfuerzo para mover y subir objetos que al arrastrarlos una distancia y luego levantarlos. Este descubrimiento fue rápidamente utilizado con la invención de las rampas que se aplicaron en las grandes construcciones donde se tenían que levantar piedras grandes o materiales muy pesados.

Hoy día, los albañiles y los cargadores de mercancías en puertos y almacenes siguen utilizando el plano inclinado para transportar materiales y objetos con mayor facilidad. Los automóviles o camiones también suben por rampas a los estacionamientos elevados.

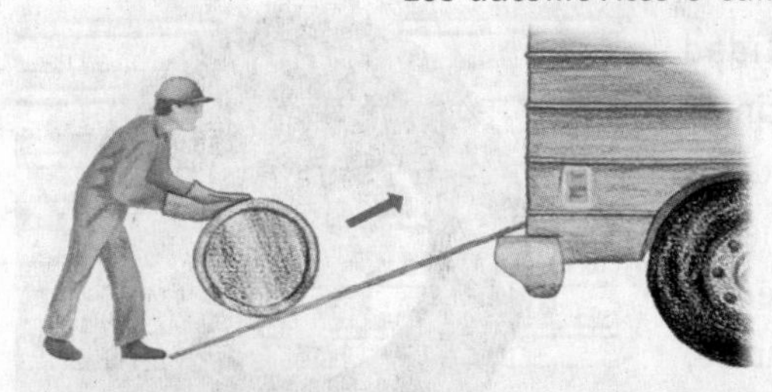

El plano inclinado permite desarrollar el mismo trabajo mecánico pero aplicando un esfuerzo menor. Por ejemplo, ¿por dónde subirías a lo alto de una montaña, por una pendiente poco inclinada o por una ladera muy empinada? ¿En qué se fundamenta tu decisión? También podemos encontrar el plano inclinado en un aparato con el que probablemente te has divertido, la resbaladilla.

En distintos planos

Las personas que usan planos inclinados para realizar su tarea, saben cómo colocar las rampas. Observa las figuras. ¿Qué plano inclinado será el mejor para desplazar hacia arriba un objeto? Mide con un transportador el ángulo de inclinación de cada plano y compara estos valores. Anota las respuestas en tu cuaderno y analízalas con tu maestra o maestro y con tus compañeras y compañeros.

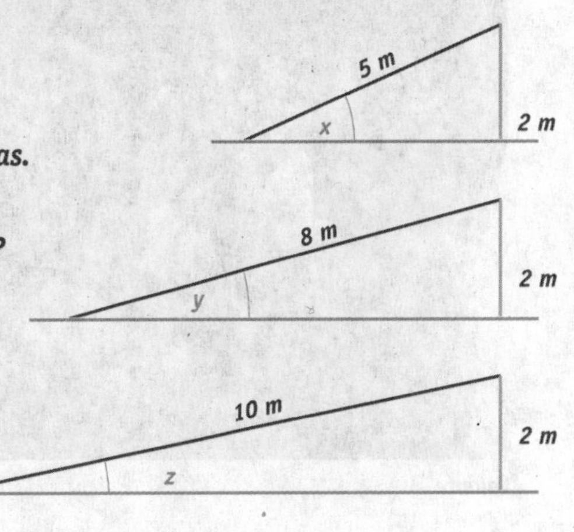

La balanza romana fue inventada aproximadamente en el año 1000 a.C.

El sello y el troquel de barro mesoamericanos se empleaban para decorar tejidos y pieles en el año 700 a.C., aproximadamente.

700 a.C.

LECCIÓN 27 Máquinas con ruedas

Como viste en la lección anterior, las máquinas simples tienen muchas aplicaciones en la vida diaria, lo mismo ahora que cuando se inventaron hace miles de años. A continuación conocerás los otros tipos de máquinas simples que existen: el sistema de ruedas con eje y la polea.

Observa a tu alrededor y cuenta todas las ruedas que puedas descubrir. Hay ruedas en los camiones, en los coches, en las bicicletas, en los patines, en los juguetes, pero también las hay en lugares menos evidentes como los juegos mecánicos, un volante de coche, una llave de agua y otros lugares.

Patín con hilera de ruedas

La rueda se inventó hace unos 6 000 años y marcó uno de los momentos clave en la historia de todos los pueblos. Para lo primero que se usó la rueda fue para transportar objetos. Probablemente antes de que se inventara la rueda; los primeros seres humanos transportaban objetos muy pesados colocándolos sobre troncos de árboles que rodaban al empujarlos. Este sistema también fue utilizado por los egipcios para transportar los materiales en la construcción de sus pirámides.

Las ruedas son parte de muchos mecanismos.

En la actualidad existen ruedas de distintos tamaños y son elaboradas a partir de una gran variedad de materiales. Podemos encontrar ruedas de madera, metal, hule, plástico o de la combinación de dos o más de estos materiales. Pueden ser sólidas o huecas, delgadas o anchas, lisas o con estrías. Cada tipo de rueda se diseña de acuerdo con el uso que se le va a dar.

Volante

Llanta

Llave de paso

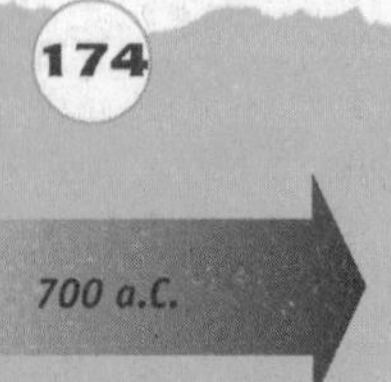

700 a.C.

Primeras monedas de plata usadas en Europa (600 a.C.).

El faro de Alejandría servía para guiar las embarcaciones a puerto (280 a.C.).

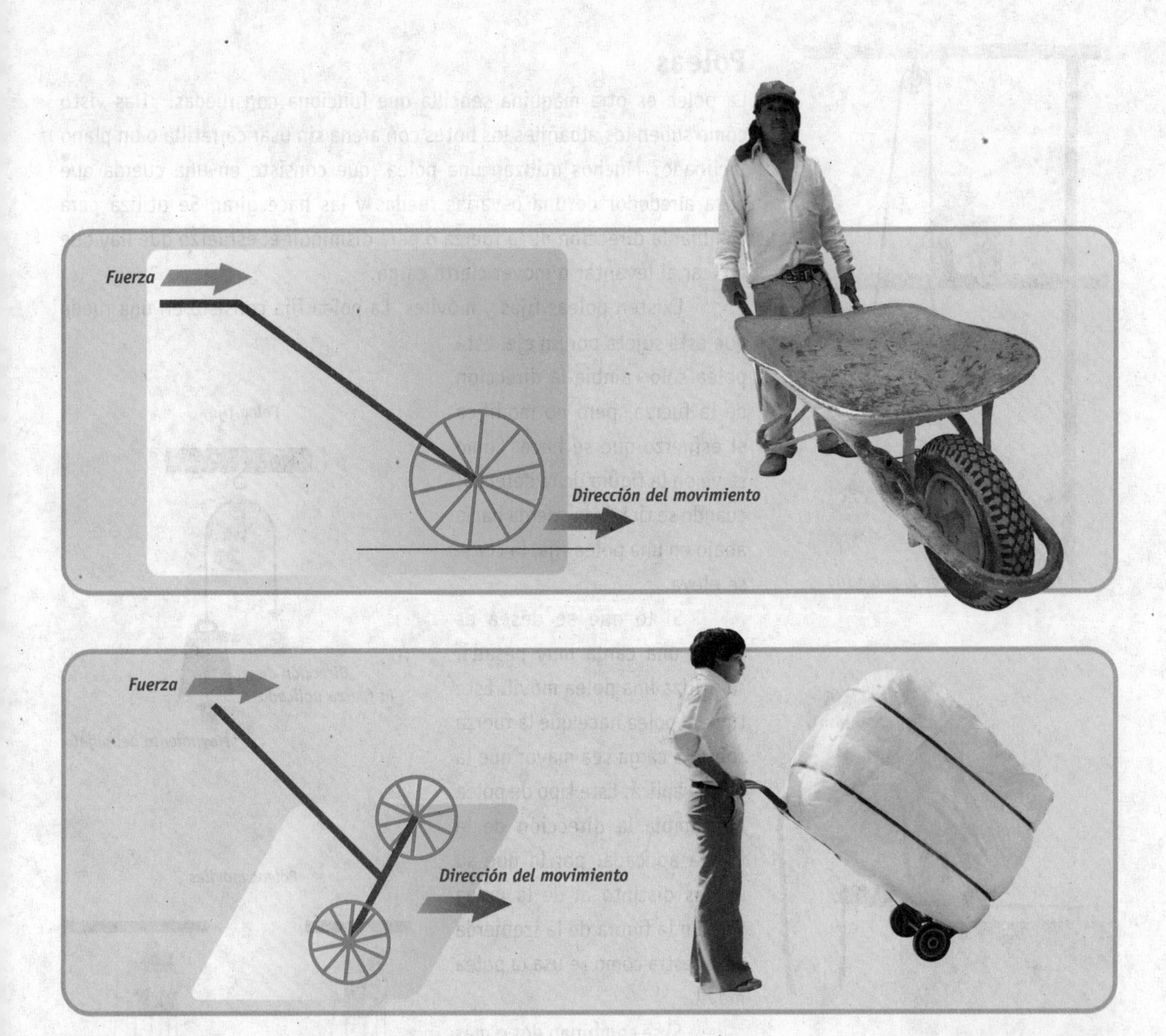

Ejemplos de sistemas de eje con ruedas, donde la dirección de la fuerza se conserva.

Sistema de eje con ruedas

La máquina más sencilla que puede construirse con estos objetos es el sistema de eje con una rueda, como el que actúa, por ejemplo, en una carretilla. También existe el sistema de eje con dos ruedas que consta de una barra en cuyos extremos se insertan dos ruedas como en los coches de juguete. Cuando las dos ruedas son iguales y el eje pasa exactamente por el centro de ellas, la dirección de la fuerza se conserva.

El sistema de eje con ruedas sirve también para disminuir la fuerza que se aplica para desplazar un objeto de un lugar a otro. Por ejemplo, para todos es conocido que se requiere menor esfuerzo para empujar o jalar una carga en un carrito que para arrastrar una caja con la misma carga por el piso.

Los instrumentos de viento se fabricaban con cañas huecas, huesos y arcilla (200 a.C.).

Palanca de riego que facilitó las labores de siembra (100 a.C.).

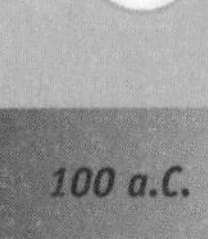

100 a.C.

Funcionamiento de la polea fija

Poleas

La polea es otra máquina sencilla que funciona con ruedas. ¿Has visto cómo suben los albañiles los botes con arena sin usar carretilla o un plano inclinado? Muchos utilizan una polea, que consiste en una cuerda que pasa alrededor de una o varias ruedas y las hace girar. Se utiliza para cambiar la dirección de la fuerza o para disminuir el esfuerzo que hay que aplicar al levantar o mover cierta carga.

Existen poleas fijas y móviles. La polea fija consiste en una rueda que está sujeta por un eje. Esta polea sólo cambia la dirección de la fuerza, pero no modifica el esfuerzo que se hace. Como se ve en la figura de la derecha, cuando se tira de la cuerda hacia abajo en una polea fija, la carga se eleva.

Polea fija

Dirección de la fuerza aplicada

Movimiento del objeto

Si lo que se desea es mover una carga muy pesada, se utiliza una polea móvil. Este tipo de polea hace que la fuerza sobre la carga sea mayor que la que se aplica. Este tipo de polea no cambia la dirección de la fuerza aplicada, por lo que su uso es distinto al de la polea fija. En la figura de la izquierda se muestra cómo se usa la polea móvil.

Polea móvil

Si se combinan dos o más ruedas en una polea, el esfuerzo para levantar un objeto del mismo peso disminuye. Observa la figura de la derecha.

Para evitar que las cuerdas se atoren en las ruedas y facilitar el giro, las ruedas de las poleas se hacen acanaladas y se lubrica frecuentemente la región en la que el eje y la rueda se unen.

Poleas móviles

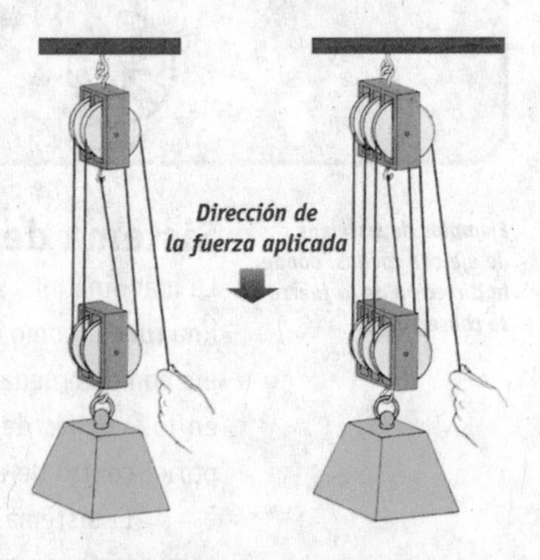

¿En cuál de las dos poleas crees que se necesite hacer un menor esfuerzo para levantar la misma carga? ¿Por qué?

100 d.C.

Vasos de vidrio soplado del imperio romano (100 d.C.).

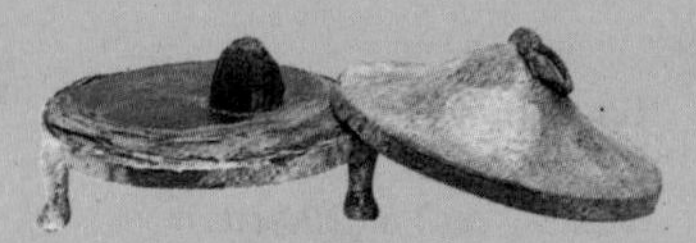
En China la tinta sólida se frotaba sobre una piedra y se mezclaba con agua para producir tinta líquida (100 d.C.).

Sistema de transmisión

Existen otras variantes del uso de ruedas para construir componentes de máquinas; por ejemplo, los sistemas de transmisión por bandas o por engranes.

Mecanismo de reloj

Un sistema de transmisión consiste en una rueda con eje que se pone en contacto con otra rueda, ya sea directamente o por medio de una banda o cadena, para que el movimiento de una de ellas genere el movimiento de la otra. Un ejemplo son las bandas de transmisión que hacen que se mueva el ventilador de un motor o la cadena de una bicicleta.

Mecanismo de elevador

Los engranes son ruedas con los bordes dentados. Los dientes de un engrane encajan en las partes huecas del otro y eso hace que si una de las ruedas se mueve, la otra también.

Todos los sistemas de transmisión de movimiento utilizan ruedas como piezas básicas.

En las figuras de los lados puedes ver algunas formas en que pueden conectarse dos ruedas por medio de engranes, bandas y cadenas de transmisión. Mediante los engranes, la fuerza aplicada también puede multiplicarse, disminuir y cambiar de dirección, por lo que se les considera una variante de las máquinas simples.

COMPARA

Una aplicación interesante de los engranes se encuentra en la bicicleta. La cadena de la bicicleta es una banda de transmisión de movimiento, la cual hace girar la rueda trasera muy rápido debido a que está conectada a una rueda pequeña que, al girar, multiplica la fuerza aplicada a los pedales. Las primeras bicicletas no contaban con cadenas y eran mucho más lentas y pesadas. Observa cómo evolucionó la bicicleta desde los primeros modelos hasta las modernas.

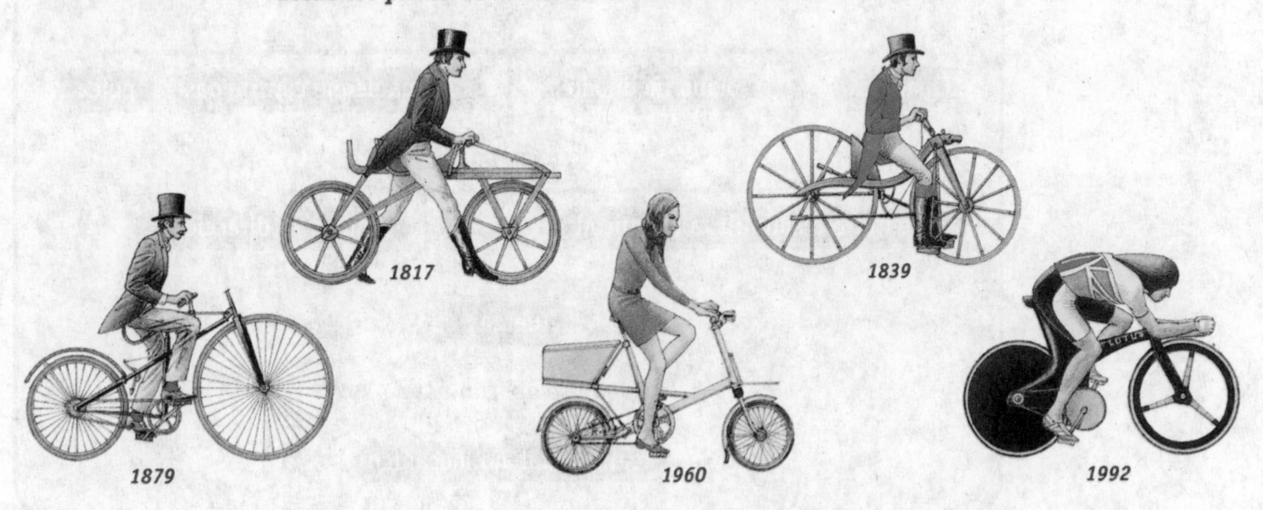

La carretilla china permitió transportar con facilidad cargas muy pesadas (230).

Algunas figuras mesoamericanas tenían ruedas (500).

La energía del viento se utilizaba en Europa para mover aspas de madera y moler granos (650).

700

Rozamiento y lubricación

La energía que emplea una máquina para funcionar puede transmitirse a otros objetos para hacer trabajo mecánico y ponerlos en movimiento. Pero no toda la energía se aprovecha porque una parte se transforma en calor. ¿Te has fijado que las herramientas y las máquinas se calientan cuando se usan por mucho tiempo? El rozamiento entre las piezas, es decir la fricción, produce su calentamiento. Para reducir la energía que se convierte en calor, las partes de las máquinas pueden lubricarse. Los lubricantes suelen ser aceites que reducen el rozamiento entre las partes y permiten un mejor funcionamiento de las máquinas.

La mayoría de los materiales no son completamente lisos, aunque así lo parezcan a simple vista. Al microscopio podrías observar pequeños huecos en la superficie, mismos que son ocupados por los lubricantes cuando se aplican sobre distintas partes de las máquinas. Esto hace que las piezas no se atoren unas en otras sino que se deslicen suavemente, evitando el calentamiento y la disminución de trabajo mecánico.

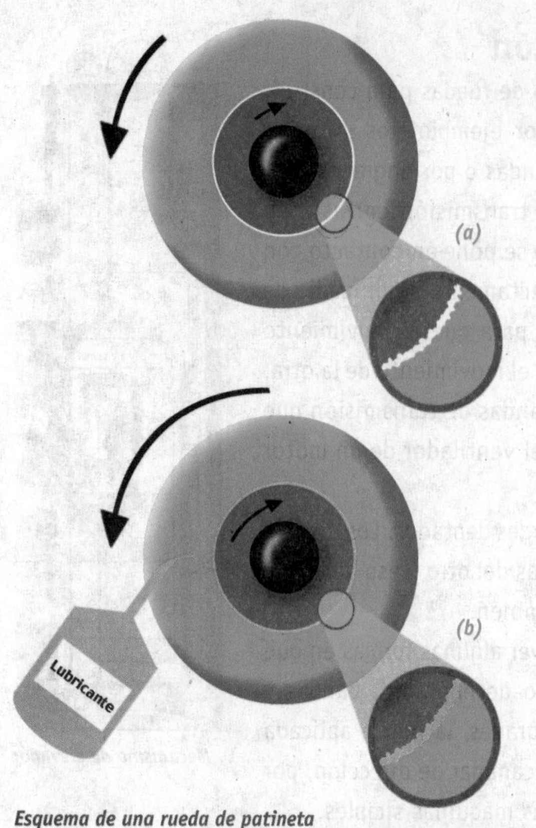

Esquema de una rueda de patineta
(a) Los bordes que parecen lisos no lo son, por eso rozan al girar.
(b) El lubricante ayuda a disminuir la fricción, facilita el giro y disminuye el desgaste.

Para organizar y resumir el tema de las máquinas simples de esta lección revisemos el siguiente mapa de conceptos:

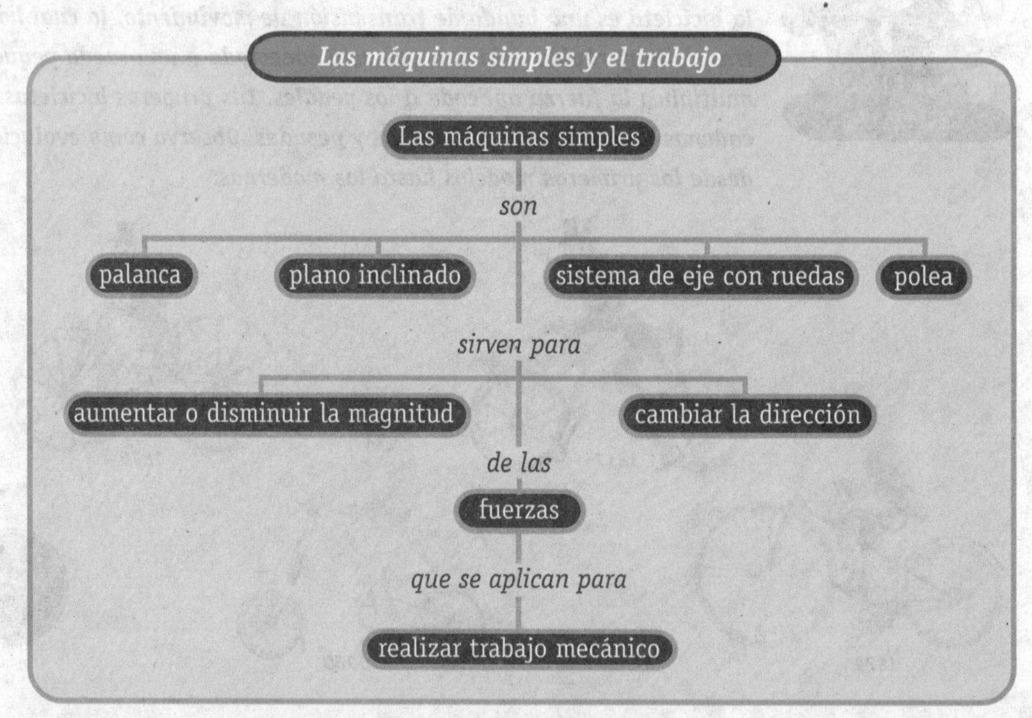

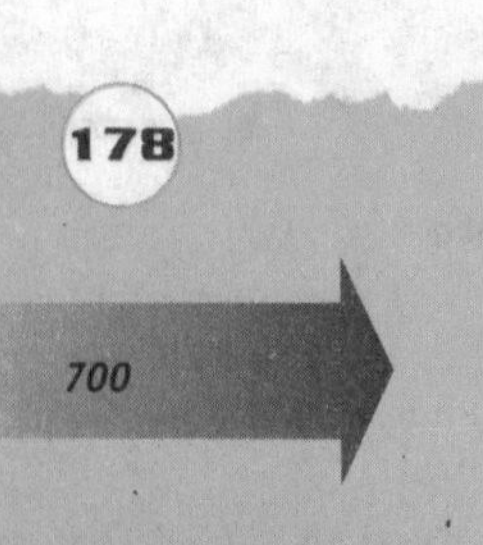

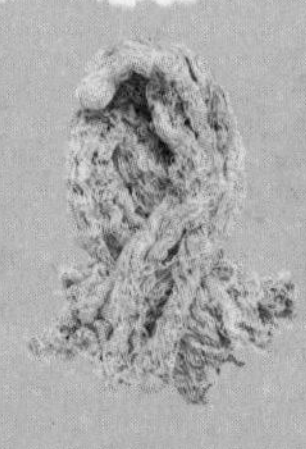

El hilo de algodón se comercializó rápidamente, en el año 700 aproximadamente.

Las primeras impresiones sobre papel se hicieron en China (750).

¡Construir con ruedas!

Como has visto, las ruedas son muy útiles para construir máquinas. Pon a prueba tu conocimiento, tu creatividad y tu perseverancia para inventar un juguete.

1. *Organízate en equipo y observa las fotografías en que se muestran ideas de cómo construir máquinas simples con transmisión por bandas, engranes, sistemas de ruedas con eje y poleas fijas o móviles, como elementos de tu juguete.*
2. *Elabora en tu cuaderno el diseño de un juguete que funcione aplicando alguna de las ideas anteriores. Registra los materiales y el procedimiento que utilizarías para construirlo.*
3. *Presenta tu diseño al grupo y coméntalo con tus compañeros. Registra sus comentarios y sugerencias.*
4. *Consigue los materiales y construye tu juguete.*
5. *Con ayuda de tu maestra o maestro organiza en el grupo una feria del juguete en la que cada equipo presente su trabajo. Expliquen cómo construyeron y cómo funciona su juguete.*

Engrane

Sistema de eje con ruedas

Polea

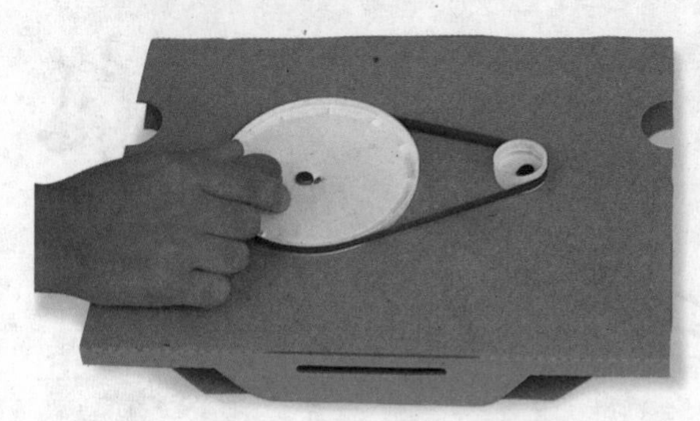

Sistema de transmisión por banda

Invención de la pólvora en China (900).

El uso de la brújula mejoró mucho la orientación y fue muy útil para los viajeros (1000).

1000

LECCIÓN 28 Cada vez más rápido

La necesidad de los seres humanos de desplazarse a grandes distancias y cada vez más rápido, ha ocasionado que el sector de los transportes haya incorporado muchos avances tecnológicos. A lo largo de la historia de la humanidad, los medios de transporte han evolucionado mucho y el paso de las balsas antiguas a los barcos actuales, o de la carreta a los trenes, automóviles, aviones y naves espaciales, es una muestra del ingenio humano.

Antes del invento de la rueda, las personas se trasladaban a pie o a lomo de bestia y para facilitar el transporte de objetos por vía terrestre, en algunas culturas se ayudaban también con animales de carga. Las sociedades que crecieron a la orilla de los mares, lagos o grandes ríos aprovecharon los materiales que flotaban en el agua, como la madera o el bejuco, para construir las primeras balsas o canoas. Poco a poco, con la invención de nuevos medios de transporte, los seres humanos pudieron recorrer mayores distancias en un tiempo cada vez menor.

Forma en que el ser humano primitivo transportaba su carga

Un ser humano puede recorrer a pie grandes distancias. Dependiendo de su resistencia física y del tipo de terreno, ese recorrido puede hacerse en mayor o menor tiempo. Los medios de transporte también recorren distancias en tiempos distintos. En tu libro de Ciencias Naturales de cuarto grado estudiaste qué eran la distancia y el tiempo. Vamos a recordar estos dos conceptos y verás que, al relacionarlos, nos dan una idea de qué tan rápidamente se desplaza algo o alguien.

Balsa primitiva utilizada por el ser humano para transportarse

Trineo de los indios de Norteamérica

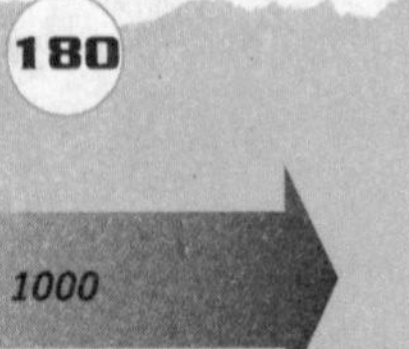

La rueca se inventó en Europa para producir hilo de lana o de algodón (1000).

Los anteojos empezaron a usarse en Europa entre 1280 y 1290.

Reloj de sol. La sombra va marcando la hora a lo largo del día.

Tiempo

Desde la antigüedad, el ser humano se las ha ingeniado para medir el tiempo. Medimos el tiempo que tardamos en llegar a la escuela, el tiempo que duran una clase o un curso escolar. También para la ciencia y la tecnología es muy importante medir el tiempo, pues así se conoce cuánto dura un fenómeno o un proceso.

En la medida en que el ser humano fue entendiendo cómo se repetían ciertos fenómenos naturales, creó los primeros calendarios. Fenómenos como el día y la noche, las estaciones del año y los ciclos de la Luna, fueron la base de éstos. Todos tenían en común la duración del día y la noche como principio. Después de usar muchos calendarios se fueron afinando las unidades de medición del tiempo hasta proponerse la división del día y la noche en 24 horas, 60 minutos para cada hora y 60 segundos para cada minuto. Estas unidades, segundo (s), minuto (min) y hora (h), siguen siendo la base de la medición del tiempo. Como puedes ver en las imágenes de esta página, los primeros relojes daban, como los actuales, una idea del paso del tiempo aunque con menos precisión.

Reloj medieval de cera. La combustión de la vela provoca la caída de las perlas a intervalos regulares, indicando el tiempo.

Reloj de arena. Este instrumento mide el tiempo por la duración de caída de arena fina.

Reloj de agua, llamado también clepsidra; fue inventado por los egipcios en el año 3500 a.C. Consistía en un recipiente con un agujero en su base. Se medía el tiempo de vaciado del agua que contenía.

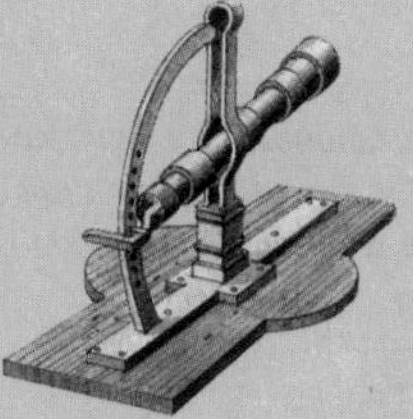

Cañón primitivo construido en China hacia el año 1300.

El telar horizontal tenía un marco para separar los hilos. Se usó hacia el año 1300 aproximadamente.

El reloj mecánico europeo permitió medir el tiempo con mayor precisión, a partir de 1300 aproximadamente.

1300

Un reloj de... ¿azúcar?

En la antigüedad se inventó el reloj de arena para medir el tiempo.
Tú puedes construir uno similar. Para realizar esta actividad organízate en pareja.

Necesitas por pareja:

dos vasos de plástico transparente, una cucharada de azúcar, un reloj con segundero, cinta adhesiva, una hoja de papel, lápiz, compás, regla, tijeras

1. ***Dibuja en la hoja de papel un círculo de 16 cm de diámetro y recórtalo.***
2. ***Construye un cono que se sostenga en el vaso; para eso corta en línea recta desde la circunferencia al centro del círculo, desliza un extremo sobre otro y pégalos con cinta adhesiva.***
3. ***Corta la punta del cono, de modo que quede un agujero de aproximadamente medio centímetro de diámetro.***
4. ***Coloca el cono sobre la boca de un vaso y la cucharada de azúcar en el otro.***
5. ***Mide el tiempo que tarda en pasar el azúcar de un vaso a otro. Para ello, uno de ustedes vaciará, de una sola vez, el azúcar en el cono y el otro observará en el reloj los segundos transcurridos hasta que pase el azúcar. Registra los resultados en tu cuaderno.***
6. ***Repite varias veces el paso 5 y obtén el promedio de tus resultados.***

Contesta las siguientes preguntas:

¿Cuánto tiempo tarda en pasar todo el azúcar? ¿Hubo variaciones entre las cinco veces que realizaste la actividad? ¿Cuál fue el promedio que obtuviste? ¿Qué podrías hacer para que tu reloj midiera 10 segundos?

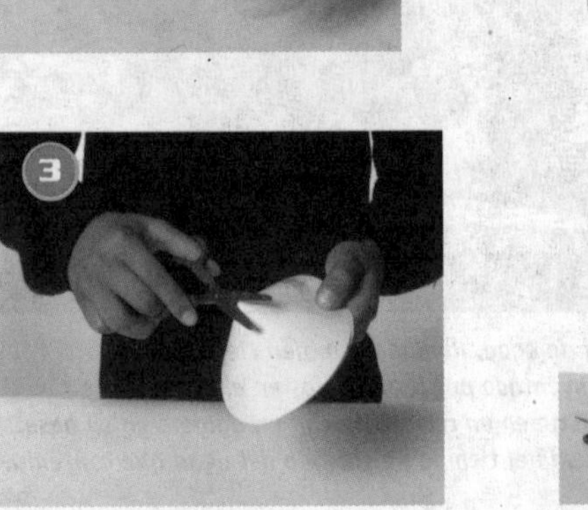

1300

Johann Gutenberg inventó la imprenta en 1445 y a partir de entonces fue posible editar muchos más libros.

Cristóbal Colón llegó a América en 1492 y con ello se iniciaron viajes de exploración por todo el mundo.

Distancia

Evolución del transporte tirado por animales

Carros de guerra mesopotámicos (2000 a.C.)

Cuando los seres humanos que poblaban regiones de Europa y Asia comenzaron a domesticar animales, descubrieron que los que eran suficientemente grandes y resistentes, podían cargar bultos y hasta personas. Los bueyes, los caballos, los burros, los perros, los camellos y los elefantes han sido aprovechados para poder viajar mayores distancias en menor tiempo. Al invento de la rueda siguieron los primeros carros tirados por animales. Los vehículos de este tipo aparecieron en Mesopotamia y tenían un sistema de dos ruedas de madera con un eje, acoplado mediante un arnés a un par de animales, como el que se muestra en la primera figura de esta página.

Carreta (1700)

Tranvía londinense (1880)

Evolución del transporte marítimo

Con la construcción de botes y barcos impulsados por remos, se hizo uso de la palanca para avanzar más rápido. Estos transportes mejoraron con el paso de los siglos, y algunas culturas antiguas comenzaron a realizar viajes marítimos con barcos cada vez más seguros y veloces. Los fenicios, los griegos y los romanos basaron su desarrollo y su poderío sobre otros pueblos en sus embarcaciones, con las cuales realizaban travesías recorriendo distancias cada vez mayores.

Piragua (6000 a.C.)

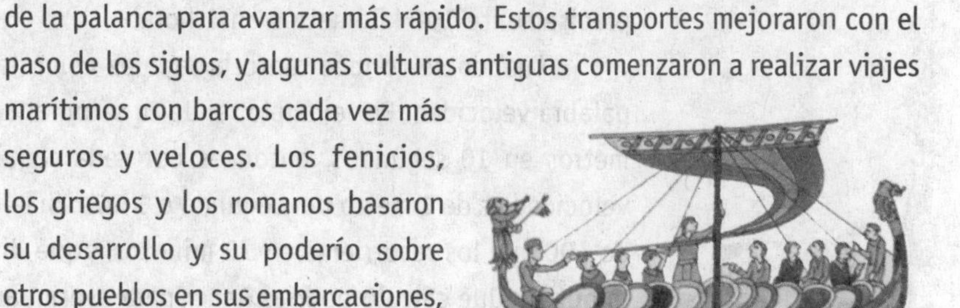

Barco vikingo (1000 a.C.)

Barco de vela egipcio (4000 a.C.)

Barco griego (500 a.C.)

Carabelas de Colón (1490)

Nicolás Copérnico explicó el movimiento de la Tierra y de otros planetas alrededor del Sol (1530).

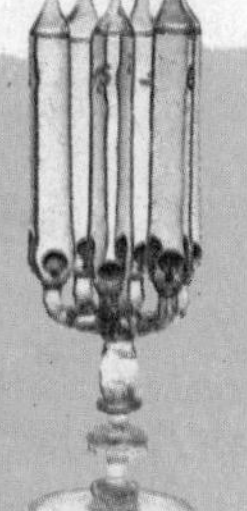

Galileo Galilei inventó un termómetro en el que los cambios de temperatura eran registrados por el subir y bajar de unas esferas (1593).

1600

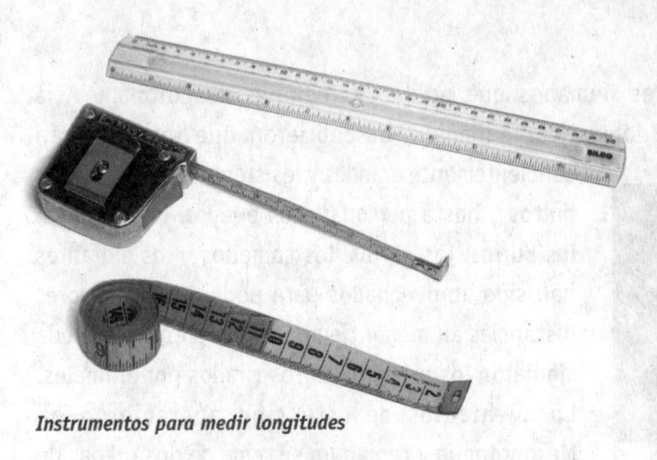
Instrumentos para medir longitudes

Recuerda que la distancia es la longitud de la línea imaginaria que une dos puntos, objetos o lugares, por ejemplo, entre la ventana y tú o entre Tampico y Jalapa. Dependiendo de si es grande o pequeña, la distancia se mide en kilómetros (km), metros (m), centímetros (cm) o milímetros (mm). Cuando son relativamente cortas, se utiliza la regla o la cinta métrica. Cuando las distancias son grandes, por ejemplo entre dos localidades, se hacen cálculos y mediciones sobre fotografías aéreas o imágenes de satélite. Generalmente estas distancias se expresan en kilómetros.

Rapidez

Un objeto puede recorrer la distancia que existe entre dos puntos o lugares en diferentes tiempos; entre menos tiempo se tarde, más rápidamente se mueve. Es fácil darse cuenta de que la rapidez es distinta si tardas 10 minutos en llegar corriendo desde la escuela a tu casa y 20 caminando. Al correr te moviste más rápido, mientras que al caminar lo hiciste más lentamente, aunque en ambos casos hayas recorrido la misma distancia.

La rapidez de un objeto se expresa indicando la distancia que recorre en la unidad de tiempo que se emplea. Por ejemplo, un auto que recorre 100 kilómetros en 1 hora tiene una rapidez de 100 kilómetros por hora, esto es, 100 km/h. Si el mismo auto viaja 200 kilómetros en dos horas, su rapidez seguirá siendo de 100 kilómetros/hora, pues recorre precisamente 100 kilómetros en 1 hora.

Cuando se conoce tanto la rapidez como la dirección del movimiento se utiliza la palabra velocidad. Por ejemplo, si de tu salón al centro del patio de la escuela recorres 10 metros en 10 segundos, entonces por cada segundo te desplazas 1 metro y por eso tu velocidad es de 1 metro por segundo o 1 m/s. Si la distancia entre tu casa y la escuela fuera de 400 m y los recorrieras en 10 minutos, ¿qué distancia serías capaz de recorrer en cada minuto? ¿Qué cálculo podrías hacer para averiguarlo? ¿Cuál sería tu rapidez en metros por minuto? Analízalo con tus compañeras y compañeros.

COMPARA

Transporte	Velocidad o rapidez (km/h)
Ser humano a pie	5
Bicicleta	40
Automóvil	120
Tren bala	350
Avión comercial	850
Avión de guerra	2 500
Cohete espacial	40 000

Actualmente algunos medios de transporte pueden realizar, en unas cuantas horas, viajes que anteriormente duraban semanas y hasta meses. Para medir grandes distancias, como las que separan distintas ciudades del país, la unidad de longitud que se utiliza es el kilómetro y la unidad de tiempo es la hora, por lo que la rapidez y la velocidad suelen expresarse en kilómetros por hora. Compara en la tabla de la izquierda la velocidad que alcanzan el ser humano y algunos medios de transporte modernos.

1600

Hans Lippershey creó el telescopio refractor (1608).

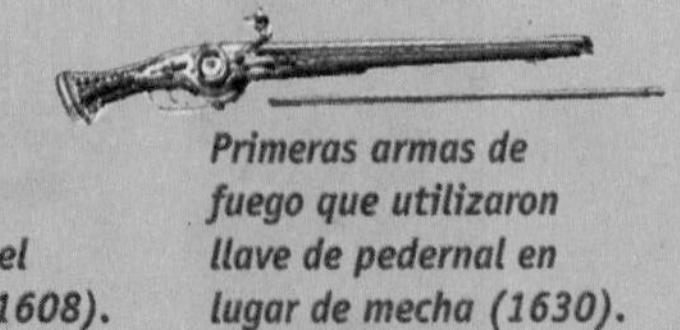
Primeras armas de fuego que utilizaron llave de pedernal en lugar de mecha (1630).

Isaac Newton explicó las leyes de la mecánica e inventó el telescopio reflector (1668).

Como te habrás dado cuenta, la rapidez de un cuerpo se puede calcular si se conocen la distancia que recorre y el tiempo que tarda en hacerlo. Para ello, es necesario dividir la distancia recorrida entre el tiempo transcurrido:

$$\text{rapidez} = \frac{\text{distancia}}{\text{tiempo}}$$

Así, si la distancia entre la escuela y tu casa es, por ejemplo, de 400 metros, y tu hermano la recorre caminando en 10 minutos, su rapidez será de:

$$\text{rapidez} = \frac{\text{distancia}}{\text{tiempo}} = \frac{400 \text{ metros}}{10 \text{ minutos}} = 40 \text{ metros / minuto}$$

Es decir, tu hermano recorre 40 metros por cada minuto que pasa, de manera que en 10 minutos completa el recorrido de 400 metros.

¿Qué tan rápido corren?

Organízate en equipo y con ayuda de un reloj con segundero y un metro de hilo o listón, averigua qué tan rápido corres.

Sal al patio o a un lugar donde puedas correr libremente. Define una distancia que recorrer, por ejemplo 10 o 20 metros.

Utilizando el hilo o listón como medida, traza una pista de la distancia que hayas definido, de acuerdo con el tamaño del patio de la escuela.

Por turnos, mide el tiempo que cada uno tarda en recorrer esa distancia. Registra los datos en una tabla como la siguiente.

Nombre del compañero	*Distancia (m)*	*Tiempo (s)*	*Rapidez (m/s)*

Ahora obtén la velocidad de cada quien dividiendo la distancia entre el tiempo. Comenta tus resultados con tus compañeras y compañeros del grupo.

Anton van Leeuwenhoek fue el primero en observar bacterias, con el microscopio que él mismo construyó (1673).

Las primeras máquinas de vapor se construyeron en Europa entre 1705 y 1712.

1750

LECCIÓN 29 Descubrimientos e inventos que cambiaron al mundo

Como ya viste en la primera lección de este bloque, los primeros inventos que desarrollaron los seres humanos primitivos fueron para facilitar sus actividades, resolver algún problema o mejorar alguna técnica.

Hoy en día muchas personas siguen buscando mecanismos distintos para construir nuevos artefactos y para producir materiales que mejoren nuestra calidad de vida. ¿Te has preguntado cómo se logra un invento?

Inventar algo requiere conocimientos, imaginación, creatividad y el deseo de hacer cosas útiles y diferentes, así como tener paciencia para trabajar en un proyecto y concluirlo. Usualmente implica que se hagan muchas pruebas antes de lograr un producto final, ya que el funcionamiento y la utilidad del invento tienen que convencer tanto al inventor como a quienes lo van a usar.

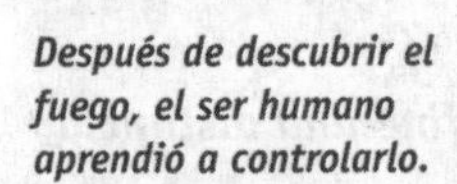

Después de descubrir el fuego, el ser humano aprendió a controlarlo.

Un invento es diferente a un descubrimiento. Un descubrimiento ocurre cuando el ser humano observa, comprende y puede explicarse fenómenos que no se conocían antes. Por ejemplo, el fuego. El fuego permitió a los seres humanos transformar objetos y materiales. Las mujeres y los hombres primitivos se atemorizaban ante el fuego, ya que en ocasiones empezaba a partir de la caída de rayos o por la lava candente de los volcanes. Lo consideraban peligroso y no sabían cómo conservarlo o producirlo. Sin embargo, con el paso del tiempo aprendieron a controlarlo para tener una fuente invaluable de luz y calor, sobre todo durante las noches. También aprendieron a producirlo a partir de chispas que se desprendían al golpear dos piedras. Así pudieron utilizarlo para cocer los alimentos y fundir metales, entre otras actividades. Después de que el fuego fue descubierto, los seres humanos inventaron procedimientos para controlarlo y artefactos para darle usos prácticos, como calentar, cocinar y fundir metales. Así, mientras el fuego fue descubierto, el anafre fue inventado.

Con el fuego, pudo comenzar a fundir y forjar metales.

El anafre es un invento en el cual se usa el fuego para cocinar.

El ser humano construyó hornos para cocer el barro.

1750

Antoine de Lavoisier fue uno de los creadores de la química moderna (1777).

Algunos viajes se realizaron en globos aerostáticos (1783).

El descubrimiento de la corriente eléctrica condujo al desarrollo de muchos inventos, entre ellos, el foco.

Otro ejemplo interesante es el de la corriente eléctrica, la cual fue descubierta y estudiada por muchos científicos. Cuando una persona aprovecha el conocimiento sobre la corriente eléctrica para inventar un producto, por ejemplo un foco, entonces esa persona es una inventora o un inventor.

Los primeros inventos se realizaron con materiales que se obtenían directamente de los recursos naturales. Posteriormente, otros sólo han sido posibles por la invención de nuevos materiales. Por ejemplo, el inventor del telescopio no hubiera podido hacerlo si no se hubieran inventado primero el vidrio y las lentes. Hoy en día las personas combinan técnicas y materiales para desarrollar instrumentos y aparatos más complicados como, por ejemplo, las computadoras.

¿Sabías que... *la televisión a color fue inventada por un mexicano? Guillermo González Camarena nació en Guadalajara y fue, desde niño, un apasionado de los aparatos electrónicos. A los 17 años de edad construyó su primer televisor y, cinco años después, patentó su invento de la televisión a color en México y en Estados Unidos. Desde que concibió su invento hasta que se fabricaron los primeros aparatos receptores en color pasaron casi 10 años, pero valió la pena, ya que su invento fue rápidamente difundido en varios países del mundo. Los primeros televisores a color aparecieron en México a finales de la década de los cincuenta, haciendo mucho más atractivo y realista el entretenimiento que ofrece este medio de comunicación.*

Guillermo González Camarena

Hacia el año de 1797 aparecen los primeros tornos para hacer tornillos.

Jean-Baptiste Lamarck propuso la teoría sobre la evolución de las especies por adaptación al medio (1815).

1820

Un vehículo de propulsión a chorro

Algunos inventos han favorecido el desarrollo de los transportes. Barcos, automóviles, trenes y aviones han causado, en su momento, cambios importantes en nuestra sociedad. La propulsión a chorro es un sistema que utilizan algunos aviones sin hélices. Organízate en equipo y elabora tus propios vehículos.

Necesitas por equipo:

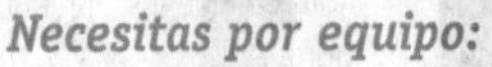

tres globos medianos, un popote, tres ligas, de 7 a 10 metros de hilo grueso o estambre, una hoja de papel, tijeras, cinta adhesiva, una regla

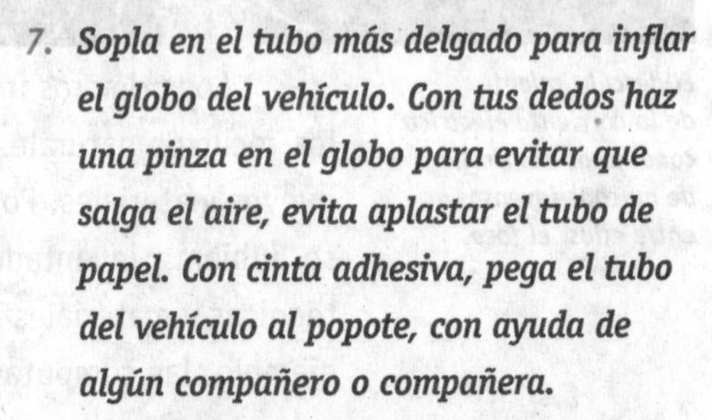

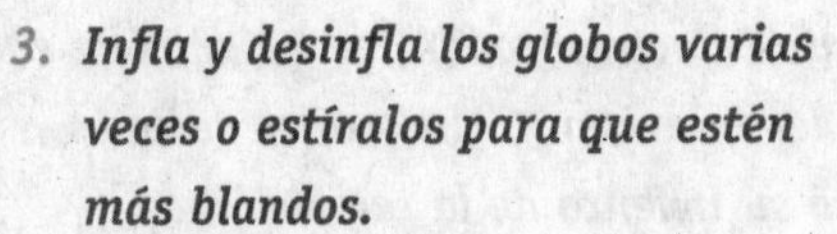

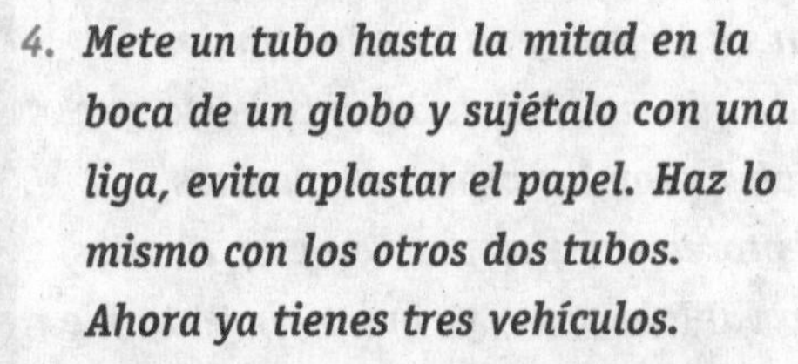

1. ***Dobla y corta a lo largo la hoja de papel, en tres partes iguales.***
2. ***Haz tres rollitos o tubos con las tiras de papel. El primero tiene que medir aproximadamente medio centímetro de diámetro, el segundo un centímetro y el tercero dos centímetros. Pégalos con cinta adhesiva para evitar que se desenrollen.***
3. ***Infla y desinfla los globos varias veces o estíralos para que estén más blandos.***
4. ***Mete un tubo hasta la mitad en la boca de un globo y sujétalo con una liga, evita aplastar el papel. Haz lo mismo con los otros dos tubos. Ahora ya tienes tres vehículos.***
5. ***Amarra una punta del hilo a alguna parte del salón, de donde no pueda soltarse, por ejemplo, un picaporte.***
6. ***Pasa la otra punta del hilo por el interior del popote, después amárrala en cualquier sitio, al otro extremo del salón. Asegúrate de que el hilo esté tenso y vaya paralelo al piso.***
7. ***Sopla en el tubo más delgado para inflar el globo del vehículo. Con tus dedos haz una pinza en el globo para evitar que salga el aire, evita aplastar el tubo de papel. Con cinta adhesiva, pega el tubo del vehículo al popote, con ayuda de algún compañero o compañera.***

Coloca el vehículo en un extremo del hilo y suelta el globo para que salga el aire. ¿Qué sucedió?

Repite el punto anterior con los otros dos vehículos, registra tus observaciones.

Haz algunos cambios en tus vehículos para que modifiquen su funcionamiento.

¿Qué tan lejos llegaron los vehículos antes y después de hacer los cambios? ¿Los tres funcionaron igual? ¿Por qué? ¿A qué crees que se debe?

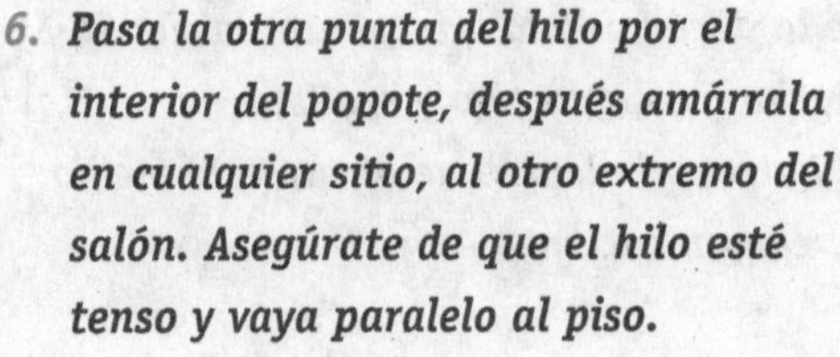

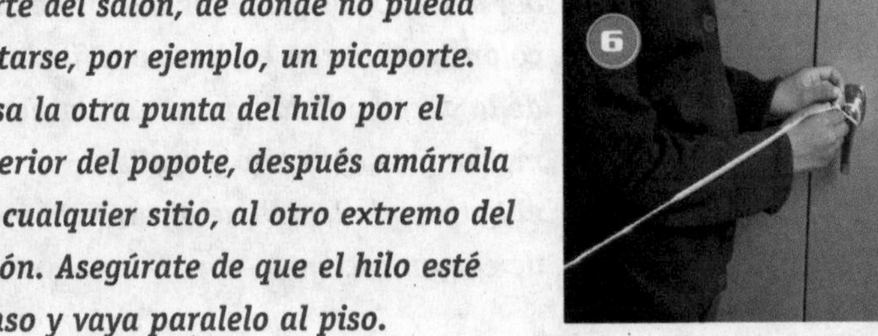

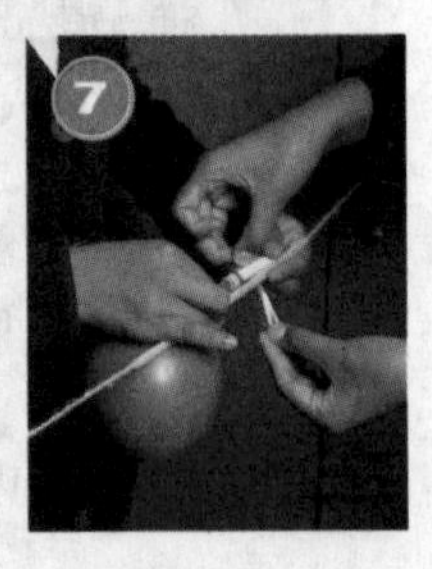

1820

La locomotora de vapor favoreció el transporte de viajeros y mercancías. Empleaba el vapor como fuerza motriz (1825).

Nicephore Niepce inventó la primera cámara fotográfica (1827).

Un invento puede ser un producto o artefacto, pero también un nuevo método para fabricar algo. Por ejemplo, la elaboración de tortillas se ha hecho, por siglos, de manera artesanal, es decir, de una en una, utilizando un comal casero. Sin embargo, con el crecimiento de la población en pueblos y ciudades fue necesario fabricar muchas en poco tiempo, lo cual llevó a la invención de la tortilladora o máquina para hacer tortillas y del molino para producir más masa en menos tiempo.

Los primeros molinos funcionaban con agua de los ríos y se construyeron para moler granos hace más de 3 000 años, en las regiones montañosas del Oriente Medio. Luego se conocieron en Asia y Europa, donde se consumía la harina de trigo. El molino de viento se construyó 2 000 años después.

La tortilladora se inventó para hacer más tortillas en menos tiempo.

Los molinos funcionan con la combinación de la rueda con eje y la palanca. El agua o el viento aplican fuerza sobre las ruedas o aspas y esa fuerza se multiplica con un sistema de transmisión de engranes. Así, una piedra muy grande y pesada gira sobre otra rueda fija y muele el grano.

En México se muele el maíz en los molinos de nixtamal, para obtener la masa con la que se elaboran las tortillas y otros productos de nuestra comida tradicional.

Proceso de elaboración de la masa

El nixtamal se elabora al cocer el maíz en agua con cal.

El nixtamal se muele.

Con el nixtamal molido se produce la masa para las tortillas.

En la historia del ser humano se han acumulado muchos inventos importantes. Algunos como la escritura, los sistemas de numeración o la moneda ofrecieron, en el momento de su invención, nuevos y valiosos elementos que enriquecieron las posibilidades de desarrollo de la humanidad. Aunque en este libro es imposible explicar todos los inventos, se incluyen, tanto en el texto como en el cintillo, algunos que propiciaron grandes cambios.

Las máquinas de coser facilitaron la confección de prendas de vestir (1829).

Samuel Morse inventó el telégrafo (1844).

1850

Encuentra el invento

Los inventos han impulsado el desarrollo de las sociedades del mundo. Las imágenes muestran algunos de ellos. Unos ya los conoces porque te los hemos ido presentando a lo largo de tus cursos de Ciencias Naturales.

Organízate en equipo y escoge un invento. Puedes escoger el que más te interese y del cual encuentres información en algún libro o enciclopedia, aunque no aparezca ilustrado aquí. Realiza una investigación en la que incluyas la fecha aproximada de invención, el país o zona geográfica de origen y el propósito del invento. Si es posible, describe también la forma como funciona. Al final de la investigación, elabora carteles y comparte tu información con el resto del grupo.

Si tienes dudas sobre cómo y dónde buscar, pregunta a tu maestra, maestro o a tus familiares.

La tecnología, la defensa y la guerra

Los primeros inventos de que tenemos noticia fueron cuchillos hechos a mano con piedras filosas y hachas para cazar animales, obtener su carne como alimento y cortar su piel. A estas herramientas seguirían el arco y las flechas que hicieron posible cazar a distancia y de manera rápida y segura. Muchas otras aportaciones, desarrolladas para el beneficio personal y comunitario, así como para seguridad de la vida y del patrimonio económico y cultural, se han ido sumando con el paso del tiempo. Muchos inventos han sido concebidos para defenderse de otros grupos de personas o seres vivos, o bien, para atacarlos.

Evolución de algunas armas que han inventado los seres humanos

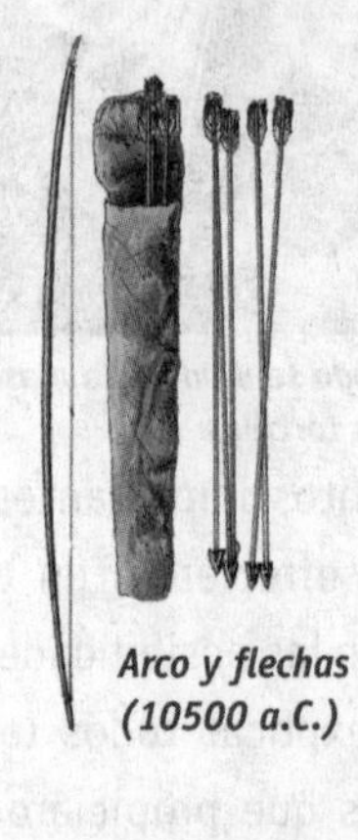

Arco y flechas (10500 a.C.)

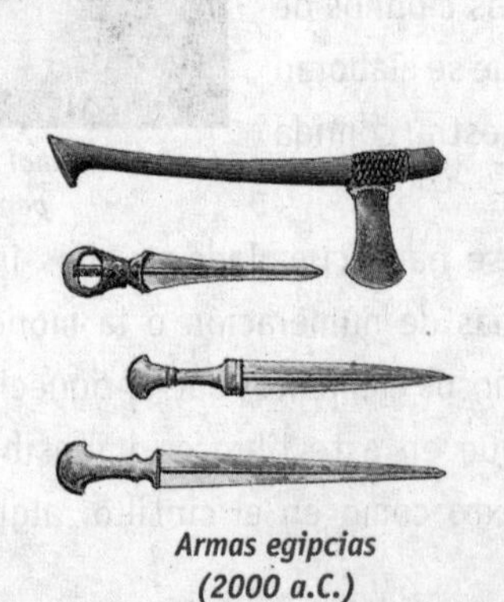

Armas egipcias (2000 a.C.)

La pólvora fue un invento chino (900 d.C.)

Arcabuz de mecha (1500)

1850

Charles Darwin publicó en 1859 su teoría sobre la evolución por medio de la selección natural.

El petróleo se obtuvo por perforación de pozos, por primera vez, en Estados Unidos de América en 1859.

Primer buque acorazado de guerra, es decir, construido con planchas de acero (1861).

Tanque acorazado (1916)

A través de la historia, el poderío de algunas culturas ha dependido de las armas que construyeron, la forma en que las utilizaron en las guerras y su venta a otros países que no las producían. La tecnología y los materiales para elaborar armas se han desarrollado en varios países.

Alfonso García Robles, diplomático mexicano, impulsó la firma del Tratado de Tlatelolco. Nació el 20 de marzo de 1911 y le fue concedido el premio Nobel de la Paz en 1982, por su trabajo para la desnuclearización de América Latina.

La capacidad de matar de las primeras armas inventadas por los seres humanos era muy pequeña comparada con la de las armas que existen actualmente. La lucha cuerpo a cuerpo establecía igualdad de posibilidades de vencer al contrario si ambos contaban con armas semejantes. Ahora, un país puede atacar a otro al enviar aviones que bombardean rápida y destructivamente ciertos edificios y puntos estratégicos. Por ejemplo, almacenes de alimentos y medicamentos, medios de comunicación, transportes, generadores de energía, carreteras, puentes y, por supuesto, depósitos de armas.

Bomba atómica (1945)

Hay países que venden armas y otros que las compran en cantidades excesivas; por esto, cada día crecen los esfuerzos mundiales para frenar su producción y venta. Aunque la guerra ha estado presente en toda la historia de la humanidad, muchos países han entendido que es mejor luchar por la paz. En particular, México ha impulsado, en diferentes foros internacionales, acciones que ayuden a lograr la paz entre las naciones. Como un ejemplo de lo anterior está el Tratado de Tlatelolco, que compromete a los países latinoamericanos que lo firmaron a no producir, comprar o utilizar armas nucleares.

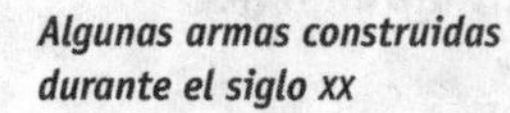

Misil nuclear (1950 a 1960)

Misil de crucero (1980 a 1990)

Algunas armas construidas durante el siglo XX

El camino a la paz comienza fomentando la capacidad de escuchar, analizar y, en su caso, respetar las ideas de los demás, reconociendo que las diferencias de opinión, creencias y religiones son una manifestación de la diversidad humana. Se debe aprender a ser tolerantes con los demás, siempre y cuando se respeten las leyes de nuestro país y los derechos humanos.

Máquina de escribir (1874).

Alexander Graham Bell inventó el teléfono (1876).

Thomas Alva Edison inventó el fonógrafo y la primera lámpara incandescente en 1878.

1878

LECCIÓN 30 Algunos materiales y sustancias también son inventos

Además de inventar herramientas e instrumentos, los seres humanos hemos tenido la capacidad de transformar algunas sustancias en otras para producir nuevos materiales y materias primas. Una sustancia inventada no puede encontrarse directamente en la naturaleza y sólo es posible obtenerla a partir de transformaciones conocidas como reacciones químicas. La sustancia nueva tiene propiedades y aplicaciones diferentes de otros materiales naturales.

Lupa

Por ejemplo, el vidrio es un material que se inventó hace más de 5 000 años. Para obtenerlo, los antiguos egipcios calentaban arena, piedra caliza y cenizas vegetales hasta que estas sustancias se fundían. No se sabe muy bien cómo, pero descubrieron que al enfriar rápidamente esta mezcla fundida se obtenía un material sólido y compacto, con propiedades muy atractivas y desconocidas en esa época. El vidrio, como sabes, es un material duro, resistente, impermeable, es decir, que no es penetrable por los líquidos y, lo más fascinante, también es transparente. Estas propiedades lo hacen un material adecuado para la elaboración de vasos, ventanas, espejos y lentes, entre otros objetos.

Cuerno para beber

Cerámica vidriada

Vitral

Matraz

Frascos y botellas

¿Sabías que... ***en el siglo XVII, en Holanda, se extendió el uso del vidrio transparente en las ventanas, lo cual mejoró la higiene en las casas? El vidrio hizo evidente a las personas la presencia de polvo y mugre, lo que propició nuevos hábitos de limpieza y aseo. Así, se avanzó en el cuidado de la salud y, además, se contribuyó a tener viviendas más agradables.***

1878

Primera bicicleta con cadena de transmisión (1879).

Louis Pasteur descubrió diversas vacunas, una de ellas contra la rabia (1880).

La energía eléctrica se obtiene a partir de grandes caídas de agua (1881).

Alrededor del año 100 a.C., los cristaleros sirios inventaron la técnica del soplado del vidrio y la introdujeron en Italia 200 años después. La imagen corresponde a un taller de vidrio europeo de 1330.

Como en el caso del vidrio, un nuevo producto o material se obtiene cuando las materias primas se someten a un proceso determinado que transforma las sustancias originales en otras con características diferentes. En ocasiones sólo se requiere poner en contacto las materias primas para que haya una transformación, pero la mayoría de las veces es necesario suministrar energía para que el cambio se produzca. Esa energía se puede aplicar al agitar una mezcla, calentarla o pasarle una corriente eléctrica. En química se llaman *reactivos* a las materias primas y *productos* a las nuevas sustancias que resultan de este proceso. Si observas el siguiente esquema, identificarás los reactivos, los productos y los procesos que se requieren para obtener el vidrio.

En el esquema de abajo se representan las sustancias o reactivos que intervienen en la reacción química para elaborar vidrio.

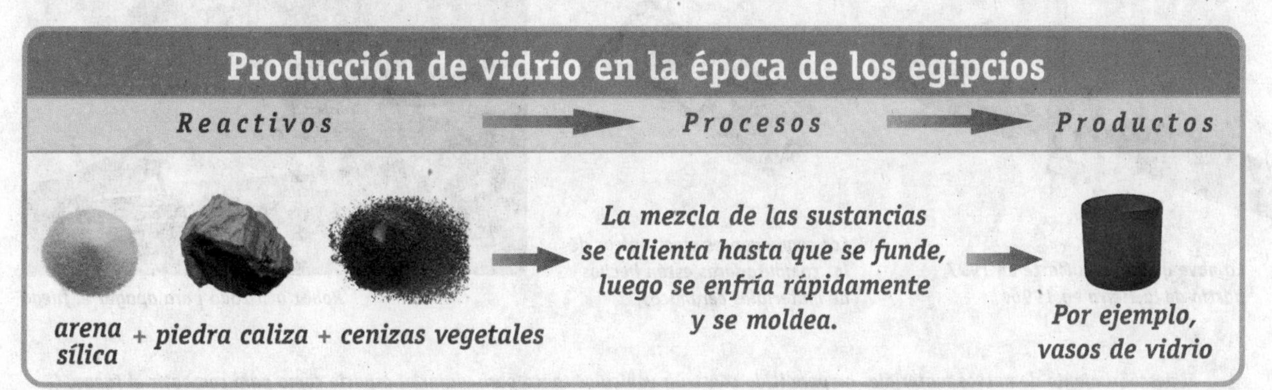

Primeros automóviles con motor delantero (1891).

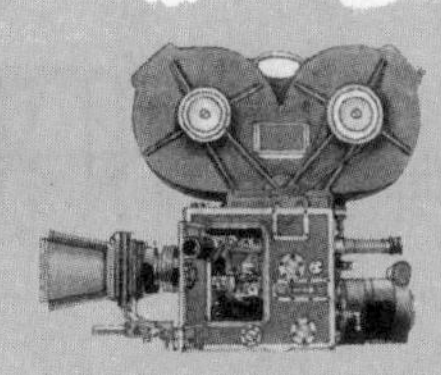

Cinematógrafo inventado por los hermanos Lumière en 1895.

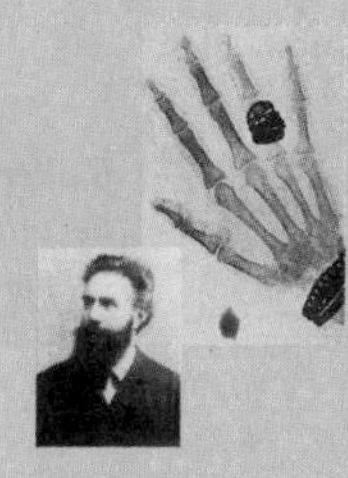

Wilhelm Conrad Roentgen descubrió los rayos X y fotografió los huesos de la mano de su esposa (1895).

1900

En Mesoamérica se conocían diversas técnicas para preparar bebidas. Entre ellas, el chocolate, que se elabora con semillas de cacao.

En Europa se refinaron técnicas de elaboración de productos lácteos, como el queso.

En China se inventaron la tinta, el papel y los instrumentos para escribir.

Por medio de procesos semejantes al de la producción del vidrio, pero cada uno con sus características particulares, desde la antigüedad hasta el presente ha sido posible inventar numerosos productos y sustancias. La lista de inventos importantes para mejorar la calidad de vida y conservar los recursos naturales es muy grande. En la nutrición, por ejemplo, se pueden mencionar desde el nixtamal y el pan hasta alimentos deshidratados o congelados, que se conservan durante mucho tiempo. En la salud destacan tanto las vacunas como los antibióticos, que ayudan a prevenir y combatir enfermedades infecciosas. En la industria y el hogar, las pinturas y barnices protegen y, en algunos casos, embellecen numerosos objetos como telas, muros, muebles, máquinas y aparatos. El mejoramiento y la creación de nuevos materiales cerámicos han permitido el desarrollo de componentes electrónicos que se utilizan actualmente en aparatos de sonido, computadoras y teléfonos. La preocupación por la conservación de la naturaleza ha propiciado que se fabriquen nuevos productos de limpieza, llamados biodegradables, que contaminan menos el medio ambiente.

La nave que llegó a Marte en 1997 partió de la Tierra en 1996.

Los componentes electrónicos de las computadoras están hechos de materiales cerámicos.

Robot utilizado para apagar el fuego

El descubrimiento de nuevos materiales ha permitido construir vehículos tanto para viajar al espacio como para combatir el fuego.

1900

Guillermo Marconi realizó las primeras comunicaciones mediante la radio en 1901.

Los hermanos Wright fueron los iniciadores de la aviación (1903).

De entre muchos inventos químicos que se conocen, vamos a describir con más detalle los siguientes: el papel, el jabón y los plásticos.

El papel

No se sabe exactamente cuándo se inventó el papel, pero algunos documentos históricos indican que fue en China donde se hizo por primera vez este material. Se piensa que fue en el año 105 cuando se demostró que ciertas telas usadas, las cortezas de árboles y cualquier otro material fibroso obtenido de las plantas, se podía usar para fabricar papel.

En la elaboración del papel, las fibras se trituraban y hervían para luego agregarles algunas sustancias que, por reacciones químicas, hacían que se deshicieran completamente. Al agregar agua, se obtenía una pasta que, muy bien batida, se prensaba finalmente para obtener hojas muy delgadas. Éstas, al secarse, formaban algo parecido a lo que hoy llamamos papel. Los chinos mantuvieron su invento en secreto durante varios siglos. Fue en el año 1150 cuando los europeos lo conocieron y comenzaron a producirlo para la elaboración artesanal de libros.

Cada año se cortan millones de árboles para fabricar papel, lo cual afecta en gran medida a los bosques y las selvas. Actualmente es posible, aunque todavía caro, producir papel de buena calidad reciclando el papel, aunque el proceso industrial es contaminante, ya que utiliza productos tóxicos para blanquear el papel impreso. Por eso, se está investigando cómo reducir los costos y los contaminantes derivados del proceso de reciclado. ¿Sabías que algunos de tus libros de texto están impresos en papel reciclado?

Las fibras vegetales se trituraban y hervían.

Para elaborar cada hoja de papel se sumergía un bastidor en la pulpa.

Las hojas de papel se prensaban y se dejaban secar.

Las fibras utilizadas por los chinos para producir papel se obtenían principalmente del arroz. En Europa, y luego en América, se utilizó preferentemente la corteza de los árboles.

Hacia 1908 se inventó el material con el cual se elaboraron discos fonográficos.

Ventilador que funcionaba con vapor (1910).

Reciclado de papel

Al mezclar el papel ya usado con agua, se descompone en sus fibras originales, que pueden volver a utilizarse. Organízate en equipo y elabora tu propio papel reciclado.

Necesitas por equipo:

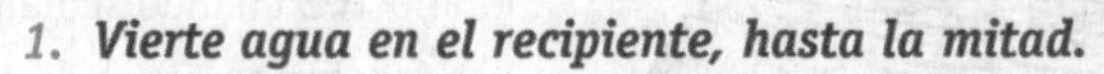

un recipiente profundo, una hoja doble de papel periódico, agua, una media o un pedazo de tela delgada de 20 x 20 cm, un bastidor para costura de 15 cm, dos trapos o paños secos

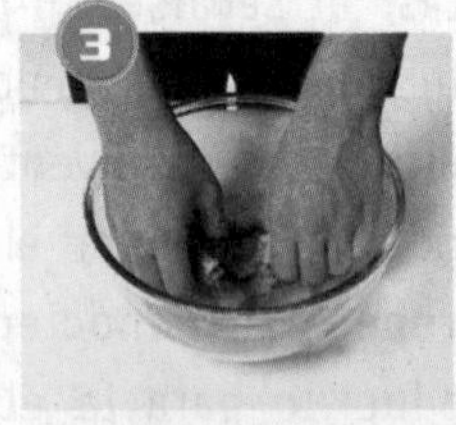

1. ***Vierte agua en el recipiente, hasta la mitad.***
2. ***Rompe el papel periódico en pedazos pequeños y sumérgelos en el recipiente con agua. Déjalo remojando todo el día.***
3. ***Al día siguiente bate con las manos el contenido del recipiente, para que desbarates el papel y formes una pasta suave.***
4. ***Fija la media o la tela en el bastidor procurando que quede bien extendida para formar un tamiz.***
5. ***Sumerge tu tamiz en la pasta agitando ligeramente, cuida que la media quede hacia arriba. Cuando lo saques, se habrá formado una capa delgada de pasta de papel sobre la media.***

6. ***Deja escurrir bien y trata de quitar el exceso de agua pasando un trapo por debajo del tamiz, hasta que la pasta esté firme.***
7. ***Voltea el tamiz y colócalo sobre el otro trapo bien extendido. Con el primer trapo, presiona fuerte sobre el tamiz para quitar toda el agua que puedas.***
8. ***Separa la hoja del tamiz con mucho cuidado y ponla a secar. Tardará aproximadamente un día en secarse completamente.***

¿Cómo quedó tu papel reciclado? ¿Qué se te ocurre que puedes hacer con él? Compara tu papel con el de tus compañeras y compañeros.

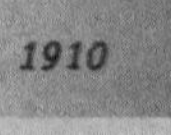

Marie Curie recibió dos veces el premio Nobel, en 1903 y en 1911, por sus descubrimientos acerca de la radiactividad.

Albert Einstein realizó importantes estudios sobre la materia y publicó sus teorías sobre la relación entre la energía y la velocidad de la luz (1913).

El jabón

Cada vez que te lavas las manos, lavas la ropa o te bañas, usas productos químicos como los jabones, los detergentes y sus derivados, que sirven para limpiar. Los seres humanos han utilizado el jabón desde hace más de 2 000 años. Parece ser que los egipcios fueron una de las primeras civilizaciones que lo utilizaron, obteniéndolo a partir de cenizas de ciertas plantas y la grasa o sebo de animales. Esta mezcla se calentaba hasta que la grasa se derretía y se llevaba a cabo una reacción química entre ambas sustancias. El producto de la reacción era una capa de jabón sólido que flotaba sobre el resto de la mezcla líquida.

¿Sabías que... ***en el México antiguo se conocía una planta capaz de producir un efecto jabonoso? Los pueblos mesoamericanos no conocían el jabón, pues no contaban con animales adecuados para la obtención de grasa en cantidad suficiente. Sin embargo, lavaban su ropa con la raíz del maguey, que contiene sustancias llamadas saponinas, que producen un efecto de limpieza semejante al del jabón.***

Actualmente el jabón se elabora a partir de aceites vegetales que son menos malolientes que las grasas animales que se usaron en la antigüedad. También se añaden colorantes y perfumes, para que el producto final sea más atractivo para quienes lo usan. Los detergentes no son tan antiguos como los jabones; se fabrican industrialmente en casi todo el mundo desde hace unos 80 años.

El detergente forma una mezcla con el agua y el aceite que permite quitar las manchas de la tela.

Los detergentes se elaboran a partir de sustancias derivadas del petróleo y, aunque tienen algunas diferencias, su forma de limpiar es muy parecida a la del jabón. Para limpiar mugre y manchas en telas y otras superficies como vidrio, metales o cerámicas, los jabones y detergentes se mezclan con el agua y alteran algunas de sus propiedades originales. Pero, ¿cómo limpia el jabón? Como sabes, por mucho que agites una mezcla de agua y aceite, los dos componentes acabarán separándose. El agua y el aceite no se pueden mezclar, por lo cual, el agua sola no logra desprender las manchas de grasa en la ropa. En cambio, con ayuda de los jabones y los detergentes, la grasa se desprende y es arrastrada por el agua, ya que las partículas de jabón tienen una parte que se une al agua y otra que se une al aceite o grasa. Así, el jabón unido a la grasa, facilita la disolución con el agua y la eliminación de la mancha.

El uso de los primeros refrigeradores domésticos se generalizó a partir de 1920.

El teléfono de disco se utilizó desde 1930 aproximadamente.

1930

Los plásticos

Los plásticos son también materiales sintéticos, es decir, no existen en la naturaleza, por lo que se fabrican con reactivos y mediante procesos industriales. Los plásticos han revolucionado la industria manufacturera, ya que con ellos se fabrica una gran variedad de productos: bolsas, platos, vasos, popotes, botellas, botones, partes de cafeteras, juguetes, relojes, radios, teléfonos, computadoras, en fin, la lista es realmente larga. ¿Por qué son tan utilizados? Sin duda alguna por sus extraordinarias propiedades. Los plásticos son a la vez ligeros y resistentes, pueden ser flexibles o rígidos, elaborarse de cualquier color y moldearse en casi cualquier forma. Otra característica muy importante de los plásticos es que son inocuos, esto quiere decir que no contaminan ni se mezclan con otros productos, y tampoco afectan los diferentes tejidos del cuerpo humano. Esto hace posible que el plástico se use en la fabricación de envases que contienen alimentos y en materiales de curación empleados en clínicas y hospitales. Su elaboración proviene principalmente de sustancias derivadas del petróleo, pero también se fabrican a partir de gas como el que se utiliza en las estufas, y hasta del carbón.

Se han inventado varios tipos de plásticos con diferentes propiedades, de acuerdo con el uso que se les da.

Son tan comunes y baratos que su uso está muy extendido, tanto que se ha llegado a abusar de su empleo; por eso, es recomendable usarlos sólo cuando sea necesario. En muchos lugares hay contaminación y problemas ambientales debido al tratamiento inadecuado de los desechos generados a partir de plásticos. La mayoría de estos materiales se puede reutilizar y reciclar. Por ejemplo, las bolsas de plástico pueden usarse varias veces antes de desecharse y los envases de productos lácteos pueden utilizarse como recipientes o como macetas.

1930

Microscopio electrónico (1931).

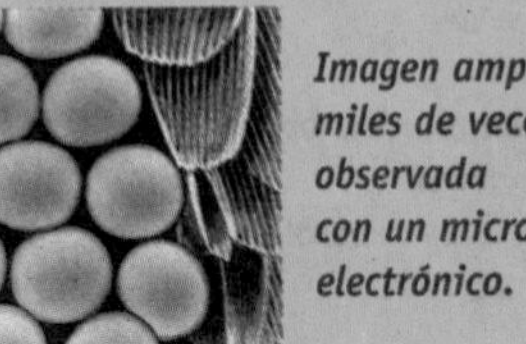

Imagen amplificada miles de veces, observada con un microscopio electrónico.

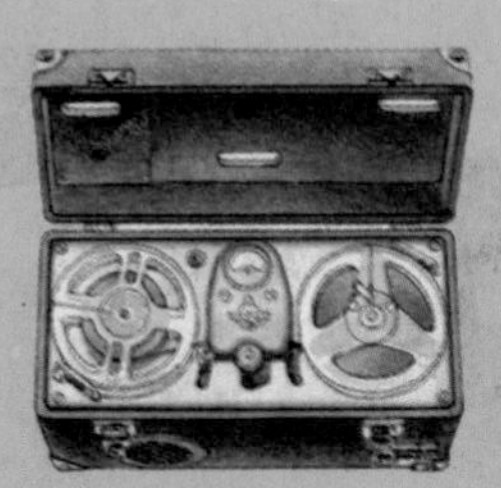

La primera grabadora o magnetófono hizo posible registrar y reproducir el sonido empleando una cinta magnética (1935).

Los plásticos en tu vida

Los plásticos forman parte de muchas de las cosas que te rodean. La mayoría de los envases y empaques de alimentos son de plástico, así como otros productos de uso doméstico. Encuentra en tu casa por lo menos 20 objetos fabricados con plástico y elabora una lista en tu cuaderno. De éstos escoge cinco que sean muy distintos en cuanto al uso y a las características del plástico con el que están hechos.

Elabora en tu cuaderno una tabla como la siguiente y complétala:

Producto	Uso	Tiempo para desecharlo	Forma en que puede afectar al ambiente

Organízate en equipo y compara tu tabla con la de tus compañeras y compañeros. ¿Cuántos productos diferentes encontraron? ¿En qué tiempo van a desechar la mayoría de esos productos? ¿Cuáles son los principales problemas ambientales que pueden provocar los plásticos cuando no se desechan adecuadamente?

Comenta con tus compañeras y compañeros qué acciones se pueden tomar para evitar que las personas arrojen objetos y empaques de plástico en lugares donde afectan el medio ambiente, así como otros usos que pueden dársele a objetos de plástico que ya no se utilicen, de acuerdo con la regla de "las tres erres" que ya conoces.

Río contaminado con objetos de plástico

Los objetos de plástico son de uso común y en muchos casos indispensables.

El radar permite determinar la posición y la distancia de un objeto lejano (1935).

Primera máquina copiadora de documentos (1938).

1938

LECCIÓN 31 Las habilidades científicas

La ciencia tiene como propósitos esenciales conocer y explicar el mundo que nos rodea. El conocimiento y las explicaciones científicas se distinguen de otras formas de conocimiento y explicación de los fenómenos que nos interesan, porque están basadas en supuestos que deben ser comprobados. Este conocimiento avanza mediante la investigación.

En una investigación científica se aplican el saber, las habilidades y el trabajo, individual y de conjunto, de las personas que en ella participan. La combinación de estos factores logra que los resultados particulares de cada investigación aporten algo al conocimiento general del mundo y que, con ello, nos beneficiemos todos. Por ejemplo, cuando se estudia una enfermedad, los resultados de las investigaciones nos hacen posible saber más sobre las causas que la producen, sobre el funcionamiento del cuerpo humano, pero también sobre cómo controlarla. De ahí que se diga que la ciencia hace aportaciones al bienestar de las personas.

Niños realizando mediciones.

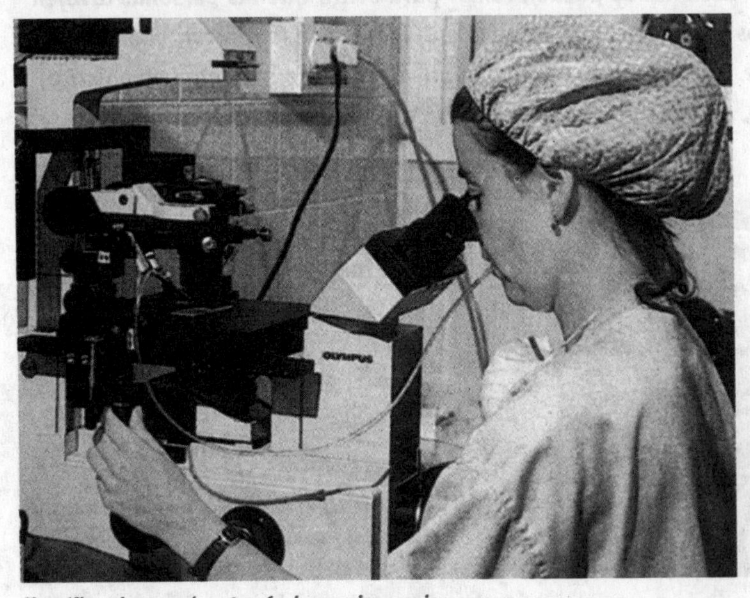

Científica observando a través de un microscopio.

En las lecciones de este bloque has visto que, para conocer mejor el mundo que nos rodea, muchos hombres y mujeres han participado en el proceso de avance científico y tecnológico, el cual representa años y hasta siglos de investigaciones sobre algún tema. Durante todo este tiempo, los científicos han desarrollado su propia forma de trabajo para estudiar y tratar de explicar los fenómenos que ocurren en la naturaleza. Cada uno aporta un granito de arena al saber humano. Con el paso de los años, se suman al saber científico muchos supuestos y explicaciones, pero también se desechan otras. Por ejemplo, como viste en la primera lección de este libro, por largo tiempo se

1938

La televisión a color fue inventada por Guillermo González Camarena en 1939.

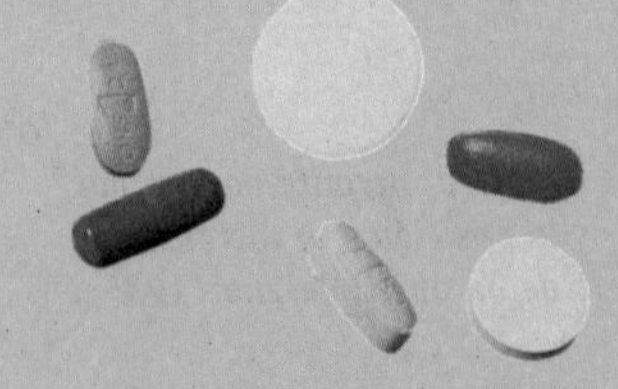

En 1940 se inició el desarrollo y la producción de antibióticos. Su uso disminuyó la mortandad por enfermedades infecciosas.

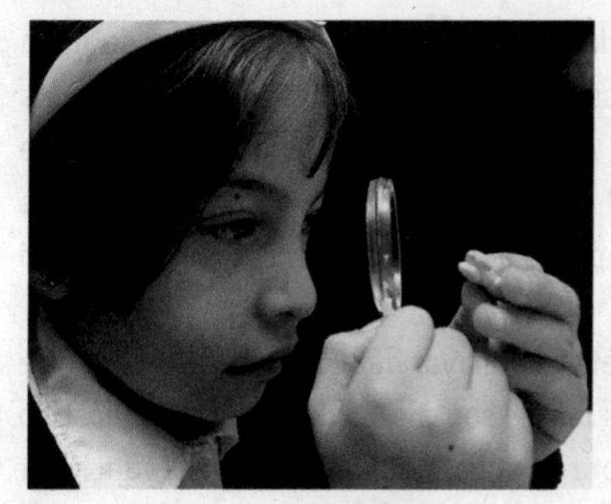

aceptó que la Tierra era el centro del Universo y que todos los demás astros giraban alrededor de ella, pero esta explicación se desechó cuando Copérnico demostró que la Tierra gira alrededor del Sol.

En esta lección analizarás en qué consiste el trabajo científico y qué habilidades específicas deben desarrollar las mujeres y los hombres que se dedican a la ciencia. Entre estas habilidades se cuentan la observación, la medición, la comparación, la experimentación, la explicación y la difusión de resultados. Como encontrarás a continuación, a lo largo de tu educación primaria y especialmente en las clases de Ciencias Naturales, tú has puesto en práctica algunas de estas habilidades y también has utilizado instrumentos que te han facilitado la obtención de datos sobre los fenómenos y objetos que te rodean.

Para obtener datos sobre la naturaleza resulta indispensable observar y hacer mediciones en objetos y fenómenos.

Observar

Una de las primeras habilidades que deben desarrollar los científicos es la observación. Ellos y ellas observan con atención los seres vivos o los objetos que estudian, para distinguir hasta los más pequeños y finos detalles. Algunas veces observan procesos cortos, como puede ser una reacción química o un objeto que cae. En otras ocasiones, y sobre todo en biología, realizan observaciones durante un periodo prolongado para notar cambios en el crecimiento de plantas o en el comportamiento de algunos animales o de microorganismos.

Científicos realizando observaciones en el campo y en un laboratorio químico.

Los cohetes llamados V-2 se emplearon en la segunda guerra mundial y fueron los precursores de los misiles modernos (1942).

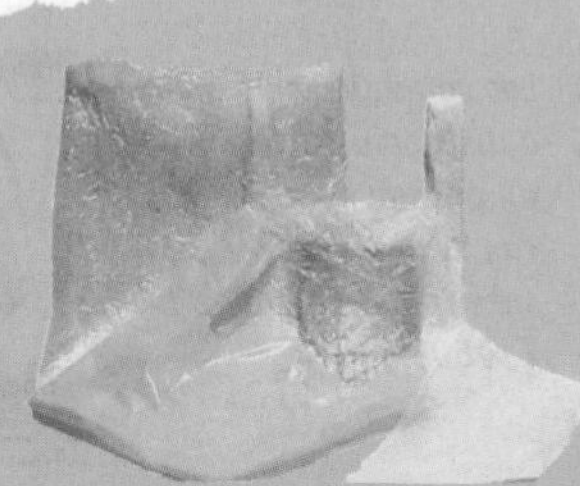

El plástico y las fibras sintéticas favorecieron la elaboración de diversos productos, a partir de la primera mitad del siglo XX.

1960

La observación más común y directa que hacen de las cosas es mediante el sentido de la vista. Pero, para sacar el mayor provecho de la observación, es necesario que utilicen todos los sentidos y que, en ocasiones, extiendan sus capacidades humanas gracias al uso de ciertos instrumentos. Por ejemplo, con el microscopio pueden ver organismos que no se observan a simple vista. Otro ejemplo es el estetoscopio, con el que pueden oír los latidos del corazón.

Con el estetoscopio es posible oír los latidos del corazón y el funcionamiento de los pulmones.

Cuando se quiere observar un objeto con mayor detalle es necesario que se utilicen lentes que aumentan su imagen. Las lentes son piezas de vidrio o de plástico que se pulen para darles formas especiales. Una gota de agua, por ejemplo, puede funcionar como una lente sencilla, ya que hace que la imagen de un objeto aumente un poco. Hay otras lentes muy poderosas, capaces de hacer ver los objetos muchas veces más grandes de lo que en realidad son.

Con los binoculares se puede observar el comportamiento de los animales sin perturbarlos.

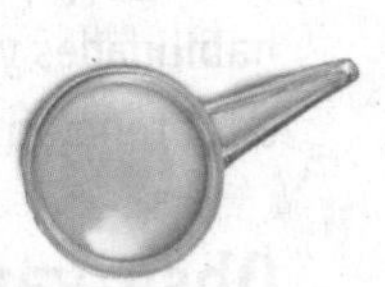

La lente de una lupa aumenta varias veces lo que se desea observar.

La cámara fotográfica permite captar imágenes.

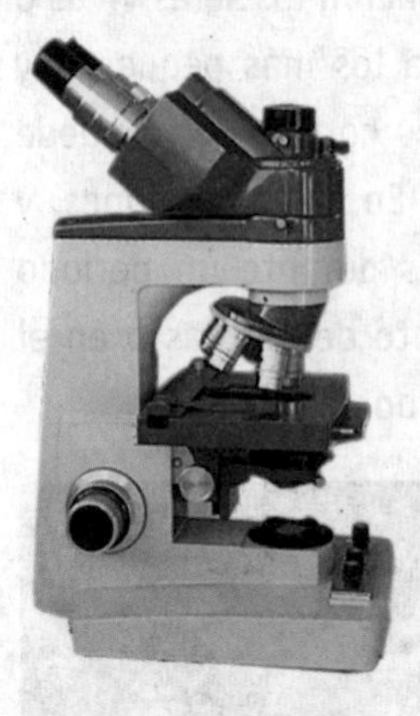

El microscopio tiene lentes muy poderosas que aumentan muchas veces lo que se desea observar.

La capacidad de ampliación de una lente puede calcularse fácilmente. Por ejemplo, si una lente, como la lupa, logra aumentar tres veces el tamaño de la imagen de un objeto, entonces la capacidad de ampliación de la lente será de tres. El microscopio es más potente que una lupa porque tiene por lo menos dos lentes que, combinadas, logran aumentar la imagen de un objeto desde 100 veces hasta un millón. Dependiendo de lo que se quiera observar, debe enfocarse con una lente distinta; por ejemplo, para ver objetos relativamente grandes como la pata de un insecto, se utiliza el menor aumento. Si se desea observar algo más pequeño, como un microorganismo, deberá enfocarse con la lente de mayor aumento.

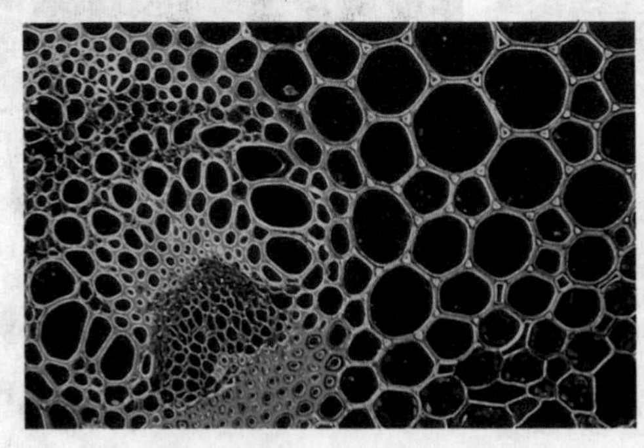

Nudo de raíz de haba ampliado 40 veces

Cuerpo plumoso de un alga ampliado 300 veces

1960

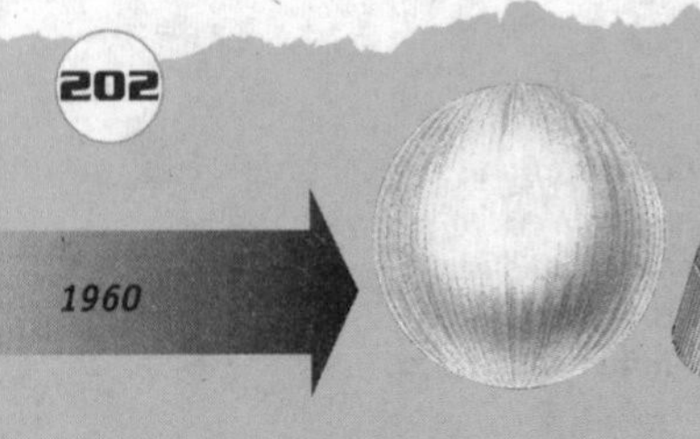

Las comunicaciones a distancia tuvieron un gran avance con el uso de los satélites artificiales (1960).

Los primeros que dieron una vuelta a la Tierra en una nave espacial, fueron los astronautas rusos Juri Gagarin (1961) y Valentina Tereskova (1963).

La capacidad de ampliación de una lupa

Las lupas son instrumentos que nos permiten observar detalles al modificar el tamaño de la imagen de un objeto. Estimar y calcular cuántas veces aumenta una lupa el tamaño de las imágenes puede resultar divertido.

Necesitas:

una lupa, un pedazo de cartulina de 15 x 20 cm, un lápiz, tijeras, una regla

1. ***Observa, a través de la lupa, una parte de la lombriz que aparece en esta página. Anota en tu cuaderno el número de segmentos que ves y estima cuántas veces crees que se amplió la imagen.***
2. ***Mide el diámetro de la lente de tu lupa y traza en el centro de la cartulina un círculo del mismo tamaño.***
3. ***Recorta el círculo haciendo un agujero en el centro para que te sea más fácil cortar sobre la línea.***
4. ***Ahora observa la lombriz a través del agujero de la cartulina. Procura colocarla en el mismo lugar y a la misma distancia en que pusiste la lupa.***
5. ***Cuenta el número de segmentos que ves y regístralo en tu cuaderno.***
6. ***Calcula la capacidad de ampliación de tu lupa, dividiendo el segundo registro entre el primero.***

¿Cuál fue la capacidad de ampliación de tu lupa? ¿Qué tan diferente fue de tu estimación?

Ahora usa una regla para medir la capacidad de aumento de tu lupa. ¿Cómo lo harías?

¿Qué diferencias encuentras entre este resultado y los anteriores?

¿Cuál consideras que es más preciso? ¿Por qué?

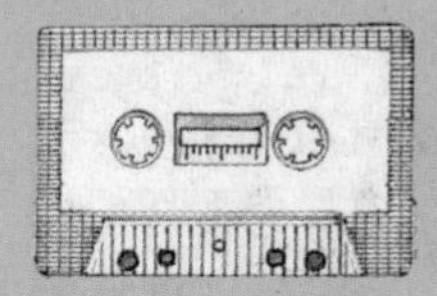

La audiocinta magnética facilitó el registro y distribución masiva de sonido en todo el mundo (1963).

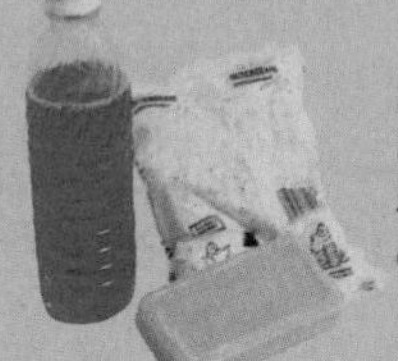

Los detergentes biodegradables o suaves se empezaron a producir entre 1963 y 1965.

1965

Mes de septiembre en un calendario italiano del siglo XIII

Comparar

Algo que distingue al conocimiento científico es la búsqueda de ciclos y regularidades, es decir, de características que se repiten siguiendo un mismo patrón. Un ejemplo de esto es el día y la noche, que siempre ocurren de la misma manera y que se repiten indefinidamente. El modo más común de encontrar estas regularidades es mediante la comparación. Así, los astrónomos de la antigüedad construyeron los primeros calendarios haciendo observaciones de la bóveda celeste y comparando las regularidades que observaron a lo largo de varios periodos de tiempo o ciclos.

Cuando después de observar, medir o experimentar un científico anota o registra sus resultados, es necesario que los compare con otros que ya se conocen.

Comparar datos, experimentos o procesos nos permite encontrar diferentes relaciones que pudieran existir. Por ejemplo, como viste en la lección 7, los picos de los pinzones varían de acuerdo con el lugar donde habitan y su forma está relacionada directamente con el tipo de alimentación que cada especie consume. Esto sólo se pudo averiguar con el método comparativo. De igual manera, los paleontólogos han confirmado que hace mucho tiempo los continentes estuvieron unidos formando la masa continental denominada Pangea, como viste en la lección 3. Al hacer estudios comparativos del tipo de animales que habitan ahora en diferentes partes del planeta, se han dado cuenta de que su distribución actual se debe al movimiento de los continentes. Lo que originalmente fue una sola población se separó en varias, las cuales habitan en continentes distintos de acuerdo con su distribución actual. Un ejemplo de lo anterior son los marsupiales que estudiaste en el bloque 1.

Calendario azteca

Los astrónomos compararon, después de muchas temporadas, las mismas regularidades, lo que les permitió construir una forma de registrar el paso del tiempo, es decir, un calendario.

1965

El Boeing 747 se utiliza para el transporte comercial de personas (1969).

Con el cohete de la misión Apolo 11, el ser humano logró llegar a la Luna (1969).

Se puede estimar la edad de un árbol midiendo la circunferencia de su tronco.

Medir

Un caso particular de la comparación es la medición. Al medir un objeto o sustancia, éste se compara con una unidad de medida. En tus clases de Matemáticas y de Ciencias Naturales has aprendido a medir y a utilizar diversas unidades de medida e instrumentos de medición. Con ello, has podido darte cuenta de la importancia que tiene la medición en la obtención de información y en la solución de problemas. Algo semejante ocurre en el trabajo científico.

Al investigar, comúnmente los científicos realizan estimaciones para tener una idea aproximada de, por ejemplo, la distancia entre dos estrellas, el número de individuos que forman una población de abejas, el tamaño y el peso de cierto ser vivo, o el tiempo que tarda una reacción química; pero, en general, para cumplir con los propósitos de sus investigaciones requieren tener datos más precisos. Entonces, realizan mediciones con procedimientos e instrumentos que les permiten comprobar sus estimaciones.

La medición es una de las capacidades que desarrollaron los seres humanos desde la antigüedad, especialmente del peso, el tiempo y la longitud. Desde entonces se ha inventado una gran cantidad de instrumentos para medir y, al estandarizarse las unidades de medida, se han ido perfeccionando los sistemas de medición. Por ejemplo, en un principio las longitudes se medían en pasos, pies o dedos pulgares, entre otras medidas. Tuvo que pasar mucho tiempo para que, en la mayoría de los países, se utilizara el metro, que es una medida estándar, o sea que tiene el mismo valor en cualquier parte del mundo, a diferencia de las manos o los pies, cuyo tamaño varía de una persona a otra.

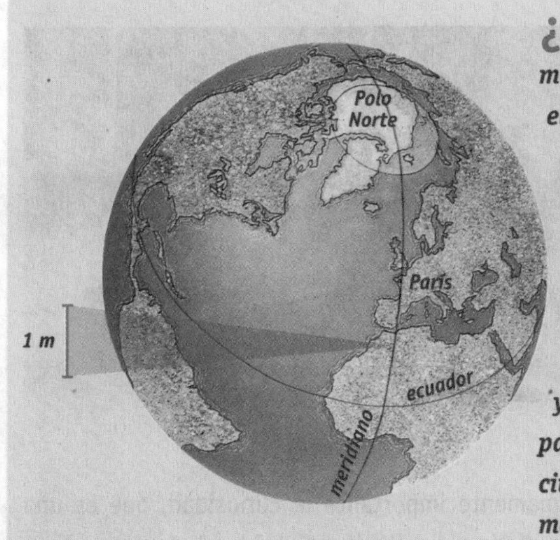

Un metro equivale a la diezmillonésima parte de la distancia entre el Polo Norte y el ecuador.

¿Sabías que... ***el metro se estandarizó desde hace más de 200 años? Esta unidad de medida se obtuvo al medir el trozo de meridiano, o línea imaginaria, que va del Polo Norte al ecuador, pasando por París. Esta distancia se dividió en 10 millones de partes iguales y la longitud de una de esas partes es lo que hoy se conoce como*** **metro.** ***Una vez establecida la dimensión del metro, se construyó con esa medida exacta una barra de platino, llamada metro patrón, la cual se conserva en la Oficina Internacional de Pesas y Medidas en Francia. En México existe una copia del metro patrón en el Centro Nacional de Metrología en la ciudad de Querétaro. Todo instrumento de medida se construye con base en un patrón.***

Metro patrón

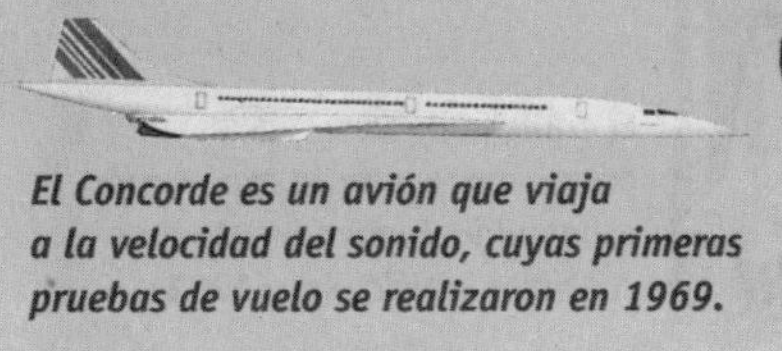

El Concorde es un avión que viaja a la velocidad del sonido, cuyas primeras pruebas de vuelo se realizaron en 1969.

El disco compacto permite guardar una mayor cantidad de información, datos, imágenes y sonidos (1973).

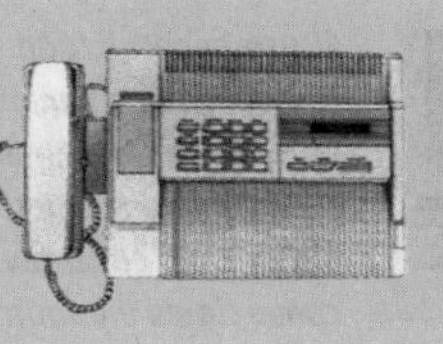

A partir de 1980 comienza el uso de la máquina de fax para enviar y recibir información escrita de forma inmediata por vía telefónica.

1980

Como viste en la lección 28, el tiempo también se mide y la unidad de medida más usada por los científicos para medir el tiempo es el segundo. Otra medida que a menudo les interesa realizar en sus investigaciones, es la de la temperatura, para lo cual usan diversos tipos de termómetro, como por ejemplo el que utiliza un médico para medir la temperatura corporal y saber si el paciente tiene fiebre. En general, en ciencia, los grados centígrados (°C) son la unidad de medida más usual para la temperatura. En el caso del peso, quienes realizan investigaciones científicas utilizan distintas clases de balanza, dependiendo de lo que quieren medir. Con mucha frecuencia en los laboratorios se deben pesar objetos muy pequeños o cantidades diminutas de sustancias que requieren balanzas muy precisas. Las unidades de peso más comunes son el gramo (g) y el kilogramo (kg).

Una característica importante del proceso de medir es que los resultados o mediciones se expresan siempre en cantidades y por eso se dice que son cuantitativos, para diferenciarlos de otros datos que resultan de la investigación, a los cuales se les denomina cualitativos. Por ejemplo, el peso y la talla de los seres humanos son datos cuantitativos, mientras que otras características, como el color de los ojos o del cabello son cualitativas.

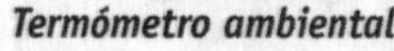

Termómetro de laboratorio ***Termómetro ambiental***

Balanza de mucha precisión que se usa en los laboratorios para pesar pequeñas cantidades de sustancias, como una pizca de sal.

Experimentar

Para la ciencia es sumamente importante la curiosidad, que es una característica que nos distingue a los humanos de otros seres vivos. Hacernos preguntas acerca del mundo a nuestro alrededor y encontrarles respuestas nos ayuda a comprender y a valorar nuestro entorno.

1980

El uso generalizado de computadoras personales, aproximadamente desde 1981, facilitó diversas actividades científicas, culturales, comerciales y administrativas.

El transbordador espacial fue un gran avance para la exploración espacial y el lanzamiento de satélites artificiales (1981).

Una investigación científica se inicia siempre con una pregunta: ¿Cómo es...? ¿Por qué es así? ¿Qué pasaría si...?, son algunas de las preguntas más comunes de las que parten los científicos, quienes, al observar y medir cuidadosamente un fenómeno y al relacionar las observaciones con conocimientos que ya tienen, pueden dar una primera explicación de lo que ocurre. Sin embargo, toda predicción que hagan debe ser comprobada, para lo cual frecuentemente diseñan experimentos.

Al diseñar un experimento buscan reproducir un proceso. Para ello, deben tener en cuenta ciertos factores que cambian durante el proceso, como la temperatura, el tiempo o la distancia. Estos factores se denominan variables y, en ocasiones, es necesario controlarlos. Por ejemplo, si se desea conocer la rapidez a que se desplaza un vehículo, puede medirse el tiempo que tarda en recorrer una distancia fija, o bien la distancia que recorre en un tiempo fijo. Si lo que se fija es la distancia, entonces se dice que varía el tiempo que tarda el vehículo en recorrerla. Si lo que se fija es el tiempo, entonces varía la distancia que éste recorre. En ciencia siempre deben controlarse algunos de estos factores o variables, ya que de otra manera no podrían interpretarse los resultados que se obtienen de un experimento. Observa y analiza el siguiente esquema para que comprendas mejor la idea de variable.

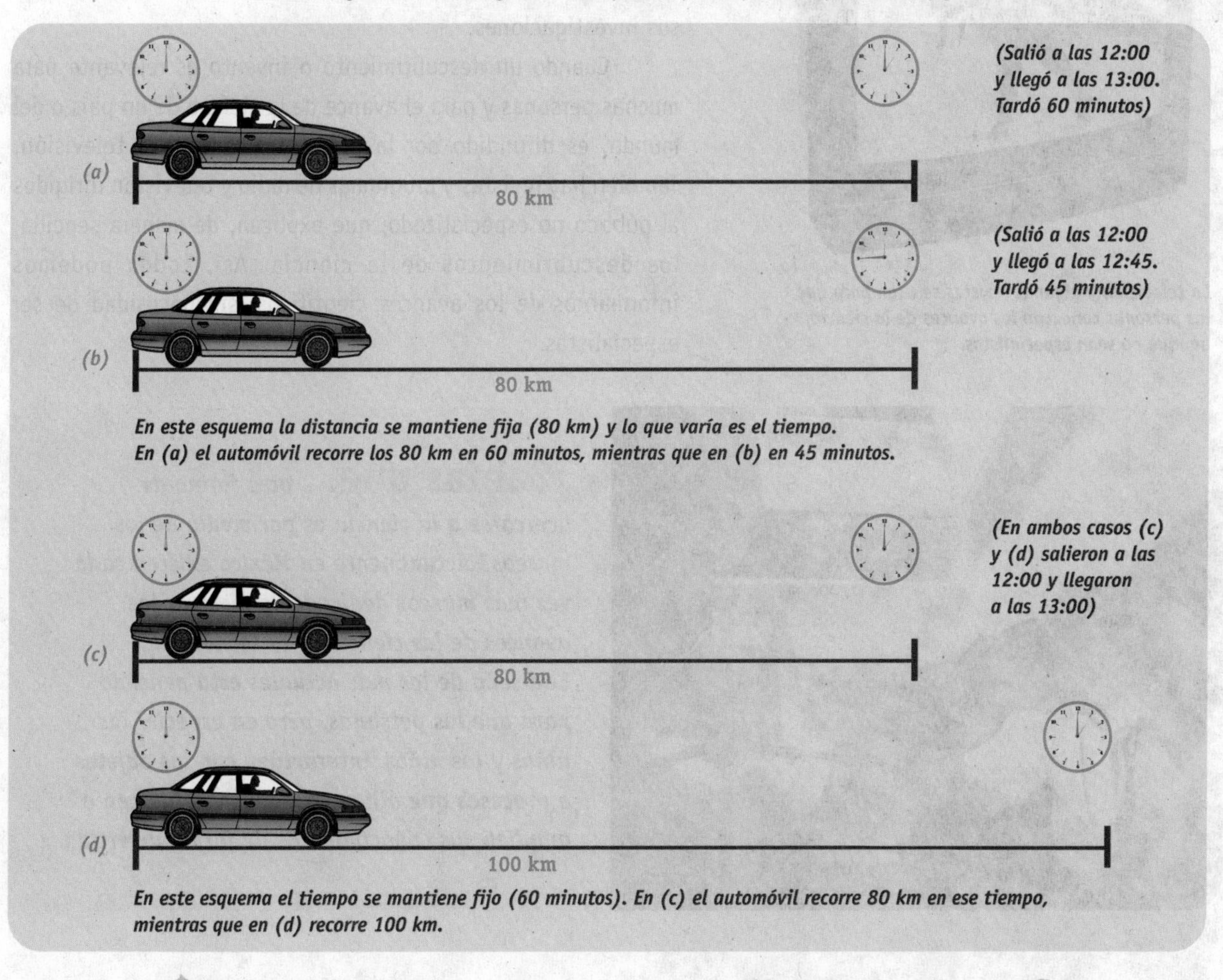

En este esquema la distancia se mantiene fija (80 km) y lo que varía es el tiempo. En (a) el automóvil recorre los 80 km en 60 minutos, mientras que en (b) en 45 minutos.

En este esquema el tiempo se mantiene fijo (60 minutos). En (c) el automóvil recorre 80 km en ese tiempo, mientras que en (d) recorre 100 km.

La construcción de grandes aspas ha permitido el aprovechamiento de la energía eólica o del viento para producir energía eléctrica (1982).

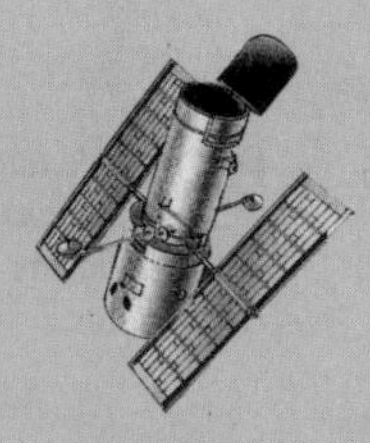

Telescopio espacial que orbita alrededor de la Tierra para observar objetos lejanos (1990).

1990

Explicar y difundir resultados

Una vez que un científico o una científica realizan una investigación, deben exponer claramente lo que ocurrió en ella. Este proceso suele ser muy interesante, porque requiere poner en orden los resultados, interpretarlos y explicarlos y, en ocasiones, eso es lo que les toma más tiempo. Para corroborar que la explicación es correcta, deben realizar varias veces las mediciones y los experimentos. Con ello confirmarán que su explicación es válida, lo cual hace posible que sea aceptada por otros miembros de la comunidad científica.

Finalmente, es muy importante que los resultados y las explicaciones sean conocidos por otros colegas y por la sociedad en general. Para ello, se cuenta con muchos medios como son libros, revistas especializadas, la red de información en computadoras y también se realizan reuniones, llamadas congresos, donde los científicos se reúnen a exponer y comentar sus investigaciones.

Cuando un descubrimiento o invento es relevante para muchas personas y para el avance de la ciencia de un país o del mundo, es difundido por la prensa, la radio y la televisión. También hay revistas y programas de radio y televisión dirigidos al público no especializado, que explican, de manera sencilla, los descubrimientos de la ciencia. Así, todos podemos informarnos de los avances científicos, sin necesidad de ser especialistas.

La televisión y algunas revistas se usan para que las personas conozcan los avances de la ciencia, aunque no sean especialistas.

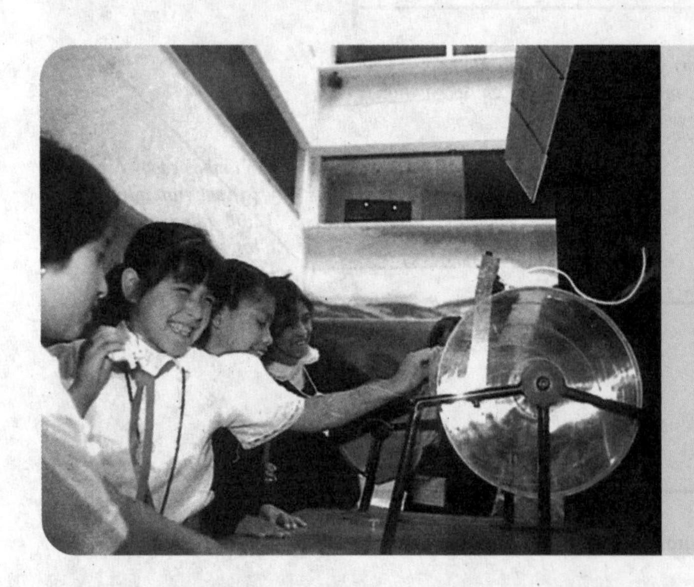

¿Sabías que... ***otra forma de acercarse a la ciencia es por medio de los museos? Actualmente en México existen cada vez más museos dedicados a mostrar los avances de las ciencias y la tecnología. El diseño de los más actuales está pensado para que las personas, pero en especial las niñas y los niños, interactúen con los objetos o procesos que allí se exhiben, y refuercen o amplíen sus conocimientos de forma divertida.***

1990

El código de barras se inventó para agilizar y organizar las operaciones comerciales.

En los años noventa el teléfono digital sustituyó a los teléfonos de disco.

Los procesos científicos

Durante tus cursos de Ciencias Naturales has realizado diferentes actividades en las cuales, a partir de preguntas que te planteaste o que se te plantearon en el texto, aplicaste algunas habilidades que se requieren para hacer una investigación, como: observar, medir, comparar, experimentar, explicar tus resultados y compartirlos con tus compañeros. ¿Recuerdas cómo lo hiciste?

Entre las actividades que realizaste están:

Escoger un tema y hacer una pregunta

Revisar el tema y buscar información

Realizar observaciones

Llevar a cabo mediciones

Hacer predicciones sobre lo que puede suceder

Diseñar y realizar experimentos

Comprobar tus predicciones y explicarlas

Compartir tu información y tus explicaciones con los demás

Recuerda y revisa lo que hiciste en la sección de actividades "Manos a la obra" a lo largo de tus cursos de Ciencias Naturales. Escoge un ejemplo en particular y trata de identificar en qué momento aplicaste alguna de las situaciones anteriores. Comenta tus reflexiones con el resto de tus compañeros y anota en tu cuaderno tus conclusiones.

El teléfono celular en los años noventa facilitó la comunicación sin el uso de cable para la transmisión de la señal.

La nave espacial, llamada Sonda Galileo, se encontraba girando alrededor de Júpiter en 1995.

Las estaciones espaciales usan celdas solares para proveerse de energía y funcionar. Inicio de la construcción de la Estación Espacial Internacional (1998).

1998

LECCIÓN 32 Los inventos a través de los siglos

A lo largo del bloque hemos revisado parte del avance científico y tecnológico de la humanidad por medio de las ilustraciones que se encuentran en el cintillo de la parte inferior de cada página. Las imágenes que allí se presentan te servirán como punto de partida para elaborar un juego.

Las serpientes y escaleras de la ciencia y la tecnología

Para hacer este juego tienes que organizarte en equipo y conseguir el siguiente material:

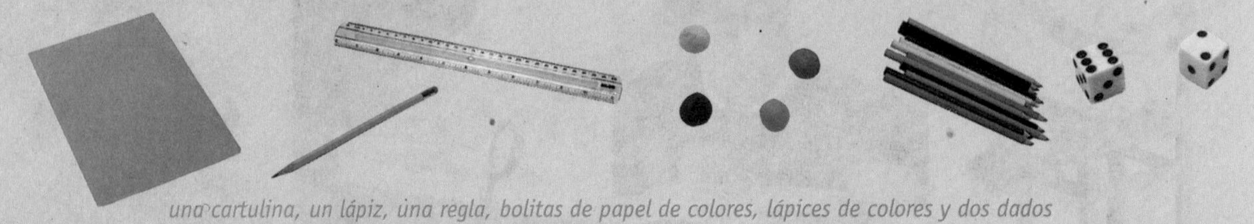

una cartulina, un lápiz, una regla, bolitas de papel de colores, lápices de colores y dos dados

1. ***Clasifica los inventos del cintillo y elabora en tu cuaderno seis listas de acuerdo con las siguientes categorías:***

La vida cotidiana

Ejemplo: vasos de vidrio

Nuevas sustancias y materiales

Ejemplo: bolsas de plástico

Instrumentos y aparatos para medir y observar

Ejemplo: el reloj mecánico

Las telecomunicaciones

Ejemplo: el teléfono

Los transportes

Ejemplo: el avión

Energía y máquinas

Ejemplo: Locomotora de vapor

2. ***Subraya en cada lista los cinco inventos que consideres más importantes. Ahora escoge uno de los que subrayaste en cada lista y piensa una ventaja y una desventaja de su uso.***

Inventos	Ventajas	Desventajas
Bolsas de plástico	*Resistentes y baratas*	*Contaminación de ecosistemas si no se desechan en forma adecuada*

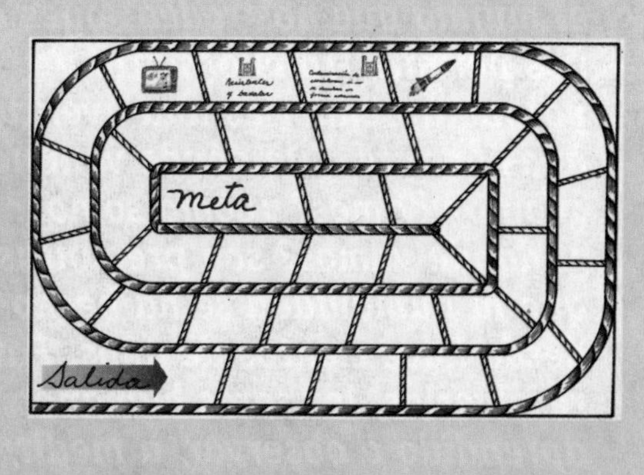

3. *En la cartulina elabora un tablero como el que se muestra a continuación. Éste debe tener un total de 36 casillas. El juego representa el desarrollo humano, desde las mujeres y los hombres prehistóricos hasta la era actual.*
4. *En las casillas dibuja o anota en orden cronológico los inventos que subrayaste. En el caso de los inventos para los cuales escribiste una ventaja y una desventaja, deberás usar dos casillas juntas y anotarlas como se ve en la figura.*
5. *Una vez que hayas terminado tu tablero, ten a la mano las bolitas de papel de diferentes colores para distinguir a cada jugador, y los dados numerados del 1 al 6. Si no los consigues de plástico, puedes hacerlos de plastilina, con ayuda de la punta de un lápiz para marcar los puntos.*

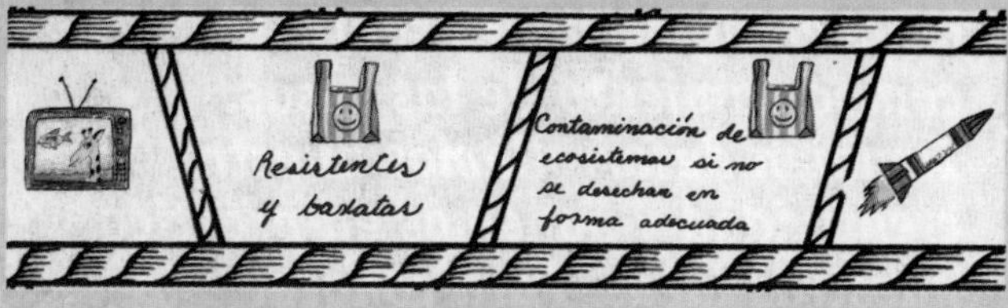

Para jugar debes tomar en cuenta las siguientes reglas:

- *Para llegar a la meta hay que tirar los dados y avanzar con las bolitas de colores por las casillas de los inventos, de acuerdo con el número que se obtenga de la suma de los dados.*
- *Si se cae en una casilla de "ventaja" de un invento se salta al siguiente invento con ventaja.*
- *Si se cae en una casilla de "desventaja" de un invento, se regresa a la casilla anterior de desventaja o a la salida, si es el caso.*
- *Gana el primero que llega a la meta.*

Recuerda ampliar la información de tu diccionario científico.

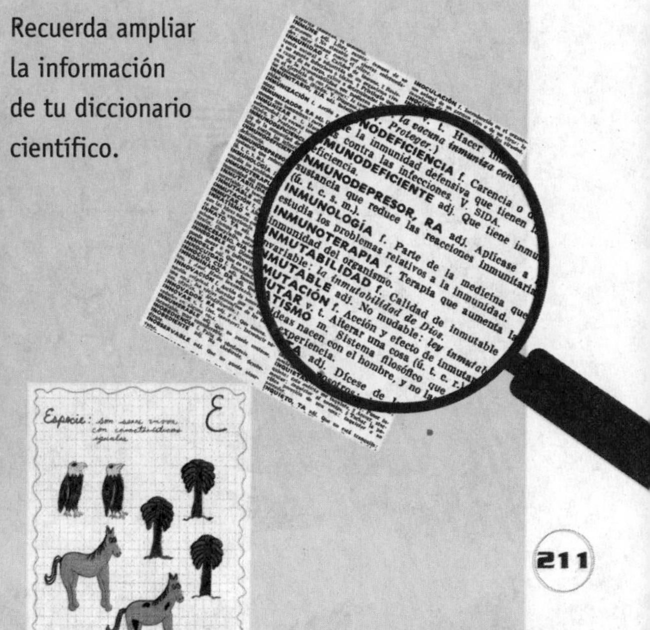

Los seres humanos somos curiosos por naturaleza. Estamos interesados en conocer cómo es y cómo ha sido el mundo que nos rodea, pues esto nos permite transformarlo y porque aprender es una aventura apasionante. ¿De dónde venimos? ¿Cómo vivimos? ¿Cómo somos? ¿Adónde vamos? son preguntas que la humanidad se ha hecho desde hace cientos de años. Para resolverlas, los seres humanos hemos aprendido a observar, a medir, a hacer suposiciones sobre el comportamiento de las cosas. También desarrollamos nuestra creatividad y ponemos en práctica nuestras ideas. Para conocer hay que estar dispuesto a lanzarse a la aventura sin temor a equivocarse; hay que aceptar el reto y enfrentarlo con entusiasmo.

¿CÓMO CONOCEMOS?

BLOQUE 5

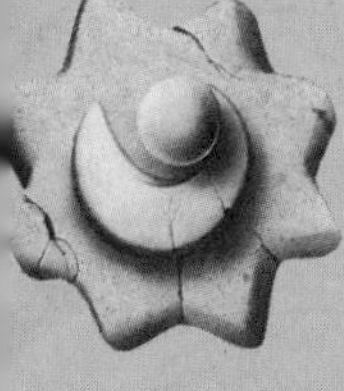

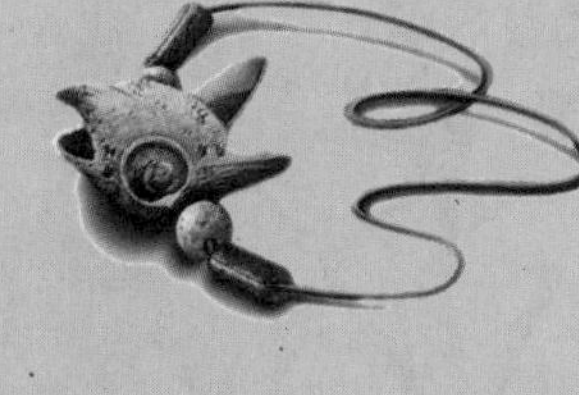

Tras las huellas del pasado

Para terminar con este curso de sexto grado y poner en práctica lo que has aprendido en él, te invitamos a participar en una nueva aventura. En ella tendrás que hacer uso de los conocimientos y habilidades adquiridos y desarrollados en tus cursos de Ciencias Naturales a lo largo de la primaria. También tendrás que poner en práctica tu creatividad e imaginación, y será necesario que colabores con tus compañeras y compañeros para resolver los problemas que se te planteen.

Imagina que, en un valle escondido de nuestro planeta, un grupo de arqueólogos ha descubierto los restos de una civilización muy antigua y hasta ahora desconocida. Estos investigadores han recorrido cuidadosamente el lugar, han hecho múltiples excavaciones y han encontrado una gran cantidad de edificios y objetos elaborados por los antiguos pobladores del lugar.

Toda la información y los materiales recuperados por los arqueólogos han sido puestos a la disposición de un equipo de científicos de todo el mundo, en el cual has sido invitado a participar, junto con tus compañeros de clase, así como con tu maestra o maestro.

¿Podrás ayudar a los arqueólogos a reconstruir el pasado? ¿Será posible que, como investigador, puedas descubrir cómo era esta civilización antigua a partir de unas cuantas pistas?

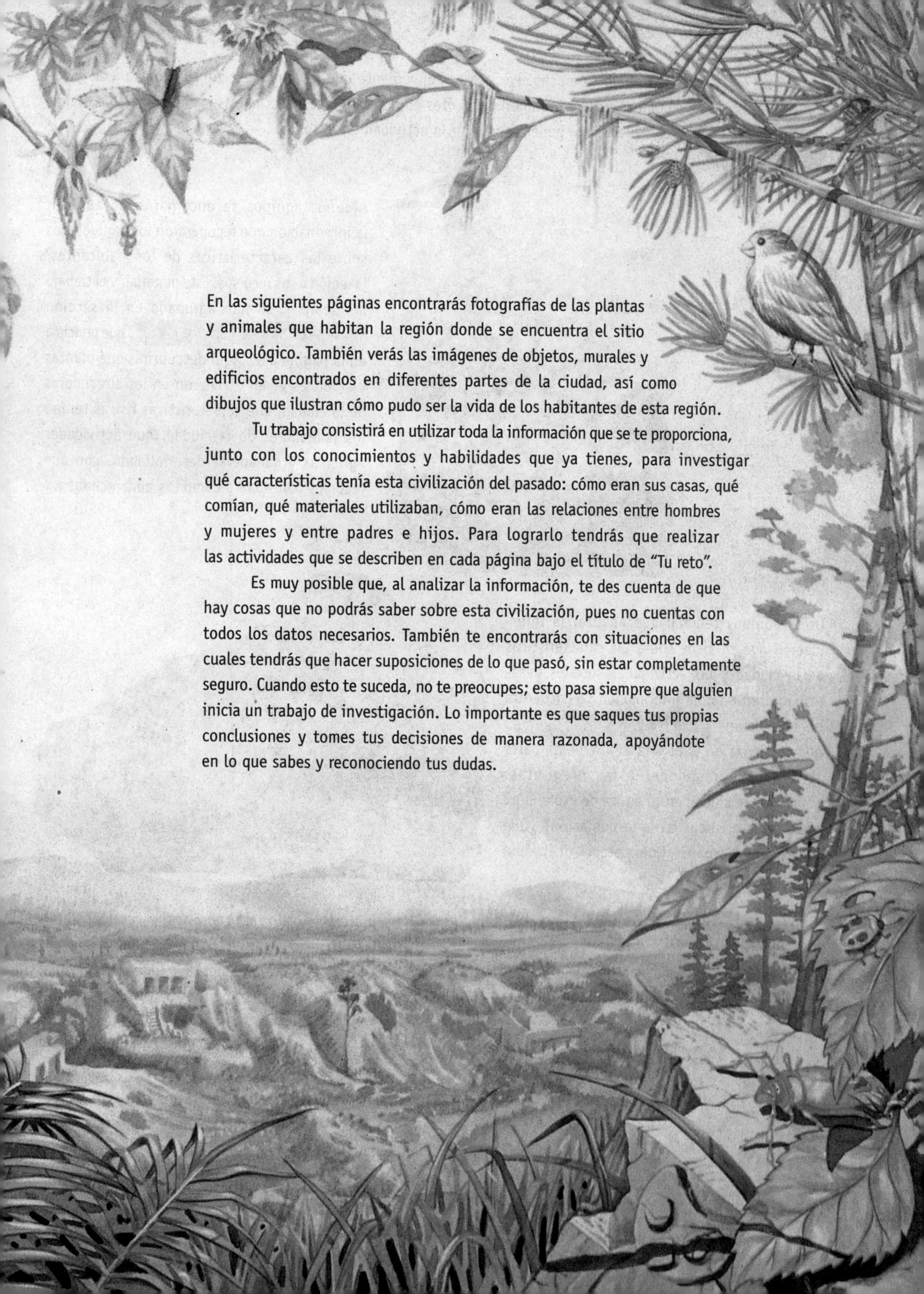

En las siguientes páginas encontrarás fotografías de las plantas y animales que habitan la región donde se encuentra el sitio arqueológico. También verás las imágenes de objetos, murales y edificios encontrados en diferentes partes de la ciudad, así como dibujos que ilustran cómo pudo ser la vida de los habitantes de esta región.

Tu trabajo consistirá en utilizar toda la información que se te proporciona, junto con los conocimientos y habilidades que ya tienes, para investigar qué características tenía esta civilización del pasado: cómo eran sus casas, qué comían, qué materiales utilizaban, cómo eran las relaciones entre hombres y mujeres y entre padres e hijos. Para lograrlo tendrás que realizar las actividades que se describen en cada página bajo el título de "Tu reto".

Es muy posible que, al analizar la información, te des cuenta de que hay cosas que no podrás saber sobre esta civilización, pues no cuentas con todos los datos necesarios. También te encontrarás con situaciones en las cuales tendrás que hacer suposiciones de lo que pasó, sin estar completamente seguro. Cuando esto te suceda, no te preocupes; esto pasa siempre que alguien inicia un trabajo de investigación. Lo importante es que saques tus propias conclusiones y tomes tus decisiones de manera razonada, apoyándote en lo que sabes y reconociendo tus dudas.

El trabajo es mucho. Por eso es conveniente que te organices con tus compañeras y tus compañeros de grupo en diferentes equipos. Tu maestra o maestro se encargará de dividir el trabajo para poder completar la actividad entre todos.

Algunos equipos se encargarán de analizar la información que recuperaron los arqueólogos sobre las características de los habitantes, la región y sus recursos. Este material, y el trabajo por realizar, se han agrupado en la sección *Los habitantes y su mundo*, que principia en la página 218. Aquí descubrirás qué plantas y animales viven o vivieron en los alrededores de la ciudad, qué características físicas tenían los pobladores de la ciudad, qué actividades agrícolas y ganaderas desarrollaban, con qué recursos contaban y cómo los aprovechaban.

Otros equipos tendrán que analizar la información que se tiene sobre las características de la ciudad y las actividades sociales desarrolladas en ella. La información se encuentra en la sección *La vida en sociedad*, que comienza en la página 226. En esta parte tendrás que responder a las preguntas: ¿Cómo era la ciudad en su época de esplendor? ¿Qué características tenía la población? ¿Qué oficios practicaban? ¿Qué sistema utilizaban para medir y contar?

Finalmente, algunos equipos se concentrarán en el análisis de las actividades cotidianas, realizadas por los pobladores del lugar. El material de trabajo está agrupado en la sección *La vida cotidiana*, que empieza en la página 234. En este caso analizarás las características de las viviendas de los habitantes de la ciudad, el tipo de alimentos que consumían, los procedimientos y las sustancias medicinales que empleaban, así como la manera en que se relacionaban los miembros de una familia.

Una vez que todos los equipos hayan terminado su trabajo, pasarán a las páginas 242 y 243, donde se dan algunas ideas para integrar la información obtenida. Algunos estudiantes presentarán sus conclusiones por medio de un gran mural, otros elaborarán un pequeño periódico y a otros les tocará hacer una maqueta. Lo más importante en este punto es que logres presentar tus ideas de manera clara y que conozcas los resultados obtenidos por los otros equipos.

Como actividad final tendrás que analizar en clase, junto con todos tus compañeros, la información más reciente proporcionada por los arqueólogos. Este material te ayudará a averiguar qué le pudo haber pasado a esta civilización; qué obligó a sus pobladores a abandonar la ciudad. Entonces podrás colocar la última pieza del rompecabezas y mostrarle a todos lo que has descubierto y aprendido sobre la historia de esta civilización.

¿Estás listo? Entonces, ¡pongamos manos a la obra!

Los habitantes y su mundo

LA VIDA, AYER Y HOY

La ciudad descubierta por los arqueólogos se encuentra en el centro de un valle, a la orilla de un río que desemboca en el mar a unos 150 km de distancia.

El valle está rodeado por montañas y por un pequeño bosque, en los cuales se han encontrado algunos fósiles con millones de años de antigüedad, y que parecen pertenecer a distintas eras geológicas. Aquí se muestran algunos de ellos:

Tu reto

- ***Observa estos fósiles y descríbelos con detalle en tu cuaderno. ¿Qué estructuras observas en cada uno de ellos? ¿A qué seres vivos crees que corresponden? ¿Cuáles de estos fósiles serán los más antiguos? ¿A qué era geológica podrían pertenecer?***
- ***Trata de dar una explicación al hecho de que este tipo de fósiles se haya encontrado en lo alto de las montañas. ¿Qué te dice esto sobre las características que debía tener la región, antes de que aparecieran los primeros seres humanos? Comenta tus ideas con tus compañeras y tus compañeros.***

Hoy día, en el bosque cercano a la ciudad existe una gran variedad de plantas y animales. Sin embargo, se ha encontrado que algunas especies son más abundantes que otras.

Por ejemplo, hay un mayor número de especies de mariposas oscuras que claras.

También se observa que predominan las plantas con hojas pequeñas sobre las plantas con hojas muy grandes.

- ***¿A qué puede deberse esto? ¿Qué ventajas tendría este tipo de plantas y animales sobre otros?***

En el bosque existe gran diversidad de insectos, pero algunos son más abundantes que otros. A continuación puedes observar un ejemplo de los tipos más comunes:

Los científicos clasifican a los insectos en diferentes órdenes, dependiendo de sus características anatómicas. A cada orden se le da un nombre, como coleópteros, al que pertenecen los escarabajos, o himenópteros, al que pertenecen las abejas.

- ***Compara los insectos encontrados en la zona arqueológica con los siguientes insectos conocidos. Observa las semejanzas y diferencias en cada uno de ellos, anótalas en tu cuaderno y determina a qué orden pertenecen.***

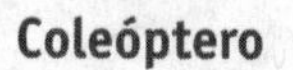

Coleóptero **Himenóptero** **Lepidóptero** **Díptero** **Hemíptero**

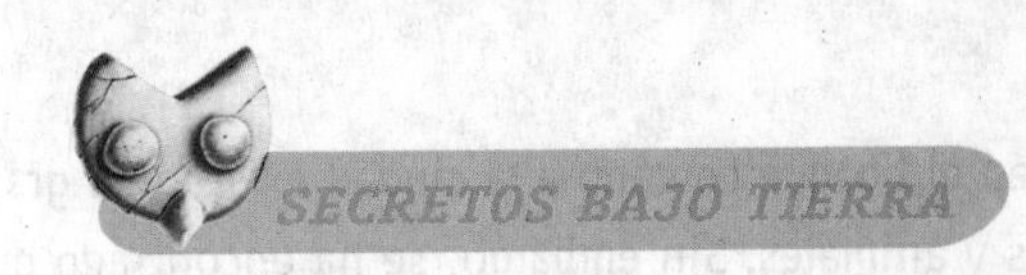

Los arqueólogos saben que las excavaciones pueden arrojar gran cantidad de información sobre la vida y las costumbres de una civilización antigua. Esto es así porque todo lo que cae o se deposita en el suelo, desde hojas secas, insectos, animales muertos, basura, piedras y muros de edificios queda recubierto con el tiempo bajo una nueva capa de suelo. Este proceso se repite una y otra vez y, así, se forman capas que guardan información de la vida en el pasado. Las capas más profundas pueden dar pistas de lo que sucedió hace cientos de miles de años.

Vista aérea de una zona arqueológica antes de realizar las excavaciones.

Los arqueólogos han realizado excavaciones en la zona noreste de la ciudad, donde, suponen, se encontraba una gran zona habitacional. También han excavado en la ribera del río y en algunos puntos del bosque cercano a la ciudad. Al comparar los residuos encontrados bajo el suelo de la ciudad y del bosque, han notado que en esos depósitos:

- Hay una mayor proporción de restos fósiles de abejas en la ciudad que en el bosque.
- También abundan los restos de polen de maíz y de granos, así como de mazorcas de maíz carbonizados.
- Los granos y mazorcas de maíz encontrados son, en general, más grandes que los encontrados lejos de la ciudad, en la ribera del río.

Tu reto

- ***Analiza la información anterior y coméntala con tus compañeros. ¿Cuál puede ser la razón de las diferencias entre los residuos encontrados en el bosque, la ribera del río y en la ciudad? ¿Qué te indica esto sobre las costumbres de los pobladores y de su acción sobre el ecosistema en que vivían?***
- ***No olvides anotar tus conclusiones en tu cuaderno.***

En la misma región de la ciudad, los arqueólogos encontraron gran cantidad de restos humanos. Algunos indicios permiten suponer que los pobladores del lugar enterraban a sus muertos en sus propias casas. En la mayoría de estos entierros, los cuerpos estaban acompañados de gran variedad de objetos.

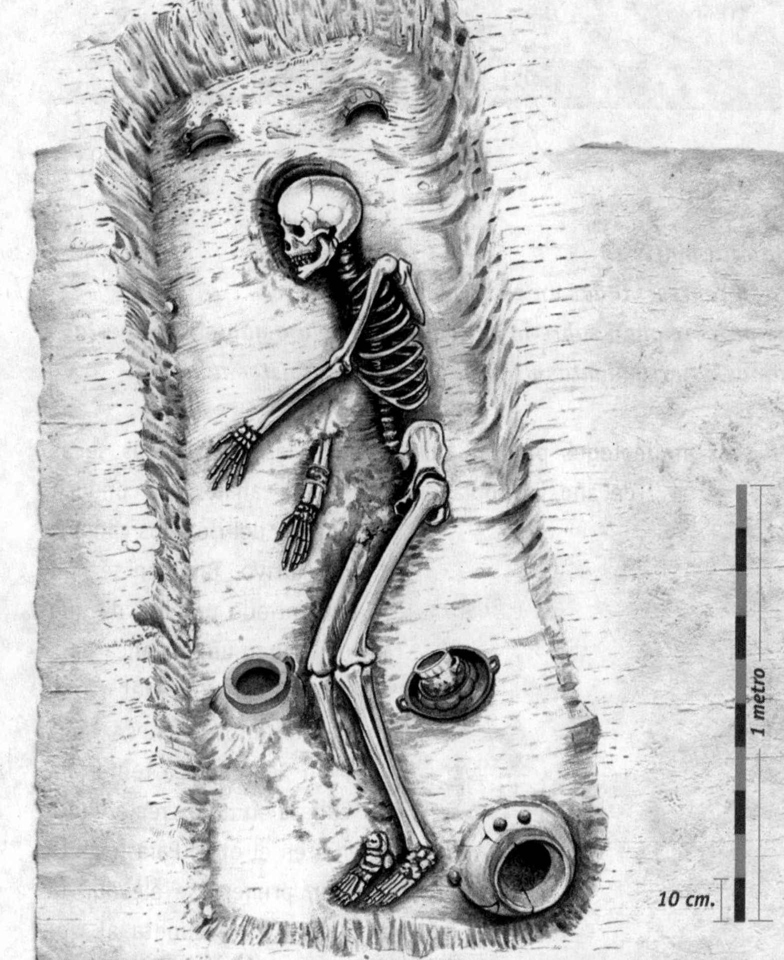

Tu reto

- ***Observa la representación de uno de los entierros encontrados por los arqueólogos. ¿Qué objetos puedes identificar? ¿Qué información te proporcionan sobre la vida y las costumbres de los pobladores?***
- ***Junto a esta imagen se muestra una escala que te permitirá determinar el tamaño real del esqueleto. Mide las diferentes partes del cuerpo con una regla y estima su tamaño real. Compara el tamaño de cada hueso con los de tu propio cuerpo. ¿Crees que el esqueleto es de un niño, una niña o de un adulto? Los pobladores de esta ciudad, ¿eran altos o bajos? ¿En qué basas tus afirmaciones?***

En la zona central de la ciudad se localiza lo que parece ser el área ceremonial y de gobierno. En el interior de algunos edificios se han encontrado pinturas muy bien conservadas, que dan una idea de las actividades desarrolladas por los habitantes para modificar el ambiente en su propio beneficio.

- ***Observa con cuidado esta pintura.***
  ¿Qué actividades están representadas en estas imágenes?
  ¿Qué información te proporcionan sobre la actividad agrícola o ganadera de este pueblo? ¿Qué máquinas o herramientas usaban para realizar estas labores?

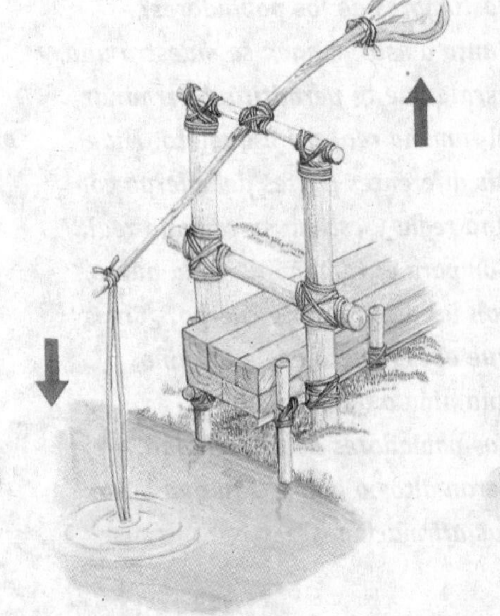

Los arqueólogos piensan que, durante las épocas más secas del año, los pobladores construían canales para conducir el agua del río a los campos de cultivo. También se han encontrado pruebas de que utilizaban una palanca para elevar el agua del río y pasarla a los canales.

La palanca tenía una cubeta en un extremo y una piedra en el otro. Para hacerla funcionar, primero se elevaba la piedra para bajar la cubeta al río; una vez llena de agua, la piedra se bajaba para subir la cubeta.

Tu reto

¿Qué tal si construyes un modelo de palanca de riego?

Necesitas:

un pedazo de cartón, regla, pegamento blanco, cinta adhesiva, pinturas de agua (café, verde y azul), una piedra, un pincel, estambre o cordel, 4 palos de paleta, tijeras, un trozo de plastilina café, una rama de árbol pequeña, un trozo de tela

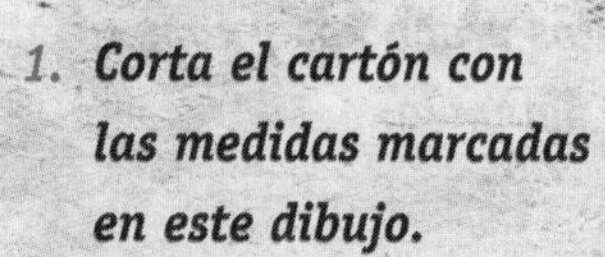

1. ***Corta el cartón con las medidas marcadas en este dibujo.***
2. ***Usa pegamento para unir las pestañas de las partes (a), (b) y (c). Utiliza la cinta adhesiva para mantener juntas las partes mientras se secan.***
3. ***Pinta la parte del río (b) y el tanque de agua (c) de azul. Pinta la ribera del río (a) de verde y la parte del canal de azul. Utiliza la pintura café para pintar los lados que representan la tierra.***
4. ***Utiliza los palos de paleta para construir el soporte de la palanca, como se ve en la figura. Asegúrate que quede un espacio de 5 cm entre los palos más largos. Pega las partes con pegamento y cinta adhesiva y píntalas de café.***
5. ***Usa la ramita de árbol como eje de la palanca. Envuelve la piedra en el trozo de tela y átala con el cordel. Haz una pequeña cazuela de plastilina, dejando agujeros para amarrar un cordel. Ata la piedra y la cazuela a la vara de árbol.***
6. ***Amarra con el cordel la rama de árbol al soporte de la palanca de manera que la piedra quede de un lado y el cordel del otro.***
7. ***Clava la parte baja del soporte de la palanca en el borde de la ribera del río. Usa pegamento y un poco de plastilina para fijarla en su sitio.***

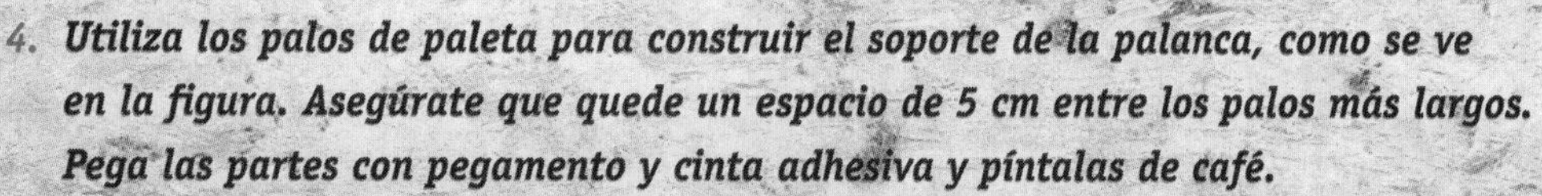

(a) 15cm, 5cm, 5cm, 25cm, 25cm, 5cm, 5cm, 5cm, 5cm, 15cm

(b) 8cm, 4cm, 4cm, 4cm, 25cm, 25cm, 4cm, 4cm, 4cm, 8cm

(c) 4cm, 2.5cm, 2.5cm, 9cm, 9cm, 4cm

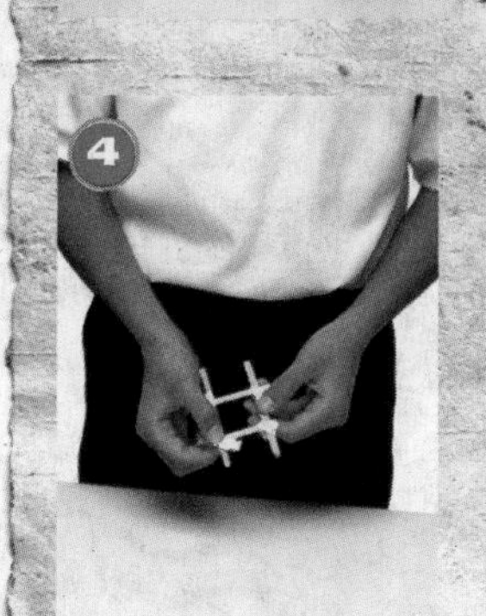

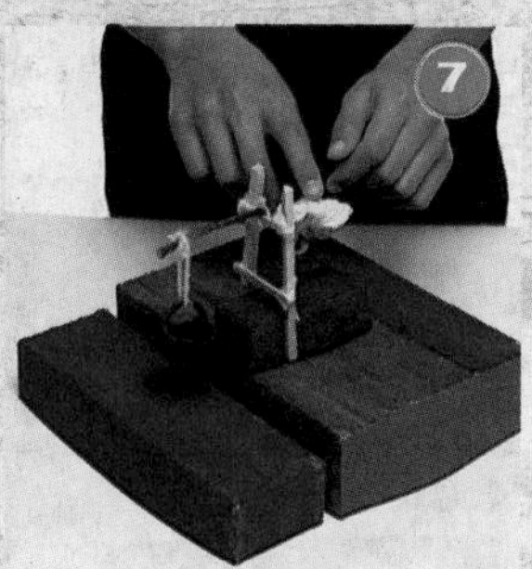

SUS RECURSOS

Los hallazgos de los arqueólogos indican que, entre los recursos naturales más utilizados por los pobladores del lugar, se encontraban el barro y la madera. Esta última no sólo se utilizaba como materia prima para elaborar productos, sino también como principal fuente de energía, para calentar los hogares, cocinar alimentos, alumbrarse con antorchas y hacer funcionar hornos artesanales. ¿Con qué otros recursos contaban?

Tu reto

- ***Observa en estas dos páginas algunos de los objetos y piezas de arte encontrados por los arqueólogos en diversas partes de la ciudad. ¿Qué materiales se requirieron para fabricarlos? Investiga cómo se fabrica al menos uno de estos productos y comparte con tus compañeros la información obtenida.***

Durante los tiempos de esplendor de la ciudad, los templos, palacios y muchas casas debieron tener las paredes recubiertas con yeso, sobre el que se grababan y pintaban grandes murales.

- ***Investiga qué procedimiento se sigue en la actualidad para fabricar yeso. ¿Qué materiales se requieren? ¿Es necesario emplear energía calorífica durante su fabricación? Comenta en tu grupo sobre los recursos naturales necesarios para construir y mantener los murales de la ciudad antigua en buen estado.***

La información que se obtiene de las excavaciones arqueológicas también da pistas sobre los cambios que el ser humano provoca en el ecosistema en el que vive. Por ejemplo, midiendo la cantidad de polen de un tipo de planta, se puede saber si la influencia de los humanos favoreció o limitó su crecimiento.

Los arqueólogos han investigado cómo se modificó la cantidad de polen de pino en el bosque cercano, a lo largo de los 600 años que la ciudad fue habitada. También han encontrado que, con los años, la cantidad de polen de pino cambió, como se muestra en la gráfica:

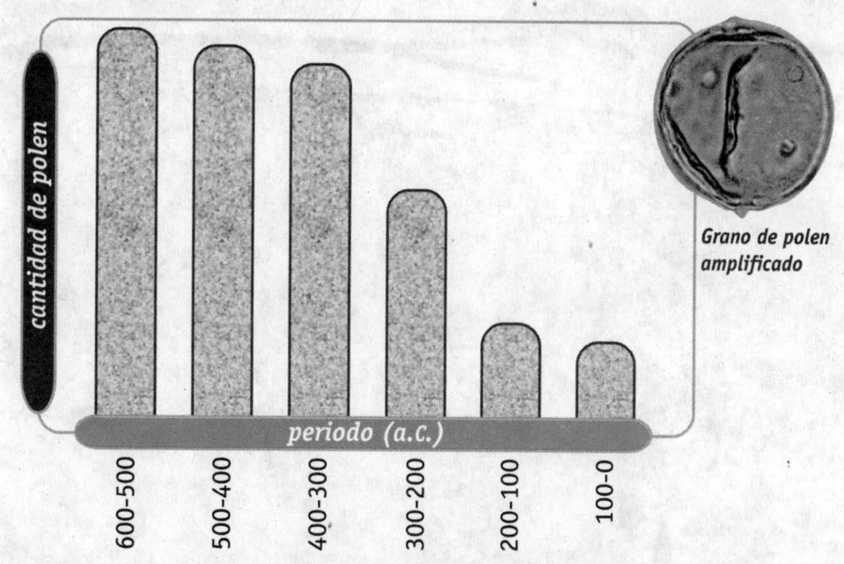

Tu reto

- ***Observa con cuidado la gráfica.***
  ¿Qué cambios tuvo la cantidad de polen a lo largo de los años?
  ¿Qué te dice esto sobre la abundancia de los pinos en el bosque?
  ¿Cuál pudo ser la causa de estos cambios?
  ¿Qué consecuencias pudieron tener estos cambios en la vida de la región?
  ¿Qué te indica esta gráfica sobre la acción de los pobladores de la ciudad en su ecosistema?
- ***Comenta tus ideas en la clase y anota tus conclusiones en tu cuaderno.***

Aquí termina la sección "Los habitantes y su mundo".
Ahora puedes pasar a la página 242, donde deberás organizar y analizar tus resultados.

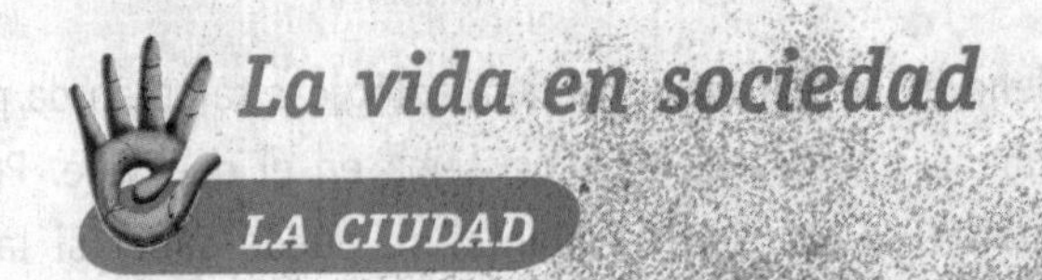

La vida en sociedad

LA CIUDAD

La ciudad descubierta por los arqueólogos se encuentra en un valle y está formada por varias zonas que los investigadores ya han logrado identificar. Con base en sus hallazgos, los arqueólogos han hecho una reproducción a escala de la ciudad en su época de esplendor:

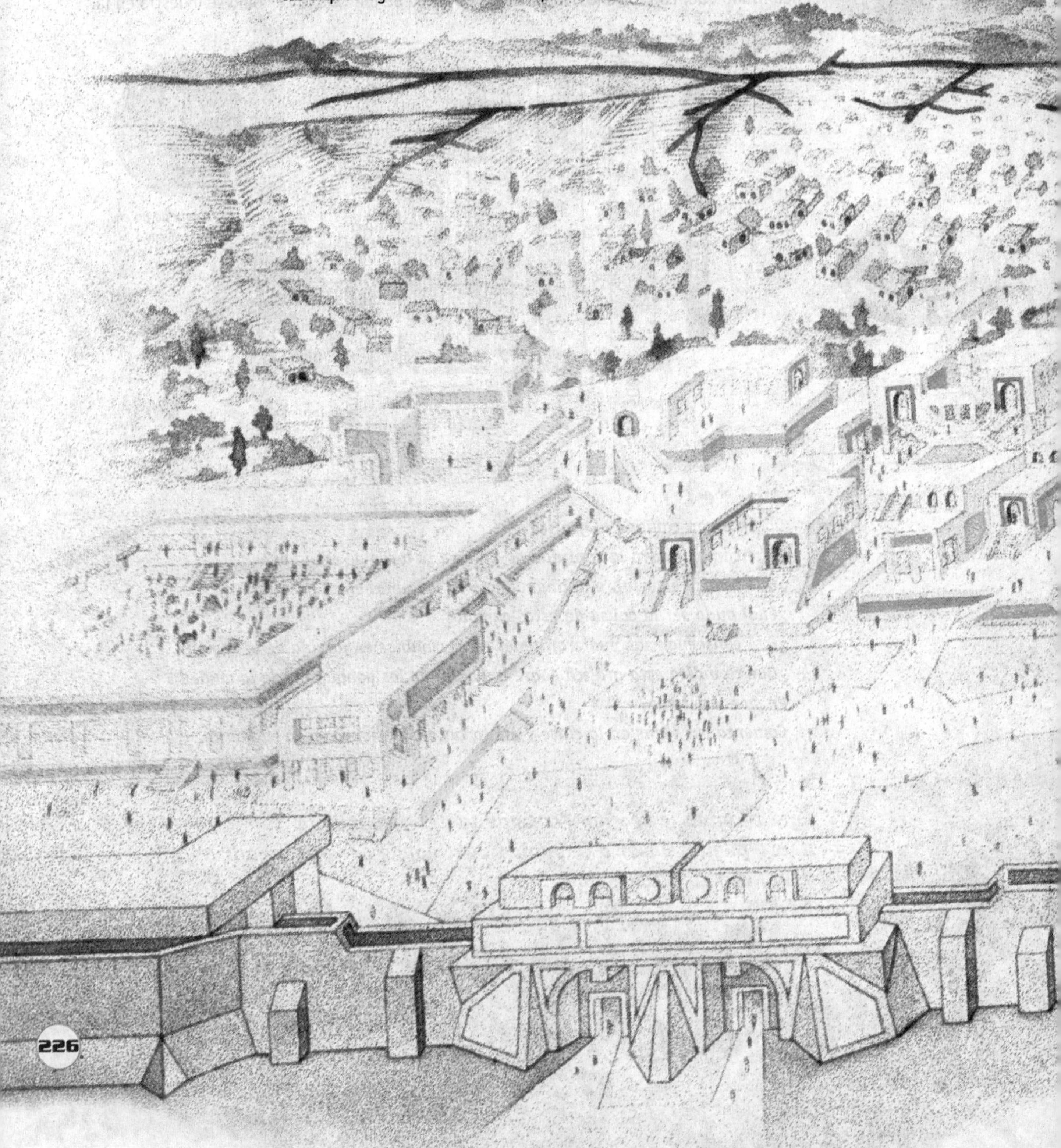

Tu reto

- *Observa el dibujo que hicieron los arqueólogos y haz una lista en tu cuaderno de las zonas o lugares más importantes.*
- *Observa el mapa a escala del centro de la ciudad. Si 1 cm en esta imagen equivale a 100 m en tamaño real, estima el tamaño de la plaza central, del templo, del palacio principal y del mercado. Compara tus resultados con las medidas de lugares semejantes en la comunidad donde vives.*
- *Compara la distribución de edificios y plazas en esta ciudad con la que existe en la ciudad o población en que vives. ¿Es similar? ¿A qué crees que se deban las semejanzas y las diferencias?*
- *Los pobladores del lugar utilizaban el río para obtener agua fresca y construyeron un acueducto para transportar agua a los lugares más alejados. Investiga qué mecanismos se usan para surtir de agua al lugar en el que vives y compáralos con los usados por esta civilización.*

CULTURA Y POBLACIÓN

Los arqueólogos obtienen gran cantidad de información sobre una civilización realizando excavaciones. El tipo de cosas que encuentran, el lugar y la profundidad en donde las localizan, les da una idea de las características y las costumbres de los pobladores del pasado.

Por ejemplo, los arqueólogos han encontrado varios entierros humanos y se han dado cuenta de que los pobladores enterraban a sus muertos, junto con gran variedad de objetos.

Arriba puedes ver los objetos encontrados en un entierro localizado en la zona habitacional al noreste de la ciudad.

Abajo se muestran los objetos encontrados en un entierro descubierto en el área que corresponde al centro de la ciudad.

Tu reto

- ***Observa con cuidado ambos grupos de objetos. ¿Qué semejanzas observas? ¿Qué diferencias?***
- ***Comenta con tus compañeros tus observaciones e ideas. ¿A qué crees que se deban las semejanzas y diferencias en el tipo de objetos encontrados? ¿Qué información te dan estos entierros sobre las características de esta sociedad?***

A medida que el tiempo pasa, las cosas que se entierran o caen al suelo quedan cubiertas por otros objetos, como piedras, polvo, basura y escombros. Con el paso de los años este proceso se repite varias veces y así, una sobre otra, se forman capas de materiales que guardan información sobre el pasado. El análisis de los objetos, materiales y construcciones que forman cada capa da una idea de lo que sucedió en la época en la que quedaron enterrados.

La cantidad de restos humanos encontrados a diferentes profundidades en las excavaciones arqueológicas, así como la cantidad de construcciones habitacionales, permiten saber cómo cambió, con el tiempo, el número de habitantes que vivió en alguna región de la ciudad. Este tipo de estudio también ha permitido descubrir que en la ciudad había dos zonas habitacionales principales. Una, en la zona centro, y otra en la zona noreste. Se cree que la cantidad de población en ellas cambió como lo indican las siguientes gráficas:

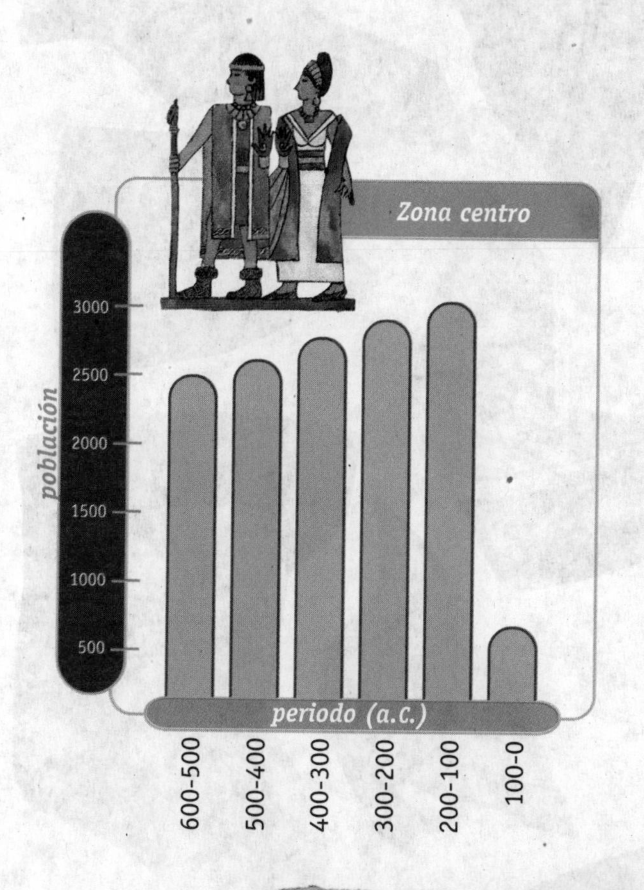

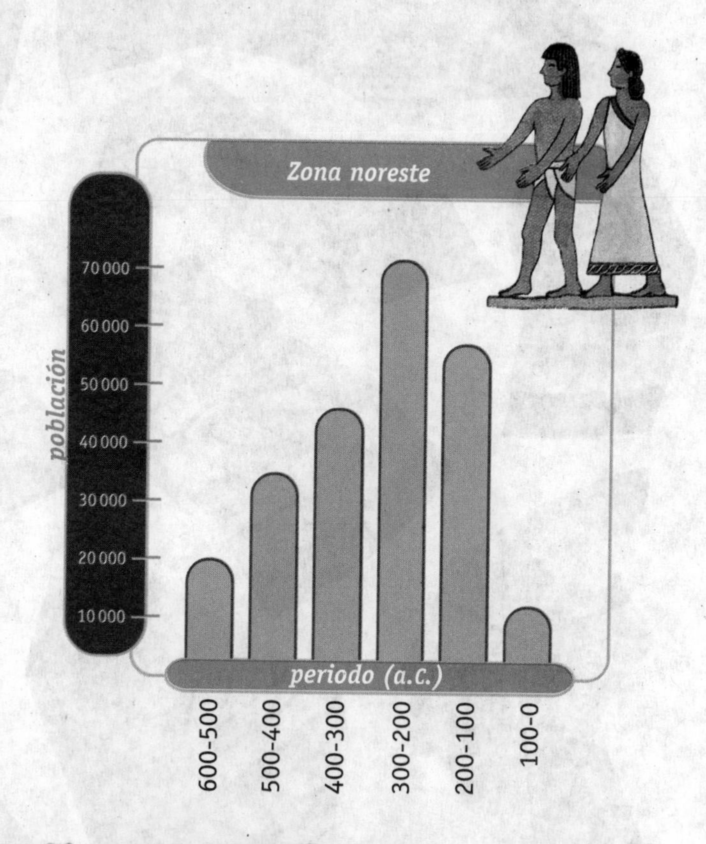

Tu reto

- ***Analiza las dos gráficas de población y comenta en tu grupo las diferencias y semejanzas que observas entre ellas. ¿A qué crees que se deban?***
- ***De acuerdo con las gráficas, ¿cuál fue el mayor número de pobladores que habitó esta ciudad? ¿En qué época sucedió? ¿Cómo cambió la población total con el tiempo?***
- ***Si tomas en cuenta esta información, y la que obtuviste en la página anterior sobre los entierros, ¿qué puedes concluir sobre los cambios que tuvo esta sociedad a través del tiempo?***

Las piezas de arte encontradas por los arqueólogos pueden proporcionar gran cantidad de información sobre las actividades cotidianas que desarrollaban los habitantes de esta ciudad. Por ejemplo, qué oficios practicaban o qué herramientas utilizaban.

En esta página se presentan las fotografías de los pedazos de un plato de cerámica encontrado en la excavación:

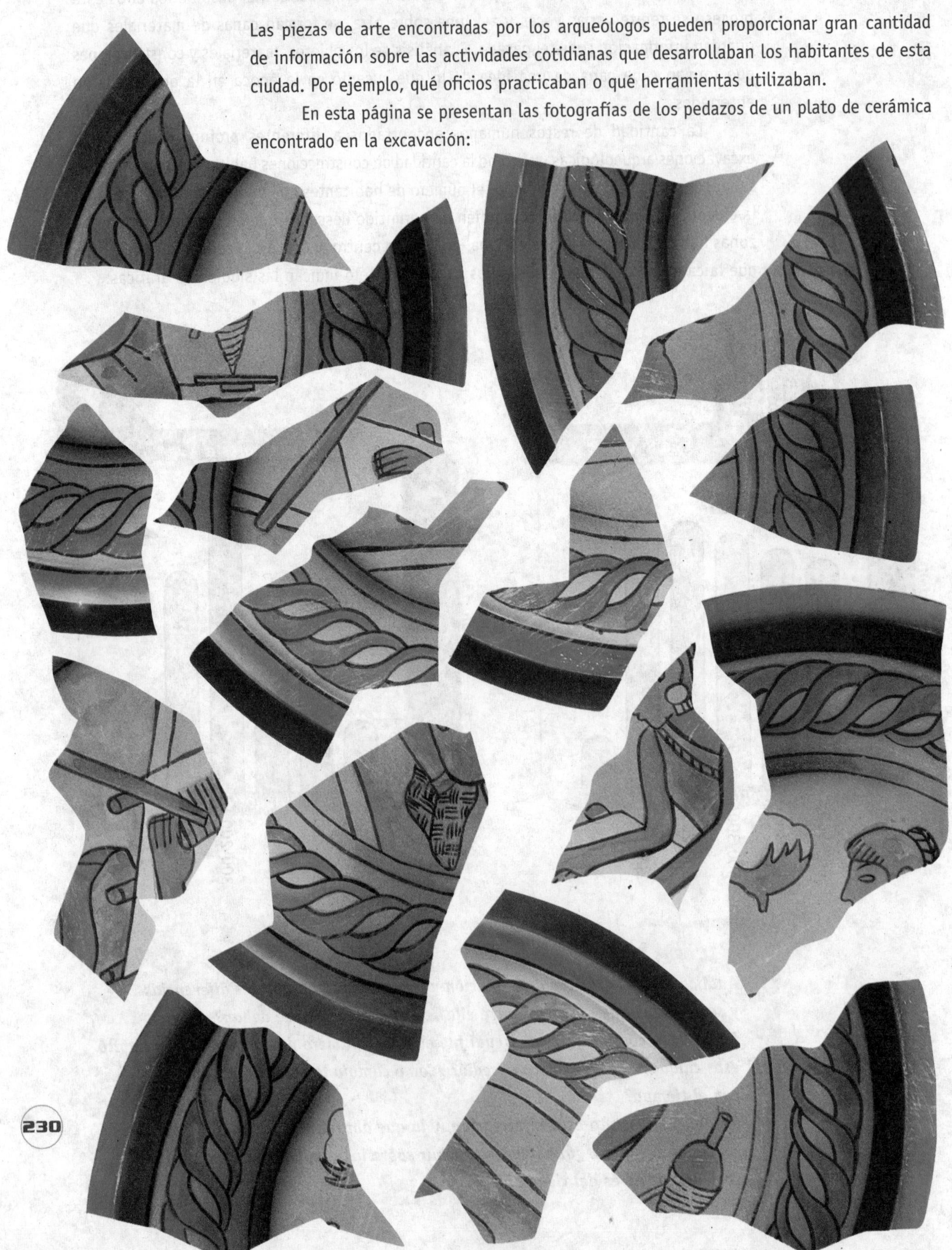

Tu reto

¿Qué información puedes obtener de esta obra de arte?

Para reconstruir el plato necesitas: 2 hojas de papel calca, 2 hojas de papel blanco, un lápiz, 1/4 de pliego de cartulina, lápices de colores, pegamento, tijeras.

1. *Usa el papel calca y el lápiz para copiar cada uno de los trozos del plato de cerámica de la hoja anterior.*
2. *Sombrea con el lápiz, por la parte de atrás del papel, cada uno de tus dibujos; cálcalos sobre una hoja de papel blanco y repasa cada parte del dibujo con el lápiz.*
3. *Usa los lápices de colores para colorear cada pedazo, de manera que se parezca lo más posible al original.*
4. *Corta con las tijeras cada pedazo y, como si fuera un rompecabezas, trata de acomodarlo hasta reconstruir el plato.*
5. *Pega cada fragmento del plato reconstruido sobre la cartulina.*

Observa con cuidado la escena representada en esta obra de arte.

¿Qué representa?

¿Qué información te da sobre los oficios practicados por esta civilización?

¿Puedes identificar qué herramientas o máquinas utilizaban para facilitar el trabajo?

Comenta tus ideas en clase y anota todas tus conclusiones en tu cuaderno.

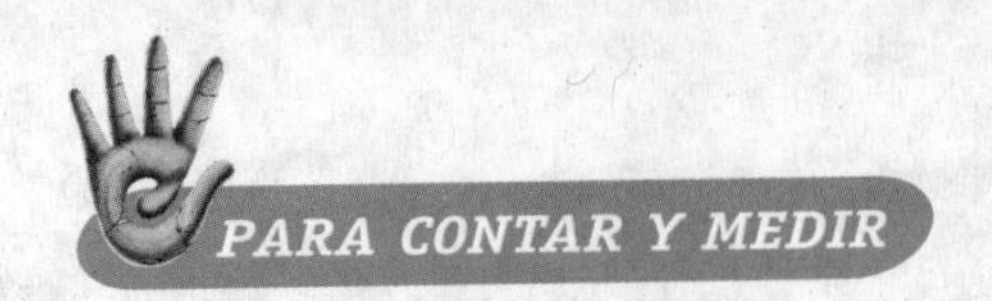

Uno de los hallazgos más impresionantes de los arqueólogos han sido las pinturas murales que cubren las paredes de lo que se cree fue un edificio dedicado a la enseñanza. Estas pinturas son como grandes páginas de un libro, cubiertas con números y letras. Parece ser que los pobladores del lugar desarrollaron un sistema numérico para contar y hacer cálculos matemáticos.

En esta página se muestran algunos de los símbolos utilizados para representar un número y cómo los sumaban:

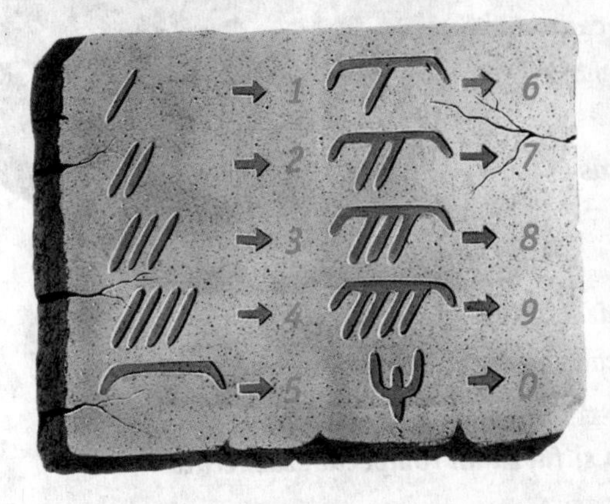

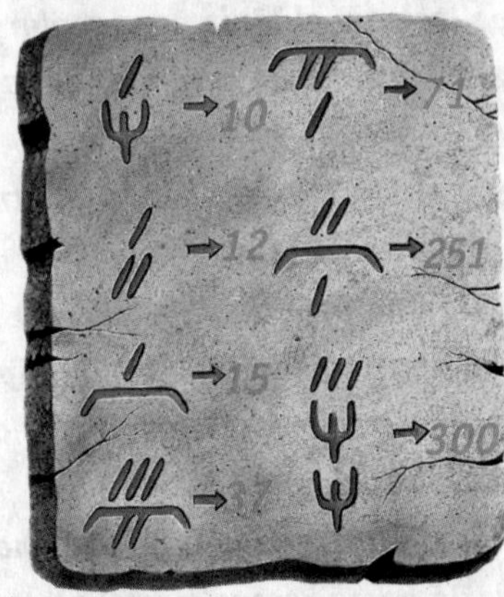

Tu reto

Observa con cuidado cada uno de estos números y trata de descubrir las reglas que hay que seguir para escribirlos.

- ***¿Cómo escribirías los números 26, 348 y 2302 en este sistema?***
- ***¿A qué números corresponderían los siguientes símbolos?***

Analiza las operaciones de suma que se muestran y trata de encontrar la solución en estos otros casos:

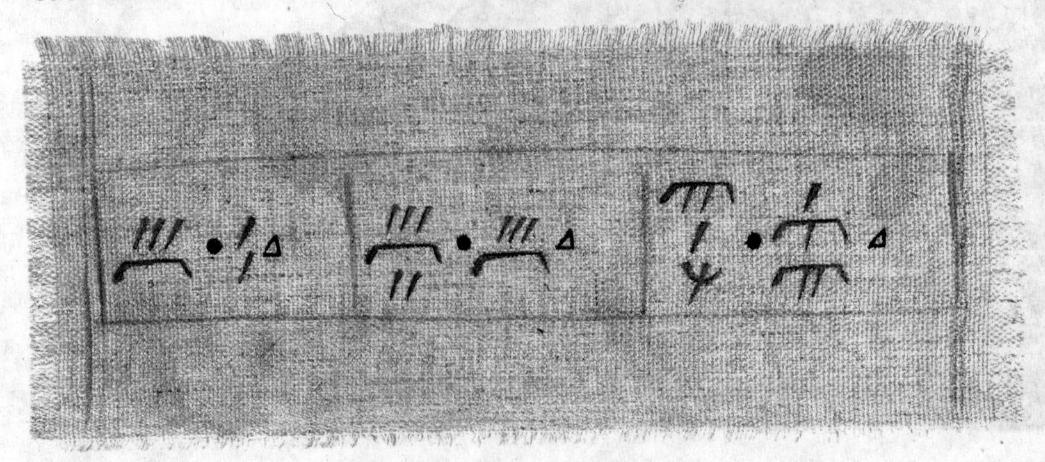

Los pobladores del lugar también desarrollaron un sistema de escritura, en el cual utilizaban dibujos o imágenes para representar un objeto. Esto ha quedado grabado en muros, vasijas y varios monumentos. Aquí tienes varios ejemplos del tipo de símbolos utilizados:

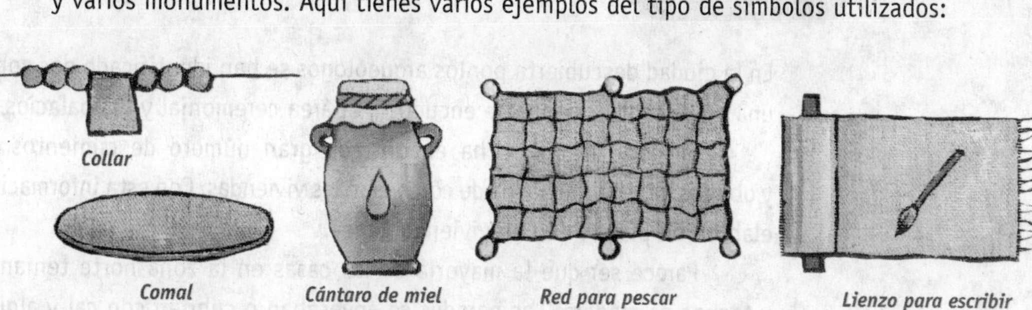

Tronco de madera ***Comal*** ***Cántaro de miel*** ***Red para pescar*** ***Lienzo para escribir***

Por otra parte, para medir la longitud de las cosas se utilizaban diversas partes del cuerpo como referencia. Una mano, el paso de un pie y la altura de un hombre. Para cada una de estas medidas existía un símbolo que, combinado con números e imágenes de otros objetos, les permitía expresar diferentes cantidades:

Un cuerpo ***Una mano*** ***Un brazo*** ***Un paso***

7 redes para pescar, de 3 cuerpos de largo

Tu reto

- ***Utiliza toda la información que tienes para tratar de descifrar esta imagen encontrada en el almacén central del palacio principal, que parece ser un listado de los tributos recibidos por un gobernante.***

¿Qué crees que quisieron representar los pobladores en cada imagen?

¿Qué información te da sobre su vida y sus costumbres?

Aquí termina la sección "La vida en sociedad". Ahora puedes pasar a la página 243 donde deberás organizar y analizar tus resultados.

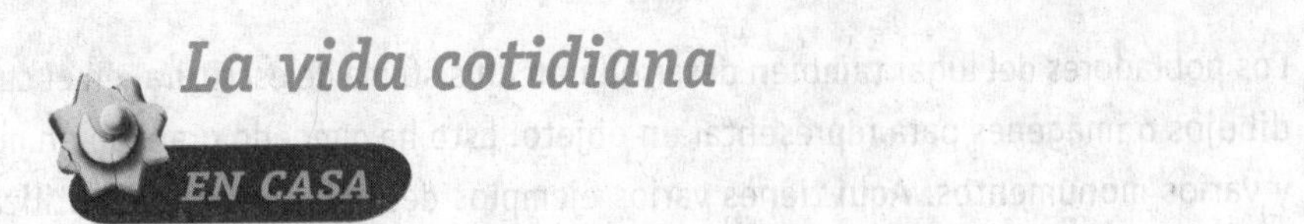

La vida cotidiana

EN CASA

En la ciudad descubierta por los arqueólogos se han identificado dos zonas habitacionales, una en el centro, donde se encuentra el área ceremonial y los palacios, y otra al noreste.

En esta última se ha encontrado gran número de cimientos de construcciones y objetos, que dan una idea de cómo eran las viviendas. Con esta información, los arqueólogos elaboraron planos de una vivienda típica.

Parece ser que la mayoría de las casas en la zona norte tenían paredes de adobe y techos de madera. Las paredes se enyesaban o cubrían con cal y algunas se decoraban. En el interior casi no había muebles, y se cree que vivían entre cinco y seis personas en cada casa.

Tu reto

¿Podrías reconstruir el interior de sus viviendas?

Para hacer una maqueta de una casa típica necesitas:

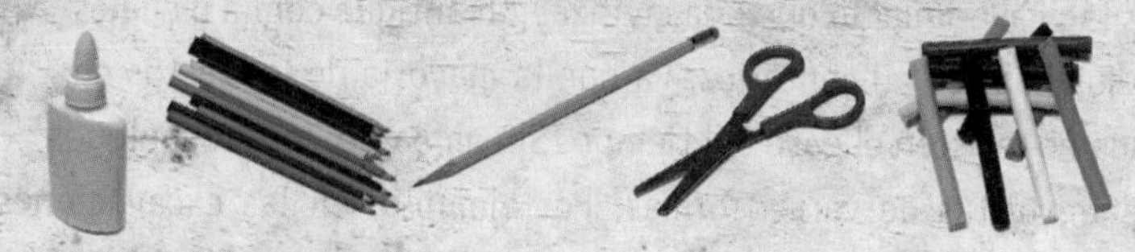

una regla, pegamento, lápices de colores, un lápiz, tijeras, plastilina de colores, una cartulina blanca con cuadros dibujados de 2 x 2 cm

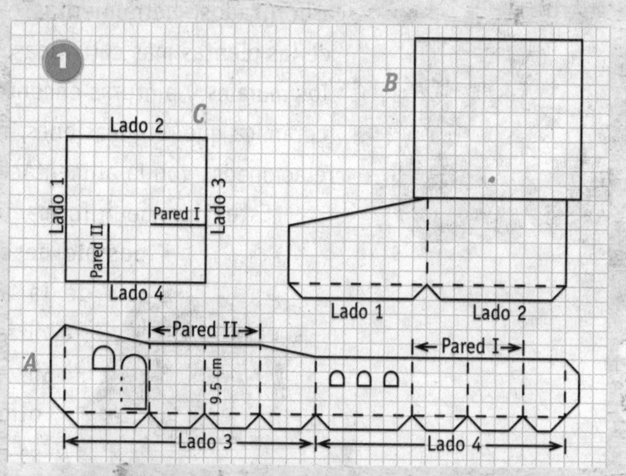

1. ***Haz una cuadrícula sobre la cartulina, con cuadros de 2 x 2 cm, y dibuja sobre ellas las tres partes del modelo (A, B y C), como se muestra en la imagen; a cada cuadro de tu cartulina le corresponde un cuadro del modelo. Recorta las partes A, B y C a lo largo de su perímetro.***
2. ***Decora las paredes de la casa (lados 1 al 4) con grecas u otros motivos decorativos. Ten presente que la parte cuadriculada quedará en el interior de la casa.***
3. ***Une con pegamento las parte A y B por la pestaña como se muestra en la ilustración, de manera que el lado 4 de la parte A quede junto al lado 1 de la parte B.***
4. ***Aplica un poco de pegamento en la cara sin cuadrícula de las paredes I y II; dóblalas como se muestra en la ilustración y aplica presión sobre ellas para que peguen bien.***
5. ***Dobla todas las pestañas hacia la zona cuadriculada y haz dobleces sobre las líneas que distinguen una pared de otra (de manera que se forme una caja cuadrada sin tapas).***
6. ***Aplica pegamento a la pestaña lateral (en el lado 3) y pégala en el extremo del lado 2 para cerrar la caja. Aplica pegamento en la parte inferior de las pestañas de la base de tu caja y pégalas sobre la parte C (que formará el piso). Cuida que coincidan los bordes del piso y de las paredes.***
7. ***Dobla la parte de arriba de la parte B (que servirá de techo) y cubre la casita. Haz pequeños muebles y figuras de plastilina para decorar y amueblar el interior de la casa.***

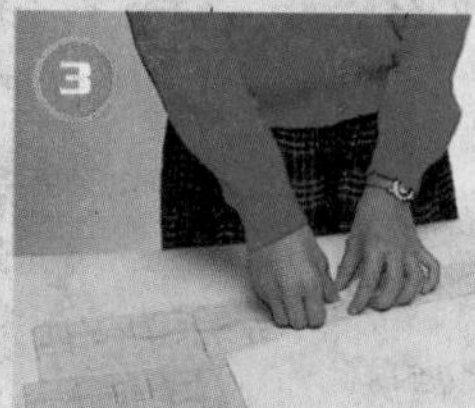

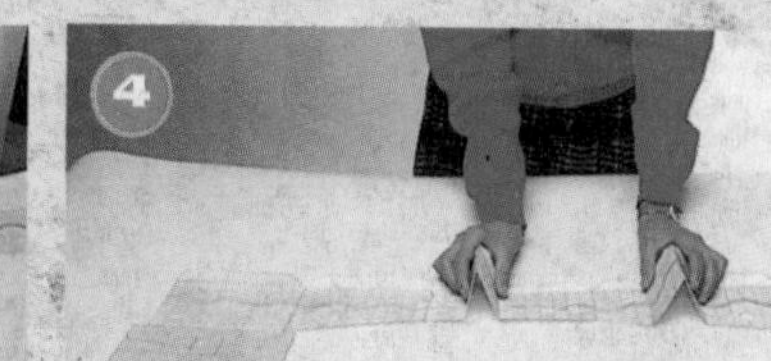

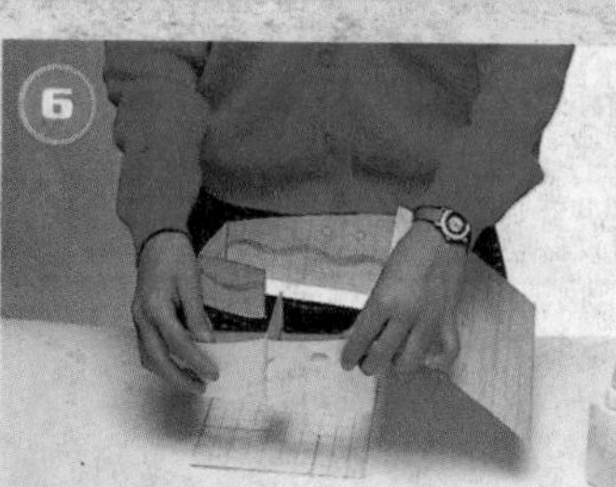

¿QUÉ COMÍAN?

No es fácil averiguar lo que una civilización antigua comía o cuáles eran sus hábitos alimentarios, ya que la mayoría de los restos de comida no resisten el paso del tiempo. Sin embargo, los arqueólogos obtienen pistas de varias formas. Por ejemplo, en las excavaciones arqueológicas pueden encontrarse huesos de animales, restos de comida carbonizados, herramientas e instrumentos para la caza y pesca, granos de polen de las plantas más cultivadas, incluso restos de excrementos. Además se conservan los murales y pinturas encontrados en edificios o piezas de cerámica que, en ocasiones, representan actividades relacionadas con la alimentación.

Este tipo de información útil ha hecho posible descubrir que la base de la alimentación de esta civilización era un cereal, el maíz. Sin embargo, también se consumían otros productos. Algunos de los principales se muestran en estas páginas.

Tu reto

- *Observa los productos alimenticios que se presentan en estas páginas. Identifica los cereales y los tubérculos, las frutas y las verduras, las leguminosas y los alimentos de origen animal.*
- *Haz listas por separado de los alimentos que pertenecen a cada grupo. ¿Crees que los pobladores podían tener una alimentación equilibrada?*

La ciudad descubierta se encuentra en el centro de un valle, a la orilla de un río, y está rodeada por montañas. Cerca de ella, hay un pequeño bosque.

¿Cuáles de los productos alimenticios consumidos por los pobladores pueden ser originarios de la región en que se encuentra la ciudad?

¿Cuáles provienen de un ecosistema distinto?

¿Cómo conseguirían estos productos?

¿Qué te dice esto sobre las actividades desarrolladas por los pobladores del lugar?

- *Observa el mural y el pedazo de tela que se encontraron en la excavación.*

  ¿Qué crees que representan?

  ¿Qué diferencias y semejanzas observas entre ellos?

  ¿Qué información te dan sobre las costumbres de los pobladores del lugar?
- *Comenta tus ideas en clase y anota tus conclusiones en tu cuaderno.*

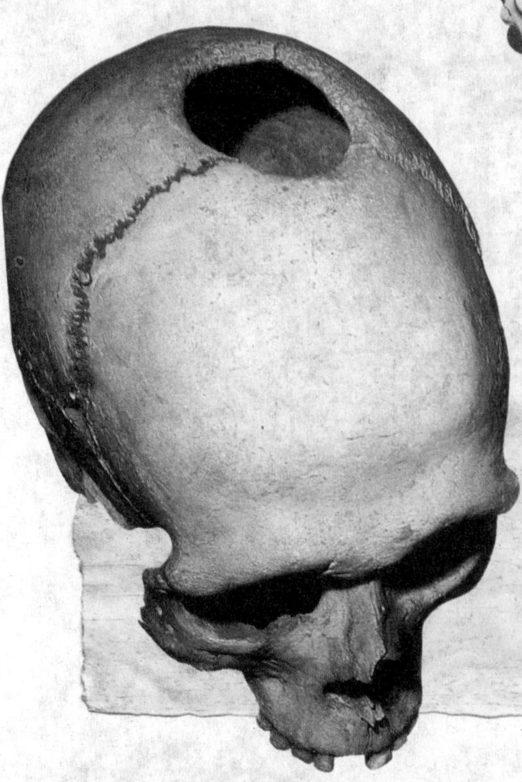

Como ha sucedido en muchas culturas antiguas, los hallazgos de los arqueólogos muestran que la medicina practicada por esta civilización era una combinación de conocimientos prácticos, creencias religiosas y rituales de magia. Los remedios empleados probablemente ayudaban al paciente, pero a muchos les causaban más trastornos de los que querían aliviar.

Por ejemplo, se han encontrado varios cráneos que muestran un orificio en la parte superior. Este orificio se hacía mediante una operación denominada trepanación.

- *¿Para qué piensas que lo hacían?*
- *¿Qué problemas crees que podrían presentarse al practicar esta operación?*

Para limpiarse los dientes, los pobladores utilizaban una mezcla de sal, cal y agua. Para extraer un diente infectado, utilizaban un hilo y después rellenaban el orificio con sal.

- *¿Cuál crees que era la función de la sal en estos casos? Recuerda que la sal se utiliza para conservar los alimentos por más tiempo.*
- *¿Qué te dice el trozo de textil sobre las costumbres de los pobladores?*

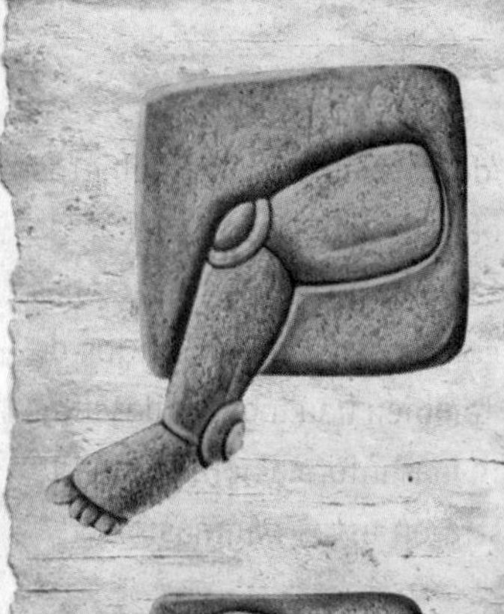

En los templos de la ciudad, donde los pobladores adoraban a sus dioses, se ha encontrado gran cantidad de pequeñas piezas de barro que muestran, en relieve, diversas partes del cuerpo humano. Los arqueólogos piensan que esto está relacionado con las prácticas médicas de los pobladores.

- *¿Para qué crees que se hacían estos objetos y se colocaban en los templos?*
- *¿Crees que tenían algún efecto curativo?*

Sin duda, gran parte de las curaciones se realizaban utilizando plantas medicinales con las cuales preparaban bebidas y ungüentos para frotar las heridas. Los arqueólogos consideran que éstas eran algunas de las plantas más utilizadas:

Yerbabuena, gordolobo, ruda, epazote, manzanilla

Colorín

Tu reto

En la actualidad mucha gente en nuestro país utiliza este tipo de plantas en el tratamiento de algunas enfermedades.

- ***Investiga para qué se utilizan estas plantas hoy día. Para hacerlo puedes preguntarle a tus familiares, a las personas que venden estos productos en el mercado, o buscar información en libros y revistas.***
- ***Entrevista a un médico o a un responsable de una farmacia, y pregúntale su opinión sobre el uso de estas plantas medicinales. No olvides anotar en tu cuaderno toda la información que obtengas, tus propias ideas y tus conclusiones.***

Varios de los murales, piezas de cerámica y otros objetos encontrados en el sitio arqueológico muestran escenas de la vida familiar, que dan una idea de cómo eran las relaciones entre hombres y mujeres, así como entre padres e hijos de esta sociedad. Los arqueólogos también han logrado descifrar algunos textos que proporcionan más información. Una parte del material obtenido se muestra en estas páginas:

ACERCA DE LOS HIJOS:

EL HIJO DESOBEDIENTE SERÁ CASTIGADO. SU PENA SERÁ RESPIRAR EL HUMO DE DIEZ PIÑAS SECAS SOBRE LAS BRASAS.

ACERCA DE LOS JÓVENES:

CUANDO A UN JOVEN LE CAMBIA LA VOZ, DEBERÁ PERMANECER EN SILENCIO POR CINCO DÍAS. SI NO LO HACE, SU VOZ SERÁ AGUDA, COMO LA DE MUJER.

CUANDO LA MUJER JOVEN SANGRA, DEBE OCULTARSE. LA MIRADA DE UN HOMBRE EXTRAÑO PUEDE CAUSARLE MAL.

ACERCA DEL MATRIMONIO:

TODO HOMBRE TIENE DERECHO A TENER EL NÚMERO DE ESPOSAS QUE PUEDA MANTENER.

TODA MUJER DEBERÁ HONRAR Y OBEDECER ÚNICAMENTE A SU ESPOSO. AQUELLA QUE NO LO HAGA, RECIBIRÁ CASTIGO PÚBLICO.

ACERCA DEL PARTO:

CORRESPONDE A LA MUJER MÁS VIEJA DE LA FAMILIA AYUDAR A LA MADRE JOVEN DURANTE EL PARTO. SÓLO ELLA PODRÁ HACER USO DE LAS PINZAS DE PARTO.

Tu reto

Observa con cuidado cada una de las imágenes de estas dos páginas y lee detenidamente los textos que se presentan. Trata de interpretar las imágenes y los textos. Anota tus observaciones en tu cuaderno y comenta tus ideas en clase. Haz preguntas como las siguientes:

- ***¿Qué papel representaban los hombres y las mujeres dentro de la familia en esta sociedad?***
- ***¿Tenían los hombres y las mujeres los mismos derechos y obligaciones?***
- ***¿Se trataba igual a los niños y a la niñas de una familia?***
- ***¿Qué derechos tenían las niñas y los niños en esta sociedad? ¿Cómo los trataban?***
- ***¿Qué ideas y costumbres se parecen a las de la sociedad en que vives?¿Cuáles son distintas?***

Aquí termina la sección "La vida cotidiana". Ahora puedes pasar a la siguiente página, donde deberás organizar y analizar tus resultados.

A organizar e integrar tus resultados

Las actividades que has realizado te han permitido adquirir más conocimientos acerca de la vida y las costumbres de los pobladores de esta civilización. Sin embargo, es posible que todavía existan muchas cosas que no sabes, o sobre las cuales tienes dudas. No te preocupes, esto es muy natural. Siempre sucede así cuando alguien inicia un trabajo de investigación. Lo importante es no darse por vencido y continuar la búsqueda para aprender más.

También es importante que organices e integres la información que has adquirido, pues esto te facilitará continuar tu trabajo de investigación. Te ayudará a comunicar tus resultados a otras personas que puedan estar interesadas en ellos y quieran colaborar contigo. Con este fin, aquí encontrarás algunas sugerencias sobre el tipo de trabajo de integración que puedes realizar. Sin embargo, recuerda que un buen investigador debe poner en práctica sus propias ideas y hacer uso de su creatividad e imaginación.

LOS HABITANTES Y SU MUNDO

Para integrar los conocimientos adquiridos en esta sección, puedes preparar un pequeño periódico o revista, en el cual resumas la información que tienes sobre la civilización desconocida y presentes los hallazgos de tu equipo. Haz una lista de las ideas que consideres más importantes y que quieras transmitir. Escribe pequeños resúmenes donde presentes tus conclusiones. Prepara encabezados con grandes letras que llamen la atención de la gente; usa dibujos y recortes de otros periódicos y revistas para ilustrar tus artículos.

LA VIDA EN SOCIEDAD

En este caso podrías integrar tus resultados dibujando un gran mural sobre pliegos de papel o de cartulina. En el mural puedes presentar una réplica del dibujo de la ciudad, incluir imágenes de los pobladores llevando a cabo actividades diversas, y un esquema para enseñar cómo contaban y realizaban operaciones matemáticas. También puedes pegar recortes de periódicos y revistas para ilustrar tus ideas. Trata de hacer un mural vistoso y colorido, que refleje cómo imaginas la vida en sociedad de los pobladores del lugar, y que resuma los conocimientos que has adquirido.

LA VIDA COTIDIANA

¿Qué te parecería hacer una gran maqueta para organizar e integrar tus resultados? Con pedazos de cartón, madera, plastilina, barro y miga de pan, trata de hacer una gran maqueta en la que representes cómo era la vida cotidiana de la ciudad. Incluye la maqueta de la casa que habías hecho antes. Puedes hacer figuras en miniatura que representen los alimentos y las plantas medicinales, o bien conseguir muestras reales de cada producto y poner en tu maqueta un pequeño mercado. Haz figuras de plastilina de los pobladores para ilustrar cómo era su vida en familia.

El gran final

Para terminar, es importante que compartas tus conocimientos en clase. Al hacerlo, tendrás la oportunidad de comunicar tus ideas y de escuchar las de tus compañeras y compañeros, así como las de tu maestra y otros adultos. Muchos de ellos se dedicaron a investigar y analizar diferentes aspectos acerca de la civilización desconocida; conocer su trabajo te facultará a aprender más sobre la vida y las costumbres de los pobladores de aquel lugar.

Organízate con tus compañeros de equipo para hacer una presentación oral, ante todo el grupo, de los resultados que obtuvieron. La presentación oral de cada equipo puede durar de cinco a diez minutos, tiempo suficiente para exponer lo que se quiere decir. Ahí deberás presentar el trabajo de integración que realizó tu equipo (periódico, mural, maqueta, etcétera), el cual puede ser una buena guía durante la exposición de tus ideas.

Al exponer de manera oral el trabajo, trata de hablar en forma pausada. Ensáyalo varias veces. Explica lo que hiciste en equipo, los resultados obtenidos y las conclusiones. Apóyate en el material de integración que preparaste con tu equipo y úsalo para mostrar imágenes que apoyen o aclaren las ideas que estás exponiendo.

Al terminar la presentación oral de cada equipo, se abrirá un periodo de tres a cinco minutos para que aquellos que tengan dudas o preguntas puedan expresarlas y los expositores responderlas o aclararlas. Cuando todos los equipos hayan presentado su trabajo, tu maestro o maestra harán un resumen con las ideas y conclusiones principales, y se encargarán de organizar el ***"gran debate"***.

¿Qué pasó? Tú decides

Ahora que ya conoces la información que los arqueólogos han logrado recuperar sobre la civilización que habitó esta ciudad, hace más de 2 000 años, llegó el momento de tratar de explicar qué sucedió con ella. ¿Por qué desapareció? ¿Por qué la ciudad fue abandonada?

- ***Comenta en clase qué información puede ser útil para hacer una hipótesis o suposición sobre lo que pudo haber pasado. Para ayudarte con este trabajo, considera esta última pieza de información proporcionada por los arqueólogos:***

"La últimas excavaciones muestran que gran cantidad de los restos humanos correspondientes a épocas recientes, presenta indicios de haber sufrido lesiones graves. Además, se ha encontrado una densa capa de ceniza que cubre gran parte de los escombros y objetos correspondientes a la misma época."

- ***Propón diversas ideas de lo que pudo haber pasado y arguméntalas. Por ejemplo, aquí te presentamos algunas suposiciones:***

1. ***Los habitantes abandonaron la ciudad en busca de un sitio más hospitalario para vivir.***
2. ***La ciudad fue atacada y destruida por otro pueblo más poderoso.***
3. ***Los habitantes acabaron con los recursos naturales y tuvieron que abandonar el sitio, en busca de un nuevo territorio.***
4. ***La población más pobre se rebeló en contra de los gobernantes que abusaban de ellos.***

Estas son sólo algunas posibilidades, pero tú debes decidir, junto con tus compañeras y compañeros de grupo, cuál explicación concuerda mejor con la información que posees y con tus conclusiones sobre la vida y costumbres de aquellos pobladores.

Referencias fotográficas

Acontecimientos Mundiales. Madrid, Aguilar S.A., 1993 (El mundo del siglo veinte), p. 146.
Adolescencia. México, Ediciones Culturales Internacionales, S.A. de C.V., volumen 7 (Programa de Formación de padres), p. 15.
Aguas con... la basura. México, Instituto Nacional para la Educación de los Adultos, 1991, portada.
Arqueología Mexicana. México, Editorial Raíces, vol. II, núm. 12, p. 15.
Augusta, J. y Z. Burian. **Los hombres prehistóricos.** México, Queromón Editores, S.A. de C.V., 1966 (Colección Vida Prehistórica), láminas: 16, 25, 50, 51 y 52.
Baquedano. Elizabeth. **Aztecas, incas y mayas.** México, Aguilar, Altea, Taurus, Alfaguara, S.A. de C.V., 1996 (Biblioteca Visual Altea), pp. 19, 23, 25, 42.
Beiser, Arthur. **La Tierra.** México, Ediciones Culturales Internacionales, S.A. de C.V., 1980 (Colección de la Naturaleza de TIME-LIFE), pp. 27, 45, 46, 47, 70, 71 y 117.
Bender, Lionel. **Los inventos.** Madrid, Santillana, S. A., 1994 (Biblioteca Visual Altea), pp. 12, 16 y 33.
Bergamini, David. **El universo.** México, Ediciones Culturales Internacionales, S.A. de C.V., 1983 (Colección de la Naturaleza de TIME-LIFE), pp. 104, 105, 120, 121, 140 y 160.
Bernstein, Leonard *et al.* **Concepts and Challenges in Physical Science.** Englewood Cliffs, Globe Book Company, 1991, p. 80.
Biblioteca Internacional de Fotografía. Explotación de azufre. p. 167.
Byam, Michèle. **Armas y armaduras.** México, Alfaguara, 1992 (Biblioteca Visual Altea), p. 15.
Ciencia y Desarrollo. México, SEP/CONACYT, julio-agosto 1997, volumen XXIII, número 135, portada.
Ciencia & Vida. El placer de saber. Barcelona, Europe Star Publicaciones, S.A de C.V., No.8, octubre de 1998, p. 112.
Cine Mexperimental. 60 años de medios de vanguardia en México. México, Rita González y Jesse Lerner, 1998. Foto de Gregorio Rocha, *Sábado de mierda* (1985), p. 4.
Cómo trabajar el bosque. México, Arbol Editorial, S.A. de C.V./SEP, 1991 (Colección Cántaro/Libros del Rincón), portada.
Cooper, Christopher. **Materia.** México, Fernández Editores, 1999 (Biblioteca de la Ciencia Ilustrada), pp. 12, 24, 27 y 31.
Cronos. La historia visual de nuestra civilización desde los orígenes del hombre hasta el 1500. Londres, Dorling Kindersley, 1993, pp. 23, 66, 103.
Crops of the future. Science and agriculture. México, Pulsar/Editorial Jilguero, S.A. de C.V./México Desconocido, 1996, pp. 10, 27, 28, 29, 70, 126.
Dacordi, Paolo Triberti y Adriano Zanetti. **Guía de mariposas.** Barcelona, Ediciones Grijalbo, S.A., 1989, fotografía número 3.
Dávalos Orozco, Federico. **Albores del cine mexicano.** México, Editorial Clío Libros y Videos S.A. de C.V., 1996, p. 38.
De los pescados. México, SEP/Solar, 1992 (Libros del Rincón), portada.
Delf, Brian y Richard Platt. **Desde el principio. La historia casi completa de casi todo.** Aguilar, Altea, Taurus, Alfaguara, S.A. de C.V., 1995, pp. 11, 23, 26, 27, 28, 29, 40, 41, 42, 43, 44, 45, 46, 47, 48, 49, 50, 51, 54, 55, 57, 58, 60, 61, 63, 65, 66 y 69.
De Swan, Bram. **El perseguidor de la luz. Albert Einstein.** México, Consejo Nacional para la Cultura y las Artes/ Pangea Editores, S.A. de C.V., 1994, (Colección viajeros del conocimiento), p.13.
Diccionario Enciclopédico Larousse. París/México/Argentina, Larousse, 1995, volumen 2, p. 551.
Diccionario Visual de la Tierra. México, Aguilar, Altea, Taurus. Alfaguara S.A de C.V., 1994 (Diccionarios Visuales Altea), p. 24.
Diversidad de fauna mexicana. México, CEMEX S.A. de C.V./Agrupación Sierra Madre, S. C., 1996, pp. 54, 70, 73, 100, 105, 107, 112, 116 y 140.
Diversidad de flora mexicana. México, CEMEX S.A. de C.V./Agrupación Sierra Madre, S. C., 1996, p. 38.
Dubos, René y Maya Pines. **Salud y enfermedad.** México, Offset Larios, S.A., 1977 (Colección Científica de TIME-LIFE), pp. 30 y 63.
Dultzin, Deborah *et al.* **De la Tierra al Cosmos. Astronomía para Niños.** México, CIDCLI/SEP, 1996 (La Brújula), pp. 13 y 14.
El cuerpo humano. Barcelona, Parramón Ediciones, S.A. de C.V., 1994, pp. 74 y 75.
El hombre. Una especie a proteger. Barcelona, Círculo de Lectores S. A., 1985 (Vida y Ciencia), pp. 129 y 131.
El mundo de 1945 a 1960 . Madrid, Aguilar S.A, 1993 (El mundo del siglo veinte), p. 78.
El mundo de 1960 a 1973. Madrid, Aguilar S.A, 1993 (El mundo del siglo veinte), p. 165.
El mundo de 1973 a nuestros días. Madrid, Aguilar S.A, 1993 (El mundo del siglo veinte), p. 59.
El mundo de las Ciencias Naturales. Barcelona, Océano Grupo Editorial, 1991, p. 64.
Enciclopedia de dinosaurios y animales prehistóricos. Londres, Marshall Editions Ltd., 1988, pp. 294 y 295.
Enciclopedia Descubrir. México, Hachette/SEP, 1992, volumen 1, pp. 97, 99, 100 y 149.
Enciclopedia Descubrir. México, Hachette/SEP, 1992, volumen 2, p. 446.
Enciclopedia Descubrir. México, Hachette/SEP, 1992, volumen 12, p. 2655.
Enciclopedia Descubrir. México, Hachette/SEP, 1992, volumen 13, p. 3104.
Engel, Leonard. **El mar.** México, Ediciones Culturales Internacionales, S.A. de C.V., 1991 (Colección de la Naturaleza de TIME-LIFE), pp. 47, 49 y 51.
Farndon, John. **Question & Answer Book.** Nueva York, Dorling Kindersley, 1993 (Eyewitness), pp. 6 y 24.
Fenwick, Elizabeth. **Mother & Baby Care.** Londres, Dorling Kindersley, 1995, pp. 15, 62, 68 y 69.
Flanagan, Geraldine Lux. **Beginning Life.** Ontario, Dorling Kindersley, 1996, pp. 8, 12, 14, 17, 18, 21, 22, 23, 25, 28, 29, 31, 32, 33, 35, 36, 39, 44, 48, 52, 58, 61, 66, 68, 69, 77 y 79.
Fortey, Richard. **Fossils. The key to the past.** Londres, Natural History Museum Publications, 1991, fotografías: 1, 19, 28, 32 y 45.
Gamlin, Linda. **Evolución.** Madrid, Santillana, S. A., 1993 (Ciencia Visual Altea), pp. 13, 22, 23, 27, 33 y 49.
García, Gustavo y José Felipe Coria. **Nuevo cine mexicano.** México, Editorial Clío, Libros y Videos, S. A de C. V., 1997, p. 81.
García Riera, Emilio. **Historia documental del cine mexicano.** México, Universidad de Guadalajara/ Gobierno de Jalisco/Consejo Nacional para la Cultura y las Artes/Instituto Mexicano de Cinematografía, 1992, Tomo 3, p. 259.
García Riera, Emilio. **Historia documental del cine mexicano.** México, Ediciones Era, S. A., 1978, Tomo IX, p. 288.
Geomundo. México. Editorial América, S. A., julio de 1993, número 7, p. 105.
Goudsmit, Samuel A. y Robert Claiborne. **El tiempo.** México, Lito Offset Latina, S.A., 1976 (Colección Científica de TIME-LIFE), pp. 86, 89 y 92.
Grant, Neil y Peter Morter. **Atlas visual de los descubrimientos.** México, Editorial Diana, 1993, p. 62.
Hábitos y costumbres del pasado. México, Reader´s Digest S. A de C. V., 1995, pp. 60, 199, 204, 282 y 311.
Hart, George. **El antiguo Egipto.** México, Altea, Taurus, Alfaguara, S. A. de C.V., 1992 (Biblioteca Visual Altea), p. 24.
Historia de la Ciencia. Barcelona, Editorial Planeta, 1979, volumen 2, pp. 92 y 151.
Historia de la Humanidad. Del Big-Bang al Homo sapiens. Barcelona, Larousse Editorial, S.A., 1997, volumen 1, pp. 86.
Historia de la Humanidad. Las primeras civilizaciones. Barcelona, Larousse Editorial, S.A., 1997, volumen 2, pp. 60 y 63.
Historia de la Humanidad. Los inicios del siglo XIX. Barcelona, Larousse Editorial, S.A., 1997, volumen 12, pp. 72-73, 74, 75 y 79.
Historia de la Humanidad. Los albores del siglo XXI. Barcelona, Larousse Editorial, S.A., 1997, volumen 20, pp. 44, 74 y 78.
Hombres primitivos. México, Altea,Taurus, Alfaguara, S.A. de C.V., 1992 (Biblioteca Visual Altea), pp. 6, 9, 11, 12, 13, 14, 16, 17, 24, 29, 26, 30, 33 y 42.
Howell, Clark. **El hombre prehistórico.** México, Offset Latina, S.A., 1976 (Colección de la Naturaleza de TIME-LIFE), pp. 43, 44 y 45.
Huaxyácac. Revista de Educación. México, Instituto Estatal de Educación Pública de Oaxaca, Año 4, número 13, septiembre-diciembre de 1997, foto portada.
Hurdman, Charlotte. **The Stone Age.** Nueva York, Lorenz Books, 1998 (Step Into...), pp. 33 y 51.
Información Científica y Tecnológica. México, CONACYT, julio 1995, volumen 17, número 216, p. 16.
James, Simon. **La antigua Roma.** México, Altea, Taurus, Alfaguara, S.A. de C.V., 1992 (Biblioteca Visual Altea), pp. 47, 58 y 59.
La nación mexicana. Retrato de familia. Saber ver. Fundación Cultural Televisa, A. C., número especial, junio de 1994, pp. 102, 154, 164, 171, 214, 216 y 217.
Lafferty, Peter. **Force & Motion.** Nueva York, Dorling Kindersley, 1992 (Eyewitness Science), pp. 18, 19, 33, 34 y 35.
Leach, Penelope. **Your Baby & Child. From Birth to Age Five.** Nueva York, Alfred A. Knopf, 1998, pp. 6, 22, 26, 66, 99, 142 y 293.
Leite, Hernani Facundo. **O mondo da electridade.** San Paulo, Editora Moderna, 1995 (Viramundo), p. 18.
Lindsay, William. **La vida prehistórica.** México, Aguilar, Altea, Taurus, Alfaguara, S.A. de C.V., 1994 (Biblioteca Visual Altea), pp. 55 y 57.
Lozoya, Xavier. **Los señores de las plantas. Medicina y herbolaria en mesoamérica.** México, Pangea Editores, 1991, p. 37.
Margenau, Henry y David Bergamini. **El científico.** Ediciones culturales Internacionales, S.A. de C.V., 1983 (Colección Científica de TIME-LIFE), p. 20.
McIntosh, Jane. **Archaeology.** Nueva York, Alfred A. Knopf, 1994 (Eyewitness Books), pp. 13, 23, 39, 46 y 47.
México Desconocido. México, Editorial Jilguero, S.A. de C.V., mayo de 1987, número 123, p. 34.
México Desconocido. México, Editorial Jilguero, S.A. de C.V., febrero de 1994, número 204, pp. 61 y 69.
México Desconocido. México, Editorial Jilguero, S.A. de C.V., junio de 1994, número 208, p. 61.
México Desconocido. México, Editorial Jilguero, S.A. de C.V., agosto de 1994, número 210, pp. 52, 53, 54 y 55.
México Desconocido. México, Editorial Jilguero, S.A. de C.V., mayo de 1997, número 243, p. 7.
México Desconocido. México, Editorial Jilguero, S.A. de C.V., julio de 1999, número 269, p. 25.
México: diversidad de culturas. México, CEMEX, S.A. de C.V./ Agrupación Sierra Madre, S. C.,1996, p. 42 y 46.
Pfeiffer, John. **La célula.** México, Offset Larios, S. A., 1976 (Colección Científica de TIME-LIFE), p. 113.
Moyssén, Xavier (coordinador). **Cuarenta siglos de arte mexicano.** México, Editorial Herrero, S. A./Promociones Editoriales Mexicanas, S.A. de C.V., 1981, pp. 126, 152, 170 y 202.
Muy interesante. México, Provenemex, S. A. de C V., 1992, año IX, número 10, pp. 11 y 20.
Muy interesante. México, Provenemex, S. A. de C V., 1993, año X, número 8, pp. 68 y 69.
Muy interesante. México, Provenemex, S. A. de C V., 1994, año XI, número 8, p. 10.
Muy interesante. México, Provenemex, S. A. de C V., 1995, año XII, número 6, p. 34.
National Geographic. Población. México, Editorial Televisa S. A., octubre 1998, volumen 3, número 4, pp. 1, y 65.
Niños como yo. México, Unicef/Editorial Diana, S.A. de C.V./Dorling Kindersley, 1995, pp. 23, 25, 34, 38, 42, 50, 56, 60, 62, 64, 68, 70 y 74.
Norton Leonard, Jonathan. **América precolombina.** México, Ediciones Culturales Internacionales, S. A de C. V., 1992 (Las grandes épocas de la humanidad/Historia de las culturas mundiales), p. 155.
Nourse, Alan E. **El cuerpo humano.** México, Offset Larios, S.A., 1977 (Colección Científica de TIME-LIFE), pp. 17, 22, 25 y 31.
Owen, Wilfred y Ezra Bowen. **Ruedas.** México, Offset Larios, S.A., 1976 (Colección Científica de TIME-LIFE), p. 23.
Oxford, Enciclopedia del estudiante. Barcelona, Ediciones Altaya, S.A., 1993, Tomo V, pp. 1208 y 1266.
Parker, Steve. **The Human Body.** Nueva York, Harry N. Abrams, Inc., 1996, pp. 11, 12, 15 y 49.
Participemos en el desarrollo de nuestra comunidad. México, Arbol Editorial, S.A. de C.V./SEP, 1991 (Colección Cántaro/Libros del Rincón), portada.
Porritt, Jonathon. **Salvemos la Tierra.** México, M. Aguilar Editor S.A. de C.V., 1991, pp. 8 (tailandesa con arroz), 26, 43, 50, 112 y 117.
Premio Ariel. México, Academia Mexicana de Ciencias y Artes Cinemátográficas A. C./ Cineteca Nacional de México/ Instituto Mexicano de Cinematografía, 1994, p. 60.
Presagios. La llegada de los españoles a las costas de México. México, SEP/Editorial Nueva Imagen, 1980, Tomo I (México, historia de un pueblo), pp. 1, 2, 4, 9, 19, 41 y 43.
Procter & Gamble de México. 50 Aniversario. México, Editorial México Desconocido, S. A. de C.V., 1991, pp. 52, 153 y 158.
Qué curan las plantas. Guía México Desconocido. México, Editorial Jilguero, S.A. de C. V., número especial 34, 1997, p. 34.
Qué hacer con la basura. México, Consejo Nacional de Fomento Educativo, 1994 (Serie Educación Ambiental), portada.
Reichen, Charles-Albert. **Histoire de la physique.** Editions Rencontre, 1964 (Nouvelle Bibliotèque Illustrée des Sciences et des inventions), p. 15.
Rodríguez, R. Gabriela y José Angel Aguilar Gil. **Hijo de tigre... pintito.** México, SEP, 1994 (Libros del Rincón), pp. 99 y 120.
Sagan, Carl. **Cosmos.** México, Editorial Planeta, 1993, p. 11.
Scarre, Chris. **Timelines of the ancient world. A visual chronology from the origins of life to AD 1500.** Londres, Dorling Kindersley, 1993, pp. 25, 26, 47, 57, 76, 86, 90, 93, 98, 103, 120, 133, 136, 165, 179, 180, 181, 189, 191, 193, 203, 205, 212, 221, 222, 223, 233, 235, 237, 237 y 242.
Sciences. París, Hachette, 1995, Cycle 3/Niveau 1 (à monde ouvert), p. 37.
Science & Children. Arlington, National Science Teachers Association, febrero 1995, volumen 32, número 5, p. 1.
Sinaloa. México, Gobierno del estado de Sinaloa, 1993, pp. 134, 135, 142 y 143.
Sonora. Opportunities in the Northwest of Mexico. México, Gobierno del estado de Sonora, 1994, pp. 26 y 31.
Steele, Philip. **Ancient Egypt.** Nueva York, Lorenz Books, 1997, pp. 23.
Taylor, Paul D. **Fossil.** Nueva York, Alfred A. Knopf, 1990 (Eyewitness Books), pp. 34, 36, 37, 39 y 42.
The visual dictionary of prehistoric life. Londres, Dorling Kindersley, 1995, (Llwitness visual dictionaries), p. 54.
Toda una selección: México. México, Américo Arte Editores S. A. de C.V., 1994, p. 86.
Townsend, Richard F. **Ancient West Mexico. Art and Archaelogy of the Unknown Past.** Chicago, The Art Institute of Chicago, 1998, pp. 52, 66, 79, 195, 258.
Tordjman, Gilbert y Claude Morand. **La vie sexuelle.** París, Fernand Nathan Editions, 1985, pp. 37 y 41.
Tuñón, Julia. **Mujeres de luz y sombra en el cine mexicano. La construcción de una imagen, 1939-1952.** México, El Colegio de México/Instituto Mexicano de Cinematografía, 1998 (Programa Interdisciplinario de Estudios de la Mujer), p. 83.
Visión del cambio de la seguridad social. Memoria Institucional 1988-1994. México, Instituto Mexicano del Seguro Social, 1994, p. 80.
Vive y deja vivir. México, Editorial Nueva Conciencia S.A. de C.V./ Grupo Resistencia S.A. de C.V., junio de 1998, número 1, p. 53.
Wallace, Robert A., Jacke L. King y Jerald P. Sanders. **Conducta y ecología. La ciencia de la vida.** México, Editorial Trillas, 1992, pp. 83 y 86.
Yokochi, Chihiro, Johannes W. Rohen y Eva Lurie Weinreb. **Atlas fotográfico de anatomía del cuerpo humano.** México, Nueva Editorial Interamericana, S.A. de C.V., 1991, pp. 69 y 76.

Ciencias Naturales y Desarrollo Humano. Sexto grado

se imprimió por encargo de la Comisión Nacional de Libros de Texto Gratuitos, en el 45° aniversario de su creación, en los talleres de Impresores Encuadernadores, S.A. de C.V. con domicilio en Guillermo Barroso, N° 12-A, Fraccionamiento Industrial Las Armas, C.P. 54080, Tlalnepantla, Estado de México, el mes de octubre de 2004.

El tiraje fue de 2,542,100 ejemplares

Impreso en papel reciclado

Dirección General de Materiales y Métodos Educativos
Dirección de Ciencias Naturales
Avenida Cuauhtémoc 1230, 8º piso,
Santa Cruz Atoyac, 03310, Benito Juárez, México, D.F.

Dobla aquí

Si deseas recibir una respuesta, anota tus datos.

Nombre: ______________________________

Domicilio: ______________________________

Calle | Número | Colonia

____

Entidad | Municipio o Delegación | C. P.

Dobla aquí

Pega aquí

¿Existen dudas, preguntas o comentarios que quisieras comunicarnos?

Escríbenos:

Nota: ***Si deseas recibir respuesta, no olvides anotar tus datos en el reverso de esta hoja.***

Recorta aquí